謹訳
源氏物語 四
改訂新修

林望

目次

装訂　太田徹也

薄雲（うすぐも）

源氏三十一歳の冬から三十二歳の秋まで

源氏、明石の御方を説得

冬がやってきた。

瀬戸内の明石とは事変わり、同じ水辺の宿りとはいえ、大井川に面した邸は、ぞっとするような寒さであった。明石の御方は、この冷え冷えとした川辺の邸で、故郷とも父とも離れ、源氏は稀に来るばかりの物淋しい暮らしをしている。すると、いったいなんのためにこんなところに、とぼんやりしてしまうことのみ多い。

源氏は、

「やはり、こんな寒々しい暮らしはとても我慢がなるまい。あの二条の、近くの邸に引き移ることを決心してはどうかね」

と勧めるけれど、御方にはその決心がつかぬ。

〈源氏の君は、そうおっしゃるけれど……〉

明石の御方の胸中には、ひとつの古い歌が思い浮かんでいる。「宿かへて待つにも見えずなりぬればつらき所の多くもある哉（住まいを変えて待ってみても、やはりお見えにならないままになってしまったので、あちらでもこちらでも、あなたに辛い思いをさせられる場所の、なんてたくさんあるのだろうと思い知りました)」。それにつけても、〈……昔の人も、恋しい人が通って来てくれるように宿を変えてみたけれど、それでもやはり通って来てはくれなかったと嘆いている……これでその二条のお邸近くに引き移ったところで、源氏さまのつれなさが変わるわけでもなかろうし、ここでも辛い、あちらでも辛い、そんな辛い思いをする場所が多くなるだけにちがいない。結局、どこへいっても、源氏さまのお心がどんなに冷たいかを、ためしてみているようなものだから……〉と胸を痛める。

そしてまた、「怨みての後さへ人のつらからばいかに言ひてか音をも泣かまし（さんざん怨みごとを言ってみても、それでもなお、あの人の態度がいっこうに冷淡なままだったら、さあ、そこから先は、なんと泣き言を言って、声を上げて泣いたらいいのでしょう。もう打つ手もありません)」という古歌が心に浮かぶ。

〈私の心は、この歌のようなもの……なんと申し上げて、源氏の君のお心を改めていただけるものでしょう〉と、明石の御方の心は、千々に乱れるばかりであった。

源氏は、それでもごく真剣に語りかける。

「そうか、もし二条のほうへ引き移る気がないのなら、せめては姫君だけでもこちらへ引き取らせてはもらえまいか。大切な姫君を、いつまでもこんなところに置いておくのは、なにかと不便や不都合があろう。いや、私には密（ひそ）かに思うところがある。……こんなところに置いておいては恐れ多いというものなのだよ。されば、あの紫上（むらさきのうえ）も、姫のことは承知していてね、いつも逢（あ）いたがっているのだ。ついては、しばらくの間、あれによく馴（な）れるように仕向けて、それから袴着（はかまぎ）のことなども、おおやけに披露して、堂々とした形で挙げてやりたいと思う」

もちろん、こんなことを言われる日が、いつかは来るだろうと、明石の御方は、源氏の心中をうすうす察してはいた。けれども実際にその時が来てみると、どうにもこうにも胸のつぶれる思いがする。

「いま、改めて高貴の姫としてお養いいただくとしても、でも、人の口に戸は立てられませぬものを……、じっさいの母親がこういう者だということは、いずれ世の知るところとなりましょう。そうなれば、かえって源氏さまとして、取り繕（つくろ）うこともむずかしくお思いになるのではございませんか」

明石の御方は、こんなふうに源氏をたしなめる。姫君を手放すなんてことは、どうしても諾（うべな）いがたく思っているのである。それも道理ではあるが、源氏はなお説得を続ける。

「生さぬ仲の継母に育てられるとあっては、なにかと気掛かりなことも多いのではないかと、そなたは案じるのであろう。しかしな、そういう疑いは無用だよ。あの紫上という人は、もう一緒になって何年にもなるが、どういうものか、未だに子が授からぬ。そのことを、あちらではずいぶん寂しく思っているのだからね。……だからこそ、前の斎宮だって、すっかり大きくなってからだったけれど、強いて親代わりになってお世話をしているというようなことなのだ。まして、姫君はまだ小さい。かわいらしい盛りじゃないか。そんな愛すべき姫君を、やわかあの紫上が疎略に扱って見放したりなどするはずもない、いや、そういう気性なのだ、あの方は」

源氏は一生懸命に、紫上の人となりの理想的なありさまを語り続けるのであった。これを聞けば、さすがに明石の御方の心にも思うところがないではない。

〈……まことに、昔は、この源氏の君という方は、いったいどんな人を妻としたら、浮気沙汰なども なく落ち着かれるのであろうと、遠く離れた明石でも、噂を耳にするたびに思っていた……でも、その紫上という方のために、さしもの浮気心も、あとかたなく鎮まってしまわれたとか……されば、お二人の仲は、よほど強い前世からの因縁に結ばれたものらしい。また、紫上という方のお気立ても、数多い女君がたのなかで、飛び抜けて優れていらっしゃるにちがいない……〉そんなふうに思うにつけても、明石の御方の心は揺れ続ける。

〈それなのに、自分のような者がしゃしゃり出ていって、いっぱしの夫人気取りでいたら、きっと紫上さまとて心外千万な思いをされることになるかもしれない……いずれにしても、わが身は、しょせん賤しい明石の入道の娘に過ぎない、このことは一生変わりようもない。ならば、これから先の長い姫君の人生だもの、つまるところはあの紫上さまのお心次第にしていただくという運命なのではあるまいか。……だとすれば、たしかに、源氏さまの仰せのとおり、まだ物心付く前に……今お譲りするほうがいい、そうしよう〉と、明石の御方の心は、そんな思いに逢着する。が、そうかと思うと、〈……ああ、でも、でも、ここでこの子を手放したら、これからずっと気が揉めて、揉め続けて、いっときとして、この心にあいた穴を慰める方法もないに決まっている。そしたら、いったいどうやってこれから、私は生きていったらいいのだろう。……それに、この姫がいればこそ、たまさかにでも源氏さまはお通いくださるのに、姫がいなくなったらどうなるだろう〉などなど、明石の御方の心は、それからそれへ思い乱れる。そうして、やるせない辛い気持ちは果てしもなく心を嘖むのであった。

母尼君の口添え

母の尼君という人は、思い遣り深い人柄であった。

「そんなことを言うても、なにもなりませんよ。それは……これから先、姫君に逢えないのは、どんなにか胸の痛いことでしょう。でもね、それが結局はあの姫君のためになることなんだと、そう思っていることにしましょう。源氏さまとて、決して、いい加減なおつもりでああ仰るのではありますまいよ。この上は、ひたすら君のお蔭をお頼りして、姫君をあちらのお邸に差し上げたほうがよいと思いますよ。同じ帝の御子たちでもね、その母の身分次第で、いろいろと生い先に違いができるように思えます。だいいち、その源氏さまご自身にしてからが、あのように、此の世に二人とはおられないようなご立派なご様子でありながら、でも、皇太子にも宮様にもなられず、臣下に降られたというのは、その母君の桐壺御息所という方の父君、亡き大納言という方が、もう一段高位に昇ることなく終わったという、その身分の低さのために、あの方も、身分としては更衣で、そのために源氏さまとて結局更衣腹だということで、他の皇子たちとは区別して源氏になられたようですものね。ましてや、単なる臣下の身分の家に生まれた女の場合は、源氏さまのこととはまた比べ物にもなりはしません。仮に、親が皇子たち、あるいは大臣の家の娘であったとしても、正室でなくて側室の腹ということになれば、世の人も、一段低いものに見るものですしね。父親の扱いかたとても、正室の嫡子がたとは、とうてい同じようにはならないものですよ。これで、今はほかに姫君もおわさぬから良いようなものの、いずれ高貴のお家柄の御方々の腹に、姫君でも生まれようものなら、やはりあえなく見捨てられることになりましょう。とは申せ、それぞれの身のほどに応じて、父親にもひとかどある姫として大事に守り育てられた人だったら、それは将来にわたって、そうそう貶められることもない基ともなりますからね。近々に袴着の式も挙げてやらなくてはなりませんが、それだって、こちらで、どんなに心を尽くして用意したとしたって、なにぶんこんな山家では、なんの見栄えもしやしません。されば、なにもかも、ただ源氏さまのご差配にまかせて、姫君をどのように扱ってくださるのかを、とくと見聞していたらいいのですよ」

尼君は、そういって懇篤に言い聞かせる。

明石の御方、姫君を紫上に託すことを決心

しかし、明石の御方の心には、なかなかその決心がつかない。こうして、思慮深い人の見通しを聞き、また陰陽師などの占を問わせてみても、いずれも同じ結論で、「やはり姫君は父君のご本邸のほうへお渡りになるほうがよろしかろう」との判断ばかりであった。かくては、明石の御方の心にも、〈そうかもしれない〉と気の弱くなるところが出て来る。

源氏にしても、それは二条の邸で育ったほうが、姫のためだと思っているのだが、とはいえ、一人子を手放さなくてはならない母親の気持ちも、またかわいそうに思うので、強いてすぐに移るようにとも言いかねている。

「しかし、袴着のことは……どうするおつもりか」

と、源氏はまずそのことを問う文を送る。するとその返事に、

「なにごとにつけても、頼りがいのないこの身といっしょになって過ごしているようでは、この先、まったくかわいそうなことになりはしないかと思っておりますけれど、……でも、かと申して、お邸のほうですばらしいご身分のかたがたに立ち交じって過ごすとな

れば、それはそれで、どんなにか笑いものにもなりはせぬかと、それが案じられまして……」

とあって、源氏もこれには、いよいよ同情の念に胸をしめつけられる。

しかし、いつまでもぐずぐずとはしてもいられない。源氏は、まず姫が渡ってくるのに良い日柄など占わせ定めて、その上で、秘密裏に、しかるべき準備などを部下のものに命じて調(ととの)えさせた。

やっぱり、姫を手放すことは、なんとしても悲しいと思うものの、〈いや、これはほかならぬ姫のためなのだから〉とひたすらに心に念じて、明石の御方は、苦悩を忍ぶのであった。

二条邸へ移るとなれば、生まれた時からずっと傅育(ふいく)してきた乳母(めのと)もまた姫について二条に移る。

〈ああ、頼りにしていたあの乳母とも、もうこれで別れなくてはならない……。このところずっと、明け暮れの苦悩や、所在なさをともに語らって慰めてきたのに、あの乳母までここから去ってしまったら、私には、もうほんとに誰も頼るべき人がいなくなってしま

う。……そしたら、どんなに寂しい思いがするだろう〉と、御方は、さめざめと泣き、乳母も、

「それもこれも前世からの約束と申すべきものでございましょうか。わたくしは、こうしてお仕えするようになるだろうなどとは、夢にも思っておりませんでしたが、不思議のご縁で、お側近くお勤めすることになり、以来何年もお優しくしてくださったお心のほどは、決して忘れることはできませんし、これから先もずっと恋しい思いで過ごすことになろうかと存じます。されば、ここでお別れして、それきりにご縁が切れるなどということは、よもやございませんでしょう。いつかはまた、かならずお側にと、それをなによりの頼みにいたしておりますのに、これからしばらくの間とは申せ、居も馴れぬよそよそしいところに、これまた思いがけぬご奉公をいたしますのは、きっと、不安ばかりの毎日になろうかと……」

そう言って、声を上げて泣く。

明石の御方と乳母は、こうして、泣きみ語りみ、日一日と過ごしているうちに、いつしか師走になった。

とかく雪や霰（あられ）が降る日が多く、心細さもひとしおであった。明石の御方は、〈なんだってまた、こんなにもつぎつぎと心を苦しめることばかり多い身の上なのかしら、なにがなんだかわからない〉とため息ばかりついている。そうしては、常にも増して、姫を撫（な）でさすったり、身なりを繕（つくろ）ってみたりして過ごしている。

真っ暗な空から雪が落ちて、夜のうちにすっかり積もった。その朝、これまでのこと、これからのこと、なにからなにまで思い続けて、いつもだったら、とくに表に近いところに出ているような、はしたないことはしない御方なのだが、眼前に広がる池の水面（みなも）などを見やっては、白い衣のふわりとやわらかなものを何枚も重ね着して、ぼんやりとしている。その姿、その頭（かしら）つき、うしろ姿など、どこからどこまで高雅な空気を身にまとっていて、たとえば皇后というような、この上ない人だと見ても、まずこんなふうであろうかとお付きの女房たちも見ている。

御方は、落ちる涙を掻（か）き拭（ぬぐ）って、

「もしね、姫君がここにいなくなったら、こんな日はどんなに気掛かりで胸が痛むことでしょう」

と、そんなことを言い言い、なにかいじらしげに泣いて、

雪深み深山（みやま）の道は晴れずとも
なほふみかよへ跡絶（あとた）えずして
この雪の深さに山奥までの道は通れなくなるとしても、それでも、なんとかして踏み通って、文（ふみ）だけは通わせてほしい、音信不通になどならないでね

と、こんな歌を低く詠じた。これを聞いて乳母は、嗚咽（おえつ）を漏らしながら、

雪間（ゆきま）なき吉野の山をたづねても
心のかよふ跡絶えめやは
みっしりと雪に覆われるあの吉野山の奥までも、心を通わせる文の筆の跡（あと）、その文の使いの踏み跡（あと）は絶えることなどありますものか

こう歌を返しつつ、せめて御方を慰める。

姫君、二条の院へ

この雪が少し溶けたころになって、源氏は大井の邸へ通って来た。

いつもだったら、源氏の訪れを心待ちにしている明石の御方であったが、こたびばかりは、すこしも嬉（うれ）しくない。源氏の訪れはすなわち姫君を迎えに来るのだと思い定めているからである。

いよいよ、その日が来た、と思うと、胸の潰（つぶ）れる思いがする。

〈……でも、それもこれも、もとはといえば我が身の賤しさのせいなのだし、こうして、手放すことを承諾してしまったのも自分で決めたことなので、他の誰のせいでもない。すべてはこの自分の心次第……もし、これでどうしても嫌だと申し上げたら、それを強いてもとは君はおっしゃるまい。ああ、なんだってまた、姫を差し上げる約束などしてしまったのかしら、つまらぬことを言ってしまった。……でもそんなこと思ってみても、今さら嫌ですと言うこともできない……そんなことをすれば、いかにも軽薄な女のように思われてしまう……〉

御方の心の中では、正直な気持ちと丈高い理性とがせめぎ合っている。

その目の前には、姫君が、なんともいえずかわいらしげな姿で、ちょこんと座っている。この様子を見て、源氏は、〈ああ、こういうすばらしい姫を産んだ、この人とはよほど深い前世からの因縁があったのだな〉と思うのであった。

この春あたりから伸ばしている髪の毛が、今ちょうど尼さんの髪のように背中あたりまで伸びてゆらゆらと艶めき、また頬のやわやわとした感じや、目許のふわっと匂い立つような美しさは、言葉に出して言うのも今さらという思いがする。

「人の親の心は闇にあらねども子を思ふ道にまどひぬるかな（人の親の心がおしなべて闇だというのではないが、ただ、子を思うその恩愛の情のために、誰もみな道に惑うてしまっているのだ）」という名高い歌が、源氏の心に去来する。

〈いたいけなわが子を、よその家の子として遠くから思い遣るなど、さぞ親としては「心の闇に惑う」というものだろうな〉と、そんなふうに同情すると、源氏としても胸が痛む。そこで、大丈夫、二条の邸に迎え取っても、かならずかならず辛いことのないように、くれぐれも愛情深く育てるから、と繰り返し言い聞かせなどするのであった。

「わたくしは決して多くを望むのではございません。ただ、あの姫がわたくしのような取るに足りない身のほどでないようにだけしてくださいましたら、それで十分でございます」

明石の御方は、そんなふうに言いはするものの、やはり堪えきれずに嗚咽を洩らして泣くありさまは、あまりにも哀れであった。

姫君は、しかし、なんの苦悩もない様子で、迎えの車に早く乗りたいと言う。

車が寄せられる。

母君みずから、姫を抱いて車寄せまで出て来る。

ちょうど片言をしゃべるようになった姫の、その声はたいそうかわいらしい。

車に乗ると、姫は母君の袖を摑んで、

「ねえ、乗って、いっしょに」

と、その袖を引く。母君は、この声を聞くと、もはや涙もせきあえず、
末遠き二葉の松に引き別れ
いつか木高きかげを見るべき
まだ二葉ほどの幼い松のような姫、これから先長い長い人生が待っている姫に、今ここで松の根を引くように、引き別れてしまったら、いったいいつ、この姫松が大きな木になったところを見ることができるのでしょう

御方は、この歌を最後まではとうてい詠じ切れず、途中から激しくせき上げて泣いた。

源氏はそれを見て、〈それはそうであろう、ほんとうにかわいそうに〉と思って、

生ひそめし根も深ければ
武隈の松に小松の千代をならべむ

こうして親子に生まれてきた、その前世からの因縁も根深いことだから、あの名高い武隈の親松と、この小松とがいずれは千代の長きにわたって一緒に暮らす時もまいりましょう

どうか、気を長くもって過ごすのだよ」

せめては、そう言って慰める。

昔、藤原元善は、陸奥の守となって下向した時に、武隈の松が枯れてしまっているのを見て、改めて小松を植えたことがあった。やがて任果てて上京の途次、再びこの松を見て、「植ゑし時契りやしけむ武隈の松をふたたびあひ見つるかな（かつて植えたときに、そう約束したのであったろうか。この武隈の松をここで再び逢い見たことであったなあ）」という歌を詠んだと伝えられる。

源氏は、こんな故事を引きごとにして、いずれは親子いっしょに暮らせるようにしたら

いい、と、明石の御方の心を引き立てたのである。

御方にも、源氏の言っていることはよくわかった。きっとそういうこともあるだろうと、気を鎮めようと努めもする。それでも、やはり涙を堪(こら)えることなどできはしない。やがて、乳母、少将など、貴(あて)やかな風情の女房ばかりが、お守りの佩刀(はいとう)、それからやはりお守りの這子人形(ほうこにんぎょう)のようなものを、それぞれ手に持って車に乗り込んだ。

姫君の乗った車の随行車には、姿の良い若い女房たちや、女の童(めのわらわ)などを乗せて、二条のお邸まで見送りに遣(つか)わす。

二条への道々、源氏の心には、あとに残された明石の御方の、悲しみに拉(ひし)がれた胸中の痛々しさが思われて、〈ああ、ほんとに罪作りなことをしたかもしれぬ〉という想念が起こりもする。

もうすっかり暗くなってから、二条の邸に到着した。車を寄せると、はや、さすがに雰囲気が違って感じられる。明石やら大井やらの、田舎びた暮らしに馴れた人々の心には、なにやらきまりの悪い思いでこのお邸の人々に立ち交わることになるのだろうかと案じられてもくる。

寝殿の西側を、ことに姫君専用にしつらえて、小さな調度をあれこれと、いかにもかわいらしく調えさせてある。そうして、乳母の局（つぼね）には、西の渡殿（わたどの）の北側の一室を用意させてもあった。

姫君は、車中で寝てしまったので、源氏みずから抱いて車から降ろしたが、泣きなどもしない。

やがて目を覚ましたので、この西側の母屋（もや）で、お菓子などを食べたりするうちに、だんだんとはっきり目が覚めてくると、母君の見えないのを探し求めて、いじらしい様子で泣きべそをかいた。

源氏はさっそくに乳母を呼び出して、せいぜい姫君を慰め宥（なだ）めさせるのであった。

明石の姫君の袴着の儀

〈あの大井の山里では、さぞさびしくしているにちがいない。まして姫君のいなくなった今は、どれほどうつろな思いをしているだろうか〉などと、源氏は明石の御方の身の上を思い遣る。するといかにも痛々しいこと、と同情はするのだが、しかし、こうして朝に夕に、かわいいさかりの姫君を目交いにしつつ、大切に育ててゆくのだから、それはそれですこぶる満足な気持ちがしているのであろう。

そのいっぽうで、〈まったく、どういうことなのであろう。これで紫上とのあいだに実の子を授かったなら、それこそは誰から見ても非の打ち所のない子が生まれように、なかなか思う通りにはいかぬものだ〉と、源氏は口惜しい思いに駆られもする。

姫君は、ここへ来た当初こそ、それまでずっと身近にいたむこうの女房たちを恋しがって泣いたりもしたけれど、もともと心が素直で好ましい気性の子ゆえ、今では紫上にもよく懐いて睦まじくするようになった。

紫上のほうでも、ほんとうにかわいい子を授かったものと、素直に喜んでいる。それで、なにをさて措いても、この姫君を抱いたりかわいがったりして、いっしょに遊んでやっている。そこで、姫君付きの乳母も、自然と紫上の身近くご奉公するということになった。また、源氏は、しかるべき家柄で今乳の出ている人を召して、添え乳の人として召し使うように手配などもした。

御袴着の儀は、特にこれという珍しい趣向を加えて用意したということでもなかったが、それでも、さすがに源氏と紫上のすることは、格別に素晴らしい。部屋のしつらいなども、姫君に合わせてよろず小さくかわいらしく誂えたお道具類ばかりで、なにやらお人形遊びめいてはいるが、みごとなものであった。

袴着の儀礼に参列した客人たちも決して少なくはなかったが、それでも、もともとこの邸には明け暮れ夥しい人が出入りするのであってみれば、ことさらにこの袴着の客が目立つというほどでもない。

そんな空気のなかで、ただ姫君が、袴の紐を襷がけに胸のあたりで結んでいる様子ばかりは、かわいらしげなところが引き立って目に立つのであった。

歳暮、大井の邸を思いやる源氏の心

その頃、大井の邸のほうでは、明石の御方が、尽きることなく姫君を恋しがって、こんなことになってしまったわが身の至らなさを嘆いては、悲しみに悲しみを添えていた。

尼君は、そんな娘に、あのようにそれらしく異見などはしたものの、涙もろいことは同じで、それでも姫君がそのように大事に大事に扱われていると聞けば、やはり嬉しいのであった。

　そこまで源氏が心を尽くして世話をしてくれているところへ、どうして、かかる田舎からなまじっかなお世話などもできようはずもなく、せめて、姫君付きの女房たちのために、乳母を始めとして皆々に、この上なく美しい色合いの衣を誂えては贈ってあげようというほどのことしかできなかった。

　姫君がいなくなったら、源氏の通いも絶えてしまうのではないかと案じている明石の御方の心のうちを思うにつけて、源氏は〈きっと待ち遠しい思いでいるだろう。やはり案じていたとおり通ってこなくなってしまった、とも思うであろう、……それはかわいそうだ〉と思って、その師走のうちに、そっと忍んで通っていった。

　もともとが寂しい住まいのところへ、ああして明け暮れに世話をしていた姫をさえ手放して、御方が思い悲しんでいることが気の毒だと思うので、源氏のほうからは文なども絶え間なく届けられる。今となっては、紫上も、この大井通いのことは、取り立てて怨みがましいことも言わない。ただただ、このかわいらしい姫君に免じて罪一等を宥免するとでもいうところであった。

新春、二条東院の花散里の日々

新しい年が来た。源氏は三十二歳になった。

うらうらと空は晴れ渡り、どこといって足らぬところのない源氏のありさまは、めでたいうえにもめでたく、邸うちことごとに美しく磨き立てた佇(たたず)まいも清々(すがすが)しいところへ、新年の客たちが、引きも切らず訪れてくる。

年かさの人々は、新年叙爵(じょしゃく)に際しての昇進などのお礼言上(ごんじょう)のため、七日に、ひき連れひき連れやってくる。また若い人々はどこと言って不満もなく幸福そうに見える。

それより下の身分の者たちは、内心のところはなにかと心配な私事などもあるかもしれないが、表面上は、なにも屈託がない。

いずれも、信賞必罰(しんしょうひつばつ)よろしきを得て、平らかに治まる御代(みよ)、源氏の内大臣としての手腕のしからしむるところであった。

二条の東院の西の対に住む花散里(はなちるさと)も、その暮らしぶりはまことに好ましく、なにぶんにも、あるじ花散里の差配の行き届くことは、いっそ理想的だと言ってもよい。そこに仕えている女房から女の童にいたるまで、身なりなどもきちんとして互いに心遣いを欠かさぬよう、穏やかな暮らしぶりであった。

ここは、源氏の本邸からすぐ近くゆえ、その地の利もめざましく、ちょっとした暇のあるときに、源氏は、さりげない調子で、ふと顔を出したりするのであった。それでも、夜はこちらにお泊まり、などというような形でわざわざやってくるということはない。

そもそも花散里という人は、心が穏やかでおっとりと鷹揚な人柄ゆえ、しょせんは、こういう定めなのであろうと、わが身をよくよく観念して、源氏に対しては、世にも珍しいほどに気の置けない、春風駘蕩たる態度で接している。

かくては、時節ごとの経済的な配慮なども、紫上の暮らしぶりに劣るような差別はいっさいせぬという厚遇ぶり、これを見ては、世の人々も、この御方を軽んずるようなことは間違ってもしない。紫上に仕えるのと同じように、誰もが伺候して、事務を取り扱う者たちも精励恪勤、中途半端に乱れたところなどなく、それはそれは立派なありさまであった。

源氏、大井の邸に明石の御方を訪う

大井の山里暮らしの物寂しさを、源氏はしかし、絶えず気づかっているので、公私ともになにかと多事多端な新年の時節を過ぎたころに、明石の御方のところへ行くことにした。

そこで、いつもよりも一段と丁寧にめかし込んで、桜襲（表は白、裏は紫）の直衣の下には、得も言われず美しい色合いの衵（下着）を重ね、たっぷりと香を焚き染め、身繕いおさおさ怠りなく作ってから、紫上のところへ、外出の挨拶をしに行く。

折しもきらびやかな夕日が隅々まで射し入り、ただならず美しい源氏の姿を目の当たりにして、紫上は、心中穏やかならぬ思いで見送るのであった。

姫君は、あどけない様子で源氏の指貫の裾に取りついて、どこまでも後を慕って付いてくるので、すんでのところで部屋の外までも出てきてしまいそうになった。

源氏は、戸口に立止って、そのかわいらしい姿をしみじみ愛しく思う。そして、なかなか裾を放してくれない姫君に、「またすぐ来るからね」とやらなんとやら、いろいろ宥め賺して、やがて、朗々とした美しい声で催馬楽を口ずさみつつ出て行く。

桜人(さくらびと)　その舟止(ふねちぢ)め
島つ田(しまつだ)を　十町(とまち)つくれる
見(み)て帰(かへ)り来(こ)むや　そよや
明日帰(かへ)りこむ　そよや

桜の人よ、その舟を停(とど)めておくれ
あの島に田を　十枚作ったものを
見て、帰って来ようほどに　それそれ
明日帰って来ようほどに　それそれ

すると、この声を耳にして、紫上はさっそくに歌を作ったらしい。渡殿(わたどの)の戸口のところに、早くも中将(ちゅうじょう)の君が待ちかけていて、こんな歌を歌って伝えた。

舟とむる遠方人(をちかたびと)のなくはこそ
明日帰り来む夫(せな)と待ち見め

その遠いところに、舟を泊めようというお人がなかったなら、きっと明日には帰ってくる夫を、たしかに当てにして待っていられましょうけれど……

こんな洒落た歌を、中将の君はまた、いかにも物慣れた様子で婉然と歌い聞かせるので、源氏もまたふわっとはなやかな笑みを浮かべて、

行きて見て明日もさね来むなかなかに遠方人は心置くとも

まずはともかく行ってみて明日にもきっと帰って来ようさ、そうすると中途半端に逢うことになって、あちらの人は心楽しくはあるまいけれど

このやりとりが何を意味しているのか、なにも知らぬ姫君は、無邪気にそこらをはしゃぎまわっている。その様子を、紫上は〈かわいらしいわ……〉と思って見ている。そうして、あの「遠方人」なる人への面白からぬ思いも、いつしかもう許してあげようと思うようになった。

〈今ごろは、あちらでも、どんなにかこの姫を恋しく思い出していることでしょう……。この私だって、もし同じようなことになったら、それはそれは恋しく思うでしょうから。ほんとにかわいらしい……〉と、思いつつ、紫上はしげしげと姫を見つめ、やがて懐に抱き入れて、若やかでかわいらしい乳房を哺ませたりしてみる。そんなふうに、実の母娘の

ように戯れているありさまは、まことに見ていてほのぼのとしたものがある。

近侍の女房たちは、この様子を見て、

「どうせ同じことなら、なぜ、こちらの姫にお生まれにならなかったのでしょう」

など、たがいに語り合っている。


いっぽう、大井の邸のほうでは、たいそう余裕のある暮らしぶりで、それだけに手を抜かぬ風雅な佇まいに住みなしている。家のありさまも、やや風変わりながら、あたりの平凡な家々とはあきらかに違った趣に建てられている。そのなかで暮らす明石の御方自身の挙措動止など、次第に洗練されて、見るたびに品格を備えまさり、いまでは高貴なお家柄の人々に比べても少しも見劣りのしない容貌、また心の用意など、女として理想的な姿になっていくのであった。

源氏は、つくづくと思った。

〈まず、こういう身分の女が自分たちのような高貴の家の妻女となることも、決してあり得ぬことではない……取り立てて才能がすぐれているとか、特別の評判になっているわけでなくとも、世の中の受領の娘などのなかにそういう女が紛れていることも、まま、あるかもしれぬ。しかし、あの明石の君は、そういうそこらの娘たちとは格段に違っている。ただあの、世にも稀な偏屈者と評判の父親だけはちょっといただけないが、本人の人品骨柄などは、姫の母としては何も卑下するに及ばぬ、このままで十分よいものをなあ……〉

それにつけても、ここでの逢瀬はいつだってつかの間で、心満ち足りる思いのするまでいたことがないからであろうか、そしてまた、きょうもゆっくりともできぬままに帰らなくてはならないことが心苦しいからでもあろうか、源氏は、「世の中は夢の渡りの浮橋かうちわたりつつものをこそ思へ（ああ、男女の仲というものは、夢のなかで渡っている中空の浮橋のようにたよりないものであろうか、こうして世を渡ってゆきながら、物思いばかりしている）」という古歌を、そこはかとなく思い出して、おおきなため息をついた。

箏の琴がある。源氏はこれを手許に引き寄せると、あの明石の小夜更けがたに、琴を合奏した音などもまた思い出されて、こたびは明石の御方に琵琶の演奏を、ぜひにもと所望する。御方は、琵琶を執って少しばかり源氏の箏に弾き合わせた。

〈ああ、見事な弾きぶりだ。いったい、この人はなぜにまたこのように、なにもかも不足なく具わっているのであろう……〉

源氏はそう思って、姫君のことなどを、とりわけこまごまと心を込めて語り聞かせたりしつつ、時を過ごす。

この邸は、こんな田舎ではあるが、源氏が、ままこうして立ち寄っては泊まっていく場合もあるので、時にはちょっとしたお菓子やおこわなどを食べていくこともある。また近いあたりの嵯峨(さが)の御堂(みどう)や桂(かつら)の院(いん)に顔を見せるのを口実として、そのついでに立ち寄る時などは、そうそう真剣に恋慕の様子を示したりもしないのだったが、といってまた、はっきりと冷淡な態度もしない。やはり明石の御方に対する源氏の持て扱いは、そこら並々の女たちのそれとは大いに違うこと、傍目(はため)にも明らかであった。

御方のほうでも、源氏のこうした心づかいをじゅうじゅう弁(わきま)えていて、出過ぎたまねはすまいと自重しつつ、とはいえ、過度に卑下(ひげ)などもせず、源氏の気持ちに添いながら穏やかに過ごしているのは、まことに好感の持てる態度であった。

はるかに明石で聞いていたところでは、源氏という人は、たとえばよほど高貴な女君のところですら、これほどにも心打ち解けて過ごすということはなく、いつだって気位の高い様子でいると、そう承知していたので、明石の御方としては、却(かえ)って気が許せないのであった。

〈……もしこれで、自分のようなものが、源氏の君に近々(ちかぢか)と交わって日々馴(な)れて過ごしな

どすれば、その馴れた分珍しさも失せてがっかりされたり……もしかして侮られるような
ことだってあるかもしれない。……だからこんなふうにほんとうにたまさかに、わざわざ
おいでくださるほうがいいのかもしれない……それだって、よく考えれば、大したことに
ちがいないのだし〉などと、御方は思っているのであろう。

明石の入道のほうでも、あの別れの日には、もうよほどなにもかも捨ててしまったよう
な強がりを言っていたけれど、源氏がじっさいにどんなふうに心づかいをしてくれている
のか、また御方への、あるいは姫君への扱いぶりはどうなのかを知りたく思って、じつは
おおよそのところの知れる程度に、使いの者を遣わしつつ、私かに探りなどしていた。そ
の結果として、ときには、姫君が源氏に迎え取られて去ったことなど、胸の痛む思いをす
ることもあったけれど、また、晴れがましく嬉しい思いのするときも多々あって、心はさ
まざまであった。

太政大臣死す

そのころ、太政大臣が世を去った。

太政大臣は世に重きをなしている人物であったから、帝も心からお嘆きになる。かつて、一時左大臣を辞して隠居していた時でさえ、天下挙げて惜しみ騒いだものを、まして世を去ったとなれば、なんとしても悲しいと思う人が多かった。

源氏も、このことは残念でしかたがない。なにぶん、本来は内大臣の源氏が管掌すべき政務を、この太政大臣に強いて譲ったればこそ、多少の暇もできたのだが、今こうして亡くなってしまうと、後ろ盾を失ったような心細さを感じもし、また、その政務がみな自分にかぶってくるとなれば、さぞ繁忙を極めることになるだろうと思うと、ため息の出るような思いがした。

帝は、実際の年齢よりはよほど大人っぽく老成されていることゆえ、世の政治向きのことも、とりたてて傍が心配するようなこともなかったのではあったが、とはいえ、源氏のほかには、この帝の後見役として力のある人物もいなかったのであってみれば、誰といって源氏の代わりになってくれる人とてもなく、当面は、出家して静かな生活に入りたいという源氏の願いなど、とうてい叶いそうもない。そのことに、源氏は、何にもまして残念で飽き足らぬ思いがするのであった。

追善の法要なども、源氏は、権中納言らの息子たちや孫たちにもまして、心細やかに弔い執行したのであった。

異変多き年

さて、その年は、天変地異、疫病流行など、なにやかやと世に異変多く、内裏のあたりにも天神のお諭しかとも思えるような予兆がしきりと起こり、それがためにまたなにかと心静まらぬ日々が続く。やがて天空にも、太陽や月星の動きに、また雲の様相に、奇怪なたたずまいが現われたりもして、世の人々の驚くことばかり多かった。

これには、陰陽道、天文道、易占道など、道々の博士どもこぞって、その吉凶判断の文を奉るなかにも、まことに理解を絶して妖しい凶兆であることを記したものなども混じっていた。

かかる状況のなかで、ひとり源氏は、かの不義の子が帝位に即いて、父たる自分が口を拭って臣下として仕えているという没義道が現前していることを思って、これこそ天網恢々ということであろうかと、疎ましく思い知るところがある。

藤壺の病重る

入道后の宮、すなわち藤壺は、新春早々から、ずっと体調不予が続き、三月には、病状がいちだんと重くなった。帝は、案じてわざわざお見舞いの行幸などなさる。桐壺院崩御の折には、まだ帝も幼くて、それほど深く悲しまれるというほどでもなかったが、母宮の重病に際しては、心から思い嘆いておられるご様子なので、宮もたいそう悲しく思わずにはいられない。

「今年は、大厄の年ゆえ、きっとこんなことから逃れられないことと思っておりましたが、さまで仰々しい重病のような心地もいたしますこともいかがかと存じまして……、そんなも命の限りを悟っているような顔をいたしますこともいたしませんでした。……されば、おこがましくことを人が知れば、大げさなことを言うものだと、ますます疎ましく思われはすまいかと、そう遠慮いたしまして、後世を願うての仏様への供養のわざなども、あえていつもどおりに何事もないようにと、それ以上のことはなにもせずじまいになってしまいました。参内して、陛下とも心のどかに昔の思い出など、お話しいたしたいと思っておりましたが、だんだんに頭のはっきりしております時は少なくなる一方で、……そればかりが、ただもう残念で、鬱々として、日を過ごしてまいりました」

藤壺の宮は、ひどく弱々しく、こんなことを申し上げる。

歳まさに、女の大厄、三十七歳であった。

けれども、見たところはまだまだ若々しくて、いっそ美しい盛りと言ってもよいほどの様子であるものを、帝は惜しいこと、悲しいこと、とご覧になる。

「重くお慎みにならなくてはいけないお年なのに、ご体調がすぐれぬままに、もう何か月もお過ごしになってこられた、そのことだけだって、私はずっと気にかけて嘆いておりましたのに、今伺えば、物忌(ものい)みの斎戒(さいかい)なども、ふだんより念入りにもなさらなかったとは……」

帝は、そう仰(おお)せになって、たいそうなご心痛の様子である。そういう帝も、ほんとうにごく最近になってから、母宮の容体ただならぬことに驚かれて、慌ててもろもろの加持(かじ)祈禱(きとう)などを営ませたということであった。

源氏もまた、藤壺の宮の病気は、べつに特別の重病とも思わずにうっかり見過ごしていたことを、今になって深く心に案じ嘆いている。

行幸ともなれば、どんなに名残惜しくとも、いつまでもそこにとどまってもいられない。帝はまもなくお帰りになったが、それにつけてももう今生の見納めかと、悲しい思いばかりが募るのであった。

別れに際して、母宮は、ただただ苦しくて、思うようにものも申し上げることができない。そうして、ただその心中に思い続ける。

〈自分は、先帝の姫宮として生まれ、入内して国母ともなり、ついには女院にまでなったありがたい前世からの因縁に恵まれていた。この現世での栄えは、たしかにほかの人とは比べものにもなるまい。けれども、ひそかに飽き足りない思いをずっと抱いてきたこともまた、人とは比べものにならぬことと、今という今思い知った。……こうして陛下は、ほんとうの父親が誰であるのか、夢にもご存じでない、……ああ、それは、なんとしても胸の痛むようなことと拝見せずにはいられない。ただ、このことだけが、この期に及んでの気掛かりで、この結ぼおれた心の解けがたいことは……〉と、宮は、そのことが、死後にまで妄執として残りそうな思いに駆られるのであった。

源氏に見守られて、藤壺崩御

つい先頃には太政大臣を喪い、今また藤壺の命が消えようとしている。源氏は、ただわたくしの悲しみばかりでなく、国家全体の問題としても、こんなにも尊貴な人ばかりが相次いで亡くなるということを、ひたすらに嘆いている。

そのいっぽうで、むろん、藤壺に対しては、人知れぬ深い思いもまた果てしなく募ることゆえ、その病魔退散のための加持祈禱など、万端ぬかりなく手を尽くして執行させもしたのであった。

思えば、藤壺の宮が出家してしまって以来、もう何年もあきらめていた恋心の筋さえ、〈なんとかして、今生のうちに、せめてもう一度だけでも申し上げたい〉と思いながら、このままついに果たさずに終わってしまうことが、我慢のならぬことに思うゆえ、源氏は、藤壺が臥せっている几帳のすぐ近くまで寄っていっては、実際の介抱に当たっている女房たちに、その病状などを尋ねたりもする。すると、ほんとうに親しい女房だけは、茵近くにお仕えしていて、あれやこれやと、事細かに源氏に語り聞かせるのであった。

「じつは、……この幾月か、宮さまはずっとご気分がお優れになりませず、それでも、勤行ばかりを一時の怠りもなくなさいましたのが、却ってお疲れになったのでもございましょうか。……ひどく衰弱なさいましてね」

「この頃は、もうお蜜柑のようなものさえ、お手にも触れようとなさいません。されば、もはやご本復の見込みもないようなご様子になってしまわれまして……」

女房たちは、口々にそんなことを言っては、さめざめと泣き嘆く。

やがて、几帳の向こうに臥せっている宮が、お付きの女房に申し付けている声が、かすかに聞こえてきた。

「……桐壺院さまのご遺言どおりに、……内大臣の君が、陛下のご後見をなさってくださること、そのことを、わたくしはもう何年ものあいだ、ずっとありがたいことと思っておりました。……が、その嬉しく思っている気持ちを、いったいどうやって、……何につけてお知らせしようかと、のんきに構えておりましたのが、……ああ、今こんなことになってしまって、残念でなりません」

源氏は、このほのかな声を耳にして、返事をすることもできず、ただひたすら泣いている。そのさまは見るに堪えない悲しさであった。

〈どうしてまた、こんなに心が弱くなってしまったのであろう……こんなことでは、人目について怪しまれるかもしれない〉と、源氏は自らの心に思い直す。けれども、そう思い直すほどに、あのはるかな昔から、もうずっと慕い続けてきたあの面影が心に浮かび、〈ああ、まったく特別の関係などなにもない、そこらの人が見るとしたって、この宮のお命が、あたら失われようとしているのはもったいない、惜しまれることだけれど……でも、定まる命ばかりはどうしたって思いのままにはならぬから、この世に引き止めておくことなどできはしない……〉と、源氏は、なんともできない自分がいかにもふがいないことに思い続けるのであった。

「もとより、わたくしなどは、こういうふがいない身でございますが、それでも、昔から陛下のご後見役をつとめさせていただきますことを、わたくしなりに心の及ぶ限り、けっしておろそかならず努力してまいりました。しかし、かの太政大臣がお隠れになったことだけでも、心静かではおられませぬ世の中に、今また、こうして宮さままでも例（れい）ならぬご体調でいらっしゃる……わたくしはもう、なにもかも心が乱れ果てまして、こんなことでは、もはやこの世に長くは生きておられないような気持ちがいたします」

と、源氏がそう話しかけているさなかに、まるで灯火（ともしび）がふっと消えるように、藤壺は息を引き取った。

その臨終はさながら釈迦の入滅にも比えられる静けさ尊さで、このいいようもなく悲しく動かしがたい現実に、源氏はただ呆然と長大息するばかりであった。

世に恐れ多いご身分の方々も多いなかに、藤壺の宮はその気立てや心遣いの優しいことはたぐいなく、世のため人のために遍く慈悲を施すというような人柄であった。世上とかく、権勢にまかせて、人の苦しみになるようなことをしたりしがちなものであるが、宮に限ってはそのような濫りがわしいことはいっさいなく、家来たちのほうから奉仕するようなことについてさえ、人々の難儀になるかと思われることは、きっとやめさせるのであった。

後世を願って功徳のために善根を積むというようなことにしても、堂舎建立の勧進に応じて、大げさに世間の耳目を集めるような寄進をしたりするということなど、これは昔の聖賢の世にもよくあったことながら、宮に限っては決してそのようなことはなく、ただささやかに、宮家伝来の宝物や、年々に支給される俸禄、年貢、封戸の扶持など、自身の持ち物や収入のなかから、人に迷惑をかけることなくできる範囲で、ほんとうに心のこもった寄進をするということであったので、これにはものの情宜を弁えない山伏づれなどまでも、宮の崩御を惜しんだことであった。

藤壺の葬送

やがて亡骸は荼毘に付され、お骨を墓陵に納めるについても、世の中こぞってただならぬ騒ぎで、その死を悲しいと思わぬ人とてもない。

殿上人たちも、みなおしなべて墨色の喪服を着て、せっかくの春の暮れも、まことに寂しい色彩になった。

二条邸の庭先の桜を見ても、源氏は、あの花の宴の折に自ら『春鶯囀』を舞い、藤壺の宮がそれを見守っていてくれたことなどを思い出している。

源氏は、だれにも聞こえぬような低い声で、昔、太政大臣藤原基経公が深草の野に葬られた時の古い挽歌を唇にのぼせた。

「深草の野辺の桜し心あらば

今年ばかりは墨染に咲け

深草の野の、その野辺の桜よ、もしおまえに心があるならば、
どうか今年ばかりは墨染めの色に咲けよ」

と、こんな歌を呟いているのを、もしや人に見とがめられてはいけないので、源氏はすぐに念誦堂に籠って、そこでその日一日を泣いて暮らした。

夕日がくっきりと射し入って、西山の山稜に立つ木々の梢の影も近々と見え、夕べの雲は薄くたなびいている。あの西の空の彼方のお浄土に、宮の魂は往生されたことであろうかと、源氏は眺めている。すると、〈ああ、あの雲も喪に服するのか、鈍色をしている〉と思われて、悲しみに何も目に入らぬ折ではあったが、その雲の色ばかりがしんみりと心に染みた。

入り日さす峰にたなびく薄雲は
もの思ふ袖に色やまがへる

あの入り日の射している峰のあたりにたなびいている薄雲は、こうして悲しい物思いをして喪に服している私の、この喪服の袖に色を似せているのであろうか

こんな歌を源氏は詠んだが、なにぶん念誦堂の中にひとり籠っているところであったので、誰唱和する者とてもなく、詠んだとて何の甲斐もないことであった。

夜居の僧都、秘密を帝に打ちあける

七日七日の法要も恙なく済んで、四十九日も過ぎ、なにもかもすっかり静まってしまうと、帝は、急に心細く感じられるようになった。

この母宮の母上、帝から申せば祖母君にあたる方の在世中から代々祈禱の師として宮家に奉仕している僧都は、亡き宮も心から尊敬して親しみを感じていた人であったが、陛下もまた重く尊崇して、なにかと大切な勅願を草する役を担ってきた、まことに世にも貴いお坊様であった。それが今年はもう七十ばかりにもなって、これよりは自らの命果てての後の世を願う勤行をしようというので、山に籠っていたところを、藤壺の宮のご病気の平

癒祈願のために、召されて京に出てきたのだが、宮の崩御後も、引き続き陛下が内裏へお召しになってなかなか手放されない。そこで、僧都は常に陛下のお側に侍（はべ）っている。今は法事もなし果てたことゆえ、いっそかつてのように、内裏に参って護持（ごじ）の僧としてお仕えせよと源氏も勧めるので、僧都は、

「今はこう老いぼれましてな、とても夜通しのお勤めなども致しかねますようなありさまでございますが、さりながら、さてさて、仰せくださいますことの恐れ多さ、また故中宮様のお志をも併せ考えまして、もう一度お仕え致すことにいたしましょう」

と、こんなことを申して、お側に仕えることになった。

ある静かな暁のこと。

折しも陛下のお側近くには人もおらず、あるいはもう退出してしまっていて、帝と僧都とただ二人だけになったことがある。僧都は、古風にもったいぶった咳（せき）払いなどしながら、世の中のことどもを、あれこれ申し上げるついでに、こんなことを語りだした。

「いやはや、まことに申し上げにくく、……こんなことを口に出しましては、却って罪にも当たりはせぬかと愚考つかまつりますことで、いかにも憚（はばか）り多いのでございますが、……こうして陛下がご認識なさらぬままでは、ことの真相を存じおります拙僧の罪も重か

ろうかと……天網恢々と申します、天はなにもかもお見通しでございますほどに、その天罰も恐ろしいことにて……我が心の内に咽び苦しみつつ、このまま命終を迎えますならば、拙僧の死ぬることに何の益がございましょうか。未練妄執を抱えたままの心汚い坊主だと仏さまもお思いになりましょうほどに……」

いかにも奥歯にものの挟まったようなことを言いさして、僧都は、はたと口を噤み、なにやらもじもじしている。帝は、〈さて、これはいったいなにを申しておるのであろうか。なにか、命終も間近になって、この世に恨みが残るようなことがあるのだろうか。とかく法師というものは、高徳の聖といっても、けしからず邪なる嫉妬の心なども深く、得体のしれぬところのあるものだからな〉と、そんなことをお思いになって、こうご下問になる。

「私は、幼かった時分から、御坊には何の隔心もなくずっと信頼してきた。それなのに、いまそのようなことを言われるのは、なにか私に隠しておいでのことがあったのであろうか。いや、もしそうだとすれば、まことに残念に思うぞ」

僧都は慌てて返答する。

「恐れ入りましてございます。仏が固く秘密にするように諫め守ってまいりました真言の秘密の深甚の奥義までも、陛下にはさらさら隠すところなくご伝授申し上げたことでございます。ましてや、わたくしの事柄にて陛下に隠し事など、あるはずもございませぬ。……それでは申し上げますが、これは過去より未来に至る、一大事でございます。されば、お隠れ遊ばしました故院さま、また藤壺の宮さま、さらにはただいま世の政を一手に掌握しておられます源氏の大臣の御為にもと存じまして、申し上げることでございます。もしこのまま真実を隠しておきましたならば、やがて、却って良からぬ形で世の中に漏れ聞こえることもあるかもしれませぬ。拙僧ごとき老いぼれの坊主の身には、たとえ真実を申し上げた結果としてなにかお咎めがありましょうとも、なんの悔いがございましょう。これは、わたくしが申すのではございません。仏や天の神々のお告げなのだと思ってお聞きくださいませ。

……じつは、陛下がいまだご胎内におられました時から、故藤壺の宮さまは深く懊悩され嘆かれることがございました。そのために、護持のご祈禱を拙僧が仕ったということがございます。いや、細かなことまでは、法師の身には諒解しかねるところがございましたが……。しかるに、なにやら不慮の事件が出来いたしまして、源氏の君が謂れ無き罪にお当たりになられました時に、藤壺の宮さまは、ますます恐れおののかれまして、重ね重ねのご祈禱を拙僧が仰せつかったことでございましたが、その時、源氏の大臣もこのことをお聞きになりましてな、さてさて、さらにまた源氏さまのご意向もさし加えまして、加持祈禱に専念したことがございます。このご祈禱は、陛下が皇位にお即き遊ばすまで続きましてございます。その時に、拙僧が承りましたるご祈禱の趣は……」

かくかく、しかじか、と僧都は、源氏と藤壺の密通によって帝を懐妊したことやら、なにもかもあらいざらいに申し上げた。

帝は、さては自分の実の父は源氏であったのかと、思いがけず驚天動地なる事実を聞かされて、天の咎めも恐ろしく、またなんと悲しいことかとも思い、お心は千々に乱れるばかりであった。

かくて、帝は呆然としてとかくのお答えもない。僧都は、〈こんなことをわざわざ奏上したことを、陛下はけしからぬこととお思いになっておられるのであろうか〉と、当惑しきって、そのままそっと低頭しつつ退出しようとした。すると、帝は、それを呼びとどめて、こう仰せ出された。

「もしこのことを、我が心に知らぬままに過ぎていたら、今生を終えての後の世までも天の咎めを蒙るところであったぞ。こんな重大なことを、今までいっさいその胸に秘して来たというのは、それは私をだましてきたということだから、なんだか却って安心ならぬ心がけだという感じがする。それで、この秘密を、その方のほかに、まだ知っていて世間に漏らし伝える可能性のある者はいるのか」

僧都は答える。

「王命婦は、たしかに承知いたしておりますが、拙僧とあの者以外には、決して決して、この秘めたる事情を知っている者はございますまい。いえ、それだからこそ、ほんとうに恐ろしいのでございます。世間に漏れて人の咎めを受けるなら、まだたいしたことはございません。漏れないからこそ、天の咎めがあるに違いないと、そこが怖いのでございます。近ごろ、しきりと天変が続いておりますのも、天のお諭しでございますれば、なにかと世の中が騒がしいのも、このあってはならない秘密のゆえでございます。陛下がまだ幼くおわしまして、物事の判断がおつきにならない時分には、なんということもなく過ぎてまいりましたが、いまこうしてやっとご年齢もふさわしくおなりで、どんなことでもご分別なされます時に至って、天ははっきりとその咎めをお示しになるのでございます。なにもかも、親たちの御世に起因することでございます。が、こうして実の父君を、陛下が、知らず知らずに臣下として仕えさせておられますことなど、それこそ天の咎めが恐ろしいことでございます。一天を掌になさるべき天子として、知らぬでは済まされませぬこと……。いまこうしてしきりと天がその非を知らしめるべく、天変を降し給うのを目の当たりにしましては、もはや黙しがたく、ひとたびは死ぬまで黙っていようと思っておりました心を変じまして、こうして思い切って真実をお打明け申すのでございます」

と、泣きながら仔細を物語るうちに、いつしかすっかり夜が明けたので、僧都は御前をまかり出ていった。

真実を知った帝の苦悩

帝は、夢ではないかというような恐るべきことをお聞きになって、心中さまざまのことを思い悩まれずにはいない。

〈まさか、こんなことだったとは……亡き父院さまは、果たしてお気付きになっていたのだろうか。もしやこんなことがご心労の種ではなかったのだろうか、もしやまた、崩御の後、ご往生の障りになりはしなかっただろうか……ああ、それに源氏の大臣にしても、実の父上でありながら、いかに知らぬこととはいえ、臣下の身分として朝廷にお仕えになっ

ておられるというのも、心の痛む、またもったいないことであったし……〉

帝は、そんなふうにあれを思い、これを思い、悶々たる懊悩のうちに、すっかり日が高くなるまで、昼の御座所のほうへお出ましにならない。

このことを聞き伝えて、源氏が驚いて参内してくると、その姿をご覧になるにつけても、いよいよますます堪えがたく思われて、帝は、ただ滂沱の涙にくれておられる。が、源氏は、まさか帝が真実を聞き知ってしまったとは夢にも思わぬゆえ、〈これは、おおかた亡き母藤壺の宮のことを、涙の乾く隙もないほど、悲しく思い出されているのであろうな〉と見ている。

そこへさらに、この日、桐壺院の弟君、式部卿の親王もまた忽焉として世を去ったという報がもたらされた。これを聞いて帝は、いよいよ世の中のただならぬありさまになってきたことを痛切に嘆かれるのであった。

こんなふうに次々と変事の起こる日々であったから、源氏は二条の自邸にもなかなか戻ることができず、ひたすら帝のお側に近侍している。

しみじみとした語らいのうちに、帝は、源氏にこんなことを仰せになった。

「私の命数も、もう尽きてしまおうとしているのであろうか、どうにも心細い思いがして、体調もふつうでないようだ。しかも、世の中おしなべて不穏（ふおん）なことばかり立ち続いて、とても穏やかな気持ちではおられぬ。……いや、こんなことを申せば母宮がご心配になるだろうと思って、世の政（まつりごと）のことについても、なにかと言うを憚（はばか）っていたのだが……もうよい、今は東宮に皇位を譲って、我が身は気楽な立場になって暮らしたいと思うのだ」

帝がこう語りかけると、源氏は毅然（きぜん）としてこれをお諫（いさ）めする。

「めっそうもなきことでございます。世上なにかと不穏なることは、必ずしもご政道の正しきか歪（ゆが）めるかによって起こるのでもございませぬ。現に、ご政道正しき御世にさえ、禍々（まがまが）しいことどもがございましたことで、賢王の知ろしめす聖代において、怪しい乱れが出来（しゅったい）いたします事実は、唐土（もろこし）にもいくらも例がございます。また、わが国でも、同じことでございましょう。まして、太政大臣や式部卿の親王は、もう十分なご高齢でございましたゆえ、時至り寿命尽きて亡くなったといたしましても、それは、なにも陛下が思い嘆かれるべきことではございますまい」

源氏は、かくかくしかじかと、唐土古代の聖君子堯帝（ぎょうてい）の御世にも洪水や日照りの災害があったことやら、わが朝（ちょう）にも、延喜（えんぎ）の帝の聖代には菅原道真公が讒（ざん）に遭（お）うて流謫（るたく）されたことやら、多くの事例を引いて事のわけを諫め申し上げる。

……いやいや、ご政道のことを、ほんの片端だけでも口にするということは、なんとしても気の引けることゆえ、このあたりはこれくらいにしておくことにしたい。

さて、帝は、服喪中ゆえ常よりも黒い服装に身をやつしておられるのだが、その顔形は、まさに源氏に生き写し、一つとして違うところがないといってもよいくらいであった。陛下ご自身も、今までずっと鏡をご覧になるたびに、そのように感じてはおられたのだが、いまこうして僧都がことの真相を奏上しての後は、また仔細に源氏の容貌を観察され、〈……ああ、やっぱり〉と、ことのほか胸に応えるところがある。

かくなる上は、なんとかして、自分も真実を知ってしまったのだということを源氏にそれとなく知らせたいとは思うのだが、といって、露骨にそんなことを口にすれば、さぞ源氏がきまり悪い思いをするにちがいない……と、はるか年少の者として気が臆するゆえ、にわかに、しかじかと告白することもできず、ただただどうということもない話題を、しかし、いつもよりはずっと親しみを込めてお話しになる。

この帝の、変にへりくだった様子といい、なにか言いたげな気配といい、聡明な源氏の目には、〈おや、なにか変だな……〉と思われたけれど、といって、まさか僧都がここまで打ち付けに真実を告白してしまったというところまでは、さすがに思いつかない。

帝、源氏に皇位を譲ることを思う

帝は、王命婦に、もっと詳しいことを聞いてみたいと思われたが、今さら、母宮もここまで秘密にして来られたことを、自分が知ってしまったのだと、命婦に知られてしまうだけでも、それはせっかく秘してこられた母のお気持ちにも背き、また母の恥にもなることゆえ、やはり命婦に聞くこともできぬ。このうえは、ただ源氏の大臣になんとかして自分が真実を知っているということをほのめかして尋ねてみたい……はたして、歴史上こんなことの前例があったのかどうか、そこを後見役で博識な源氏に聞きたいと思うけれど、いっこうにそういう機会もなかった。

そこで帝は、ますます学問に心を傾けられる。さまざまの歴史書に目を曝(さら)されて研究してごらんになると、はたして唐土には、さようの濫(みだ)りがわしい史実も、公然の例、秘密の例、さまざまに発見されることが知れた。しかしながら、わが日の本には、さらさらさような前例は発見することができないのであった。いや、仮にそんな事例があったとしても、このように秘密にしていることを、どうやって後世の人が伝え知ることができようか。

帝は、かくて歴史を仔細に研究してごらんになった結果、さまざまの興味深い史実を見いだされた。

すなわち、皇子に生まれながら源姓を賜って臣籍に降下した人、また、大納言、中納言、あるいは大臣などの官位に就いてのち、再び親王の籍に復して、さらに皇位に即いたという天皇がたの例もたくさんあることを発見されたのである。

そこで、帝は、〈源氏は、人柄としても賢明だし、前例に任せて、自分から皇位を源氏にお譲りすることにしようか……〉など、つらつらお考えになるのであった。

源氏の固辞と諫め

秋の司召（諸官任命式）に際して、源氏が太政大臣に就任するということを内々詮議する機会があったついでに、帝は、かねて思い寄せていた譲位のことを源氏に耳打ちすると、源氏は、はっと胸打たれた。〈……もしや、まことの事をご存じなのではあるまいか……〉と思い当たると、帝を正視するに堪えず、ひたすら天の咎めの恐ろしさにおののく思いがする。そして、さようなことは、断じて断じてあってはならぬという旨を言上するのであった。

「おそれながら、故院さまのお気持ちを忖度いたしますと、あまたの皇子たちのなかに、とりわけわたくしにお目をかけてくださったにもかかわらず、皇位をお譲りになるということだけは、ついぞ思い寄られぬままでございました。それなのに、どうしてその大御心に背いてまで、及びもつかぬ御位に昇るなどということがあり得ましょうか。どうか、ただただ、故院さまのご遺志のままに、こうして臣下の立場で朝廷にお仕えいたしまして、これより先、もうすこし齢を重ねてのちには、仏の道に入りまして穏やかな気持ちで勤行一途に籠居いたしたく存じております」

源氏は、まったくいつに変わらぬ態度物腰で、そう奏上する。帝は、ただ残念なこととお思いになった。

かくて、この司召に際して、源氏には、太政大臣になるべき勅諚が下されたが、どういうものか今しばらくはこのまま内大臣に留まってと思うところがあって、これを受けない。しかし、その代わりに、二位の官である内大臣の身分のまま、位階ばかりは太政大臣相当の従一位に昇り、同時に、牛車のまま内裏の門を出入りすることを許すという、親王方・摂政関白にも相当すべき宣旨を賜った。

　源氏はこんなふうにして、なお臣下の身分のまま内裏に出入りしていたが、帝は、それをなんとしてももったいない恐れ多いことと思いやられて、なお諦めずに親王の位に復すべきことを仰せになる。しかし、源氏は、内心にこう思っていた。

〈私が今の立場を廃したなら、ほかに天下の政事の輔弼の役に当たる者がいなくなってしまう。あの権中納言は、こたび大納言になって右大将を兼務することになったが、あの者がもう一段昇進して大臣になったら、その時は政務全般を彼に譲って……そののち、自分はとにもかくにも、仏道一筋の静かな生活に入ることにしよう〉

源氏、王命婦と対面

　さてまた源氏は、こうも思い巡らしている。

〈しかし、いったい誰が、あの秘密を帝のお耳に入れたのであろう……あのことが暴露されたとあっては、亡き藤壺の宮のためにもお気の毒なばかりでない、あれほどに陛下が思

い悩んでおられるご様子を見れば、そのことだって恐れ多いことの極みといわねばならぬ……不審千万なことだ〉

そこで、もう一人の秘密を知る人物、王命婦はといえば、その後御匣殿（みくしげどの）の別当（べとう）が他所（よそ）へ移籍したために空いたところへ引き移り、そこに部屋を頂戴（ちょうだい）して内裏へ行き通っていた。

源氏は、この命婦を召し寄せると、

「もしや、あのことを、亡き宮がなにかの折に、ちらりとでも帝にお漏らし申し上げた……というようなことはなかったか」

と、ありていに尋ねてみる。

「どういたしまして。そのようなことは、さらにさらにございませぬ。万一万々一にも、帝のお耳に入るようなことがあっては一大事と、藤壺の宮さまは、そのことをいつも気にかけておいででした。……と申してまた、このまま秘めておいたなら、それはそれで、帝が実の父君を臣下として仕えさせておくという、大きな罪を負われることにもなる……と、陛下の御為（おんため）を気づかわれて、いつも思い嘆いておいででございました」

命婦は、こんなことを言上する。これを聞くにつけても、源氏の心中には、あの並びなく思慮深かった藤壺の面影が彷彿（ほうふつ）と浮かびきたって、かぎりない追憶恋慕（ついおくれんぼ）の思いに駆られるのであった。

源氏、二条の院にて斎宮の女御と語り合う

斎宮の女御（六条御息所の息女。前斎宮）は、はたして源氏が思い描いていたとおり、年若い帝にとって格好のお世話役・相談相手となっている。帝もこの女御を寵愛されることなみなみでない。なにぶん、女御は、そのよく気の付くところ、また人柄なども、かねてこうあってほしいという思いが叶った人のように見え、この女君をまことにありがたい人に思って、源氏は、なにくれとなく、大切にお世話をしている。

その女御が、秋のころに、二条の源氏邸へ里下がりしてきたことがあった。その時、女御を迎える寝殿には、あたり輝くばかりの立派なしつらいを施して、今では誰憚るところもなく、この女御の親の立場になって、大事な娘さながらに世話をする。

秋の雨がたいそうしめやかに降って、御前の植え込みには秋の草が色とりどりに咲き乱れ、そこにみっしりと露が置いている。

〈ああ、こんな秋だった……あの野宮でお別れしたのも、それから亡くなったのも……〉
と、源氏は秋の景色を目睹して、はるか亡き人となった六条御息所のことを、あれこれと思い出しては、思わず涙をこぼし、たださえ露けき袖を濡らすのであった。

それから源氏は、女御のいる御殿のほうへ渡っていった。その出立ちは、濃密な鈍色の直衣姿で、しかも、つぎつぎと要人や貴人が世を去るなど、ただならぬ世のありさまだということを口実として、源氏は藤壺の逝去以来、いまも常にお精進の生活ゆえ、手には数珠を目立たぬように持ち、おっとりと優美に振舞っている、その様子も限りなく清艶な美しさで、やがて御簾を搔き上げると母屋のうちに入っていった。

源氏と女御を隔てるものは、ただ几帳ばかりである。かくて女御は、人づてならず、みずから源氏と応接するのであった。

「ごらんください。御前の植え込みのもろもろの花どもも、ああして衣の紐を解くようにほころびましたね。今年は、ほんとうに心の寒くなるような悲しい年となりましたが、ああして草花どもは、晴れ晴れと我が時を得たといわぬばかりの顔をして咲きました。思えば、それも胸打たれます……」

御簾の垂れたあたりの柱に寄りかかりながら、源氏はそんなことを言った。遥か西のかたにかすかに残った夕方の残光に浮かび上がるその姿はいかにも魅力的に見えた。

それから源氏は、御息所在世のころのあれこれのこと、あの野宮へ忍んで行った折、名残惜しさに立ち去りがたいまま、白々と夜が明けた時のことなど、なつかしく語りかけた。語りながら、心のうちには得も言われぬ悲しみが揺曳しているのであった。

古歌に「いにしへの昔のことをいとどしくかくれば袖ぞ露けかりける（もう過ぎ去った昔のことをじっと心に掛けて思っていると、いつしか袖に涙がかかってしっとりと濡れていた……）」と詠めてあるようなことなのであろうか、女御もすこし泣く気配がして、その様子はなんとしても労ってやりたいような可憐な風情で、ふと身じろぎをするところなども、びっくりするほどにやわやわとして女らしく初々しいように感じられた。〈ああ、見たい。どんな姿なのかこの目で拝見できぬのが、どうにも残念無念だ〉と、胸がドキドキするような思いでいるのだが、源氏のこういう性癖は、いかにも困ったものだ。

「思い出してみると、これまでとりたてて思い悩むべきことなどないままに過ごそうと思えば過ごせたはずなのですが、にもかかわらず、身から出た錆とやら、わざわざ色好みの道に迷っては、無用の苦悩ばかりしてきたことでございました……。あってはならないような恋のために胸を痛めたこともたくさんございましたなかに、最後まで心を許しあうことも叶わず、鬱々たる屈託に終始したことが二つ……、ええ、二つございました。まずその一つは、あの亡くなられたお母上のことで……。母君は、びっくりするほどに思いつめて思いつめて、とうとう亡くなってしまわれた。あのことはわたくしにとっては、これから一生涯愁いのたねともなろうかと存じておりましたが、思いがけず、こうして親しくお世話をさせていただきますことは、なによりの慰めではないかと自分に言い聞かせております。さても古い歌に『むすぼほれ燃えし煙をいかがせむ君だにこめよ長き契りを（この胸に屈託し、くすぶり続けている思いの煙を、私はどうしたらいいでしょう。いまこうしてお別れしなくてはなりませんが、せめてあなたさまだけは、末長く私との契りを忘れずにいてくださいね）』とあるように、母君のお心には、わたくしとのことはくすぶり続ける煙のようなお恨みがあったかもしれませぬ。もしそうだとしたら、ご成仏の障りにもなりはせぬかと……どうしてもそれが気にかかります」

源氏は、六条御息所のことをこんなふうに話し、さてもう一つの「心を許しあえなかった恋」……藤壺の宮とのことについては、口を噤んでしまった。そしてまた源氏は、こんなふうに言葉を継ぐ。

「しばらく以前、我が身も、もはや世になきもののように、辺境に落魄していたことがございましたが、その折、もし再び世に出ることがあったら、ああもしようこうもしようと念じていたことの多くは、帰京後、一つまた一つと思い通りに叶いました。二条の東院に住まいしておりますす花散里の御方々は、もともとわたくし以外には誰頼む者とてない心細いお暮らしぶりで、そのことをわたくしはずっと気がかりに思っておりましたが、今は、姉君も妹君も揃ってご心配のないようにお過ごしです。なにぶん、あの花散里の妹君は、人柄がとても良くておいでだ。そのことは、わたくしも承知しているし、紫上もじゅうじゅう納得しているのですから、ほんとうにさっぱりと爽やかな間柄だといってもよい。……いまこうして返り咲いて、帝のご後見をさせていただくということは、たしかに喜びではありますけれど、それほど深くしみじみと嬉しいというほどでもないのです。……が、なんといってもこの、恋というものにつながれた心は、いまもどうしても鎮めがたいことばかりです。にもかかわらず、母君からはくれぐれも好きがましいこととして姫を見てくれるなと真摯なご遺言でもありましたから、わたくしは恋しい気持ちを抑えに抑えて、こうしてあなたさまのお世話をしているのです。それはもう、決して生半可の我慢ではないのだということを、おわかりいただけているのでしょうか。……せめては、この愚衷を知っていただき、『かわいそうに』くらいのことをおっしゃっていただかなくては、ああ、なんの甲斐もないことでございます」

そんなことを言われても、女御にとっては、返答に窮することで、困却のままに返答もできない。源氏は天を仰いだ。

「そうか、そうなのですか。なにも仰っていただけぬとは、ああ、なんとまあ情ないことでしょうか……」

源氏はため息まじりに話頭を転じた。

「かくなる上は、なんとかして恋というものを思い切ってのどかな気持ちになり、生きている限りずっと、現世に執着を残さぬように、後世願い一筋、勤行三昧に致したく、世を捨てて籠居したいものと思いますが、それにつけても、最後にこの世の思い出になるような、この胸の思いを成就できぬままになってしまったことが、なんとしても残念でございます。

……じつは、わたくしには、物の数にもならぬような幼い娘が一人おります。これから成人するまではずいぶん待ち遠しいことですが……。そこで、まことに恐れ多い申し条ながら、なんとかして、たった一人のこの娘に我が源氏一門の繁栄を託せるように、お力添えを願いたいのです。わたくしもいつまで命があるかわかりませぬゆえ、万一わたくしが鬼籍に入ったのちも、どうかどうかこの娘にお目をかけてくださいますように」

と、こんなことを源氏は懇願する。これにはさすがに黙殺もできかねて、女御は、まことにおっとりとした様子で、辛うじてただ一言だけ、諾いの返事をされる。聞こえるか聞こえないかに返答される声のいかにもあえかなのに心惹かれ、源氏はしみじみとした思いで、日の暮れるまでそこに居続けた。

春秋優劣を論ず

源氏はまた話題を変える。

「ま、一門の繁栄などというしかつめらしいことはさておき、まず、一年のうちに去来する季節季節の風物詩、花や紅葉や、夏の旱天、冬の雪空、さまざまの風情につけて心やりになることもしたいものですね。世の中では、春の花咲く林の風情と、秋の野の美しく色づいた風情と、人それぞれに優劣を論じなどいたしますが、このことについては、なるほどその通りだと心を寄せたくなるような、明確な定めはついておらぬように思われます。

唐土の詩には、『春の花の錦に如くものなし（春の花の錦のような美しさにまさるものはない）』などと歌うているようですが、いっぽうわが大和の歌のほうでは、『春はただ花のひとへに咲くばかりもののあはれは秋ぞまされる（春はただ花が咲くばかりのことだが、秋は月といい紅葉といい、情趣の上では秋のほうがまさっている）』とも歌うてあるとおり秋の趣を格別のものに思っているようでございます。いずれもしかし、その時々につけて見ますには、それぞれに美しくて、花の色、鳥の声の、いずれがまさるとも判断することができません。わたくしの邸などの狭苦しい垣根の内なりとも、春秋折々の味わいを見知ることができるようにと、春の花の木を植え並べ、または、秋の草を野山から掘り採って移し植えるなどし、そこへさらに誰聞くともなき野辺の虫までも放って、人々のご覧に入れようと思ったりしておりますのですが、ところで、春と秋と、どちらに心を寄せられますでしょうか」

なんでもいい、一刻でも長く、女御の側にいたい一心で、源氏は、春秋優劣論を持ちかけたが、もとより誰にとっても答えにくい問いかけに違いない。女御も、なんとも答えにくいことと思いながら、といってまるっきり返事をしないで黙っているというのもいかがかと思われるので、

「源氏の大臣さえご判断がつかぬというものを、ましてわたくしなどが、どうして分別す

ることができましょう。まことに、春とも秋とも定めがたいことでございますが、……

『いつとても恋しからずはあらねども秋の夕はあやしかりけり（いつだって恋しくないなんて時とてもないけれど、ただ秋の夕べは、自分でも訳の分からぬほどに恋しいのであったなあ……）』と、古歌にも詠めてございます、秋の夕べ、それこそは露のように儚く亡くなってしまいました母を思い出すよすがのようにも思えますのでございます」

と、こんなことを、いかにも構えたところなく、素直に思う通りを口に出して決着をつけてしまった。これもまた、いじらしくかわいらしい様子ゆえ、源氏の恋心はまたも抑えがたく蠢動するのであった。

「君もさはあはれをかはせ人知れず
わが身にしむる秋の夕風

その歌のように秋を哀れとお思いならば、どうかわたくしと同じ思いを交わしてください。わたくしもまた、人知れず秋の夕風をしんみりと身にしみて感じているのですから

秋の夕べには、恋しい思いが堪えがたい時々もございますので……」

こんなことを言って口説き寄られても、さてさて、女御として、どんな返答をしたらい

いというのであろうか。なんと答えようのあるはずもなく、どうにも理解のほかだと思っている様子であった。

源氏は、こう口に出して恋い渡ったついでに、もはや恋情を抑えきれなくなって、恋の怨みごとなどもあれこれと言ったらしい。しだいに思いは募って、さらにあられもなく言い寄るような気色が見えたが、女御がこれをひどくいやなことと思ったのも道理というもの、源氏自身も、我と我が心ながら、いい年をしてけしからぬことだと思い返して、ふーっと大きなため息をついた。その様子もまた、たしかに奥床しく艶冶な風情なのだが、女御にとっては、ただ疎ましく思えるばかりであった。

もうこれ以上源氏が迫ってきては一大事と、女御は、じりじりと後じさりして、女房たちの集まっている奥のほうへ逃げていく気配がする。

「あきれるほどひどくお疎みになったものだ。それもそうかもしれぬ。もしわたくしがほんとうに思慮深い人間だったら、こんなあられもないことを口に出したりはしなかったものを。浅慮といえば、浅慮に違いあるまい。けれども、わたくしとて正直に心のほどを打明けたのだ。だから、今から後は、どうかそんなにお憎み下さいますな。本心を打明けたうえに疎まれたのでは、あまりにつらかろうというものだからね」

源氏は、そう自嘲しながら自室へ戻っていった。

折しも雨気が宿って、あたりに源氏の装束の残り香が横溢しているのさえ、女御には疎ましく思われた。それでも、お付きの女房たちは、すっかり格子戸を下ろすと、源氏の座っていた御座のあたりでしきりと鼻をうごめかしている。

「まあ、この御座の移り香といったら、言いようもなく素敵だこと」

「どうしてまた、あの君は、こうなにもかも完全無欠に整っておいでなのでしょう」

「ほらほら、あの『梅が香を桜の花に匂はせて柳が枝に咲かせてしがな（あの馥郁たる梅の香りを、華やかな桜の花に匂わせて、しかも優美な柳の枝に咲かせてみたいものだ）』って昔の歌にも申しますでしょ。あれ、あれね。なんだか不吉な感じがするくらい素敵ね」

などとしきりと語り合っているのであった。

源氏自省す

源氏はそのまま西の対へ戻ってくると、すぐには母屋へ入ろうともしない。端近なところに座って、なにやら沈鬱に考え込んでいたかと思うと、そのままそこに臥してしまった。

灯籠（とうろう）を遠くの軒（のき）にかけて火を灯し、近いあたりには女房どもを侍（はべ）らせて、ぽつりぽつりと物語などをさせる。

〈……こんなふうに無理やりなことをして、自分で胸の塞（ふさ）がるような思いをする悪癖が、まだ直っていないな〉と我が身ながら、つくづくと思い知った。

〈それにしても、こんなことは今の自分にはなんとしても不似合いなことにちがいない。恐ろしく罪深いということでいえば、昔はもっとひどいこともたくさんしてきたが、あの頃の好きごとは、いわば若気（わかげ）の至り、分別の足りなかったための過ちだから、仏神（ほとけかみ）も大目に見てくださるかもしれぬが……〉と、少し頭を冷やして反省する。

〈……ともあれ、なんでもかんでも猛進するのでなくて、こういうふうに自制することができるようになったというのは、色好みの道について、あぶないことはせぬように思慮分別がいくらかついてきたのでもあろうな〉などと、妙なことを自覚する源氏であった。

女御のほうでは、源氏に春秋の優劣を問われて、とっさに訳知り顔で秋の優越を答えてしまったところが、そこから源氏の理不尽な恋の告白が始まってしまったことも、いまさらながら悔やまれ、恥ずかしくもあるので、誰にも言えず悶々（もんもん）として、なんだか気分さえ

悪くなってきたほどであった。しかし、源氏のほうは、もはやなにごともなかったような
すっきりとした顔をして、いつにも増して親ぶった世話を焼いてみせる。
紫上にむかって、源氏はこんなことを言った。
「斎宮の女御ね、あの方は秋に、より深く心を寄せておられるそうだが、なんだかしみじみした話だね。そなたは、いつぞや、春の曙に心惹かれると言っていたけれど、それもまた道理というものだろう。いや、春にしろ秋にしろ、時に応じた木や草の花などにちなんで、そなたの心に適うような管弦の遊びなどしてみたいものだが、こう公私両面にわたって多事多端なこの身には、そうそう悠長なこともふさわしからぬところだね。ああ、なんとかしてつまらぬ仕事にかかずらうことなく、かねて思っているような勤行三昧の暮らしがしたいものだと思うのだけれど、ただ気掛かりなのは、そんなことをすればそなたが寂しい思いをしやしないかと、それだけが胸の痛むところなのだよ」

源氏、大井に通いゆく

かの大井の山里の御方も、どうしているだろうかと絶えず思いやってはいるのだが、身

分が不自由さのみまさりゆく日常ゆえ、簡単に大井のほうへ出向いていくこともなりがたい。

〈あちらのほうでは、私との仲らいをやるせなく辛いとばかり思っている様子だが、どうしてそんなふうに思わなくてはいけないのだろう。安易に京の邸へ引き移って、そこらへんのいい加減な女のような暮らしはすまいと、変に思い込んでいるのは、身の程知らずと言わねばなるまいな〉と源氏は思うものの、それでもやっぱりかわいそうな気もして、源氏はまた、例の嵯峨野の御堂で不断念仏があるというのを口実にして、明石の御方のところへ通っていった。

大井の山里も、いまではすっかり住み馴れているものの、それでもたいそうぞっとするような寂しい所柄（ところがら）なので、別段深刻なる思いを抱いている人ならずとも、こんなところにいては、わびしい物思いが募っていくことであろう。まして明石の御方となれば、こうしてたまさかに逢う夜があるにつけても、昔からずっと辛いばかりの契りでいっそ逢わなかったほうがよかったと思うけれど、それでも姫を授かったりなどして、さすがに前世からの因縁が浅からぬことゆえ、逢うのが運命だったと思い直しもする。逢わねば悲しいけれど、といって、なまじいに逢えば逢ったで、自分の気持ちを鎮めがたく、明石の御方の心は乱れに乱れて、さすがの源氏にも慰め宥めがたいありさまであった。

鬱蒼と木々は繁り、その枝々のはざまから、大井川に鵜飼する舟の篝火が見え、その光が、庭に引き入れた遣水に飛ぶ蛍の光さながらに、ちらちらと明滅して見えるのも所柄の風情であった。

「かつて漁火の明滅する明石の海辺で、潮じみた暮らしをし慣れていなかったなら、こんな篝火の景色も、さぞ珍しい思いで眺めたであろうな」

源氏はふとそんな感懐を漏らした。

明石の御方が、すぐにこれに答える。

「いさりせしかげ忘られぬ篝火は
　身の浮舟やしたひ来にけむ

漁火の光がちらちらしておりました、あの明石の浦の暮らしを思い出させる篝火は、わが身の憂きことを思い出させるために、浮き舟のような我が身を慕ってこんなところまでやって来たのでしょうかまるであの明石の浦で、漁火を眺めやっていたころに戻ったような心地がいたします」
すぐさま源氏が歌を返す。

「浅からぬしたの思ひを知らねばや
なほ篝火のかげは騒げる

表面には顕わしませぬが、わが下心にずっと燃やし続けている思ひ、その火をご存じないからこそ、ああしてあの篝火の光のように落ち着かずに揺れ動くのでしょう

『誰憂きもの……』と申すべきでしょうか」

源氏は、「うたかたも思へば悲し世の中を誰憂きものと知らせそめけむ（あの儚い水の泡も、思えば悲しいものでございます。二人の仲らいを、いったい誰が水面に浮き漂う泡のように心憂きものだと初めて知らせたのでございましょう）」という古歌を引いて、身の憂きことを知らせたのは、ほかならぬあなたではなかったのか、と、怨みごとのように言い返したのであった。

その時分は、なにもかもがしんみりと物静かに感じられる季節であったから、源氏の心も、恋よりは嵯峨の御堂での勤行のほうに向いていた。そんなわけで、いつものように慌

ただしく帰京することもせず、しばらくはのんびりと、この大井の邸に滞在したこともあってか、明石の御方の気持ちもいくらかは紛れていたのでもあったろうか……。

朝顔（あさがお）

源氏三十二歳の九月から冬まで

源氏、桃園式部卿の邸に女五の宮を見舞う

亡くなった式部卿の宮の姫君、朝顔の斎院は、父宮の服喪のために斎院の職を辞した。源氏は、もうずいぶん昔からこの姫君に思いをかけていたが、ひとたび懸想した人のことは決して忘れないという心の癖から、弔問の便りなどをたいそうしげしげと送った。しかしながら、かつて右大臣全盛の時分に、源氏の懸想沙汰のことが噂になって、なにかと煩わしいことが多かったことに懲りているので、朝顔の斎院は、源氏がなんと言ってきても胸襟を開いての返事などはいっさいしない。そのことを、源氏は、たいそう無念なことに思い続けている。

九月になった。

前斎院は、父宮の旧居桃園の宮へ下がってきた。このことを聞けば源氏は黙っていられない。ちょうど式部卿の宮の妹に当たる女五の宮がその宮に居ることに目をつけて、そのお見舞いという口実で桃園の宮へ出向いていった。

故桐壺院は、この宮に住む弟妹がたをことのほか大切に思っておいでであったので、源氏は、どの方とも次々に消息を交わしていたようであった。式部卿の宮亡き後は、同じ寝殿の西側に朝顔の斎院、東側に女五の宮が住んでいる。

宮の薨去後、まだいくらも経っていないのに、邸内ははや荒れてしまった感じがして、寂寥たる気配がいかにもしんみりと感じられた。


女五の宮は、見舞いに訪れた源氏と対面して、よもやまの物語などする。その様子はたいそう老い込んだ感じがして、咳き込み咳き込み、嗄れ声で話すのであった。

あの故太政大臣の北の方は、この宮よりだいぶ年長であったけれど、ずっと好ましい風姿でいつまでも老け込んだ感じのしない方なのに比べると、この妹宮のほうは、まるで似たところもなく、声もがらがらして、全体に武骨な風情を帯びて感じられるのも、古風な宮家の暮らしぶりのせいなのであろう。

「お上がお隠れになられて後は、なにもかも心細く感じられまして、こうしてわたくしも年を重ねてまいりますままに、ひどく涙がちな日々を送ってまいりました。さるほどに、式部卿の宮までも、こんなふうにわたくしを見捨てて先立ってしまいましたので、もうますますこの世に生きている心地もなく、ぼんやりと過ごしておりますが、それでもこうして、ありがたくも立ち寄って、安否を問うてくださいますことゆえ、憂さも辛さも、ふと忘れるような思いがいたします」

五の宮は、そんなことを言う。源氏は、〈なんとまあ、ずいぶんと老い込んでしまわれたものだ……〉と内心に思いながら、それでもひどく畏まった様子で、これに返答する。

「院さまがお隠れになりまして後は、なにごとにつけましても、同じ世とも思えぬありさまでございました。わたくしも、身に覚えのなき罪を得まして、見知らぬ辺土にさすらいなどいたしましたが、たまたま、再び内裏にお召し返しいただきまして後は、また公私の俗事に取り紛れ、忙しくいたしておりましたので、かくも長いことご無沙汰に打ち過ぎ、こうして参上して、昔のお話をお聞かせいただくこともできずにおりました。そのことをずっと鬱々とした思いで過ごしておりました」

「なにもかも驚きあきれることばかりで、なつかしい方々は次々にお隠れになるし、また源氏の君も思いがけぬ不遇に沈まれるし、どちらを見ても定めない世の中でございますのに、わたくしばかりは相も変わらぬ身の上で、ただ遠くから無力に拝見しておりますばかり、こう馬齢をのみ重ね重ねいたしますことの恨めしさのみ募ってまいります。とは申せ、君がこのようにご立派にお返り咲きあそばして、隆々とお栄えになっておられますのを、なによりお慶び申し上げることでございます。いつぞやの、あの田舎住みあそばしておられます間に、この身に万一のことがございましたなら、残念な思いのままになってしまったことであろうと思い思いいたしますことにて……」

と、五の宮は声を震わせて泣きみ語りみする。

「それにいたしましても、なんとまあお美しくご成人あそばしましたなあ。むかし、まだ童形でいらしたころ、初めてお姿を拝見いたしまして、いやはや、このようにこれほど光り輝く美しさの人も生まれなさるものかと、それはもうあっと驚くばかりでございましたが、それから、時々に拝見いたしますたびに、あまりに美しすぎて、なにやら不安を覚えるほどでございました。内裏のお上も、君によく似ておわしますことと、女房どもが皆でよくお噂をいたしておりましたが、それでも、わたくしはお上のほうがいくらか劣っておられるのではあるまいか、とそのように推量りなどいたしましたことでございますよ」

宮の繰り言は延々と続いていく。さすがに源氏は〈いやはや、こう面と向かって露骨に褒められるのはまことに珍しいことよな〉と、内心苦笑しながら、言葉をさしはさむ。

「いやいや、めっそうもないことで……わたくしも、すっかり田舎わたらいを致しまして、たいそうがっかりといたしておりましたあの数年の後というものは、見る影もなくみすぼらしい姿となってしまいましたものを……。しかし、陛下のお姿は、いにしえの時代にも並ぶ人のない、世にも稀(まれ)なるお美しさかと、恐れながら拝見をいたしております。されば、お言葉ながら、なかなか肯(うけが)いがたいご推量かと……」

　しかし宮の長物語はとどまらない。

「ときどき、こうしてお姿を拝見できましたなら、たださえ長きこの命が、ますます延びますことでございましょう。今日は、老いも忘れ、生きていることの憂さもなにもかもさっぱりと消えたような思いがいたします」

　五の宮は、そんなことを言ってはまた泣くのだった。

「それにつけても、姉の三の宮がうらやましくてなりませぬでなあ……。姉宮の生んだ姫(葵上(あおいのうえ))が君のご正室となって若君を儲(もう)けられたという固いご縁もあり、親しく謦咳(けいがい)に接することができるということは、いつも羨(うらや)んでいたことでございます。この度亡くなった兄式部卿の宮も、三の宮のように姫を君に差し上げられなかったことを悔やんで残念がっていたこともございましたからねえ」

　と、こんなことを宮が述懐(じゅっかい)される。〈……なんと、あの朝顔の君を、私に……〉と、そのことが、ちらっと源氏の耳に留(と)まった。

「式部卿の宮さまの姫君の婿として、親しく行き通うことが叶(かな)っておりましたなら、今も、思い通りの幸福な暮らしをしておりましたことでございましょう。けれども、宮も姫君も、すっかりわたくしをお見限りあそばしたことでございますから……」

源氏は、そんなふうに、恨めしげに心中の思いをほのめかすと、ふと目を外のほうへ向けた。

源氏、前斎院と歌の贈答

そこから、寝殿の反対側、西面(にしおもて)の庭の植え込みを眺めやると、枯れ枯れとしたその草花の風情もなにか特別のもののように見渡される。

〈ああ、あのあたりで、心静かに物思いに沈んでおられるのであろうな、あの姫君が……〉と前斎院(ぜんさいいん)朝顔の君の姿形をなんとしてもこの目で見てみたいと心にかかって、いよいよその気持ちが抑えきれなくなった。

「おお、そうそう。せっかく、こんなふうに伺候(しこう)いたしました機会にご挨拶(あいさつ)をいたしませぬでは、まるでまったくの心なしのようでございますゆえ、ともかくもあちらのほうへもお見舞いなど申し上げてこなくてはならぬところにて……」

など言いながら、源氏は、そのまますっと立って簀子伝いに寝殿の西側へ渡っていった。

あたりは暗くなってきていた。が、鈍色に縁取った服喪の御簾のむこうに、これも喪中の黒っぽい帷を垂れた几帳がちらちらと透いて見える。折から吹き通ってくる微風に、母屋の内に薫き込められた香の匂いがほんのりと立ち交じっているのを源氏は聞いた。ああ、なんというおあつらえの雰囲気であろう。

まさか、源氏を簀子に立たせておくなどというのでは外聞もよろしからぬゆえ、とりあえずは、南の廂の間まで案内する。

ところが、そこから先へ源氏は入れてもらえない。ただ、宣旨というお付きの女房が源氏に対面して、前斎院の言葉を伝達するという、よそよそしい扱いであった。

源氏は、なんということかと飽き足りない思いがして、思わず苦言を呈した。

「今さらながら、御簾の前までしか通していただけぬとは、まるでそこらの若い者同様のお執り成しでございますなあ。神々しいまでの長き年月にわたって心を尽くしてまいりましたわたくしの功労も、数えあげればきりがございますまい。されば、今はそちらのお部屋内にも出入りをお許しくださいますかと、それを頼みに思っておりましたのですが……」

すぐに前斎院からの返事が伝えられる。

「ありし昔の事柄はすべて夢だったと思いますほどに、今こうして夢が覚めてみれば、なにもかも儚いことだったのかと、しかとは思い定めることもできずにおりますものを、仰せの『ご功労』とやらのことは、今にわかに判断もつかぬことにて、心静かに考えさせていただくことにいたしましょう」

まるで木で鼻をくくったような返答である。

〈なるほど、なにもかも思い定めるなどできかねる、当てにならぬ現実だ〉と、源氏はこんなかりそめのやりとりにつけても思い続け、こんなふうに申し送った。

「人知れず神のゆるしを待ちしまに
　ここらつれなき世を過ぐすかな

誰にも知られぬように、斎院さまのお仕えになっていた賀茂の神様のお許しを、うかうかと待っているあいだに、いつしかもう長い時間を無駄に過ごしてしまいましたこうしてもとより神意のままに遠慮して過ごしておりましたものを、斎院のお立場を去られた今、どんな神のお諫めにかこつけてわたくしを拒絶なさろうというのでございましょうか。とかくはもうこの世には居づらくなるほどの苦難などございました後に、さまざまな物思いを味わってまいりました……その苦悩の片端だけでも、なんとかしてお聞きいただけぬものかと……」

などと、強引に口説きかかる。その口吻といい、物腰といい、昔よりもう少し艶めかしい気配さえ加わって見え、まことに魅力的に過ぎるほどであったが、今や内大臣という重々しい地位にあることを思えば、その若々しい男ぶりは、いささか似つかわしくないことに見えた。

そして、前斎院から、歌の返しがもたらされる。

なべて世のあはればかりをとふからに
誓ひしことと神やいさめむ

ただ通り一遍に世の苦悩を語りあうだけでも、斎院として仕えるに際して、男女の道から身を遠ざけると誓ったではないかと、神はお諫めになるでしょうまことにべもない返事である。

「ああ、なんと辛いことでしょうか。あの頃のわたくしの罪などは、よろずの罪科（つみとが）をみな吹き払うという科戸（しなと）の風の神に付けてやってしまいましたものを……」

そう愚痴をこぼす源氏のありさまもまた、なかなか魅力的なのであった。伝達役の宣旨が、その言葉尻を聞きとがめる。

「おやおや、風の神につけて罪を祓（はら）うとの仰（おお）せながら、そのような禊（みそぎ）を、神ははたしてお受けになりましょうかしら」

と、宣旨は、こんな戯（たわむ）れを言い返した。かかることとすら、きまじめな前斎院の気持ちを思えば、まことに気の毒な感じすらするのであった。

とかく男女の恋慕沙汰などには無縁な前斎院のまじめすぎる性格から、何年経っても、こういうやりとりに対しては深く慎んで引っ込み思案にしているばかり、いっこうに返事もしないのを、お付きの女房たちは傍（はた）で見ていて歯がゆい思いをしている。

「そんなつもりはございませんでしたのに、すっかり色めいた沙汰になってしまいましたね」

しびれを切らした源氏は、そういって深いため息をつくと、座を立った。

「こう齢を重ねてまいりますと、とかくに面目を失って恥ばかりかくようになりますね。世にも珍しいほどの、この身の窶れを、『今ぞ』どうぞご覧くださいと申し上げることができる程度にすら、おもてなしくださらないのですから……」

源氏は、「君が門今ぞ過ぎ行く出でて見よ恋する人のなれる姿を（あなたの家の門のあたりを、ほら、たった今こうして通りすぎて行きますぞ。せめて出てきて見てください、この恋に窶れた男の姿を）」という古歌をちらりとかすめて、まったく逢おうとしてもくれない冷淡な前斎院に恨みごとを言いながら出ていった。女房たちは、なんとしても残念に思って、うるさいまでに例のごとく源氏の噂で持ち切っている。

折しも秋の終わり、なにげない空の色にさえ心動かされる頃、そこへ木の葉はかさこそと音立てて散りかかる。ふと思い出されるのは、斎院にいた時分にも、源氏からは趣深い、あるいはしみじみとした消息が届けられてきたことである。あの頃は、恋の情などに心を動かすことが禁じられていたから、みなみな心を閉ざしていたけれど、今こうして自由な俗世に戻ってみれば、あのどこまでも行き届いた源氏の心づかいを、女房たちは、今さらながらに懐かしく思い出すのであった。

むしゃくしゃした気持ちのまま、桃園の院を後にしてきた源氏は、帰っても心が収まらず、つねにも増して寝覚めがちに物を思い続け、いつしか夜が明けた。

早々に格子戸を上げさせると、源氏は、折しも立ちこめる朝霧を眺めやった。

枯れてしまった花々のなかに、朝顔の蔓があちらこちらに這い纏わって、もはや心細い感じに咲き残り、その色艶も盛りのころとは比すべくもなく衰えている。源氏は、思い立って、そんな朝顔の残んの花を折らせると、前斎院のもとへ消息とともに贈った。

「あまりにもあからさまななされように、わたくしもきまりの悪い思いがいたしまして、あのようにみっともなく追い返されました後ろ姿を、どんなふうにご覧になったことであろうかと、それを思いますと、御身を憎らしくも思いました。されど、

見しをりのつゆ忘られぬ朝顔の
花の盛りは過ぎやしぬらむ

もう大昔でございますが、かつて一度拝見した折の、つゆ忘れられぬ、あの露（つゆ）に濡れた朝顔のような、朝のお顔も、ずいぶん年月を経て、今では花の盛りももう過ぎてしまったのでございましょうか

さては、この長い年月に積もり積もったわたくしの苦悩なども『あわれな男よ』という程度には、せめて思い知っていただけようかと、そう愚考いたしつつ、いっぽうではそれだけを頼みに……」

などと、文には書いてあった。この妙に老成した文の趣に、前斎院としてもまるで返答せぬというのもいかがなものか、それではあまりにも情知らずのようでもあろうかと思い巡らしている。女房たちも、硯など用意しつつ、どうかお返事をと勧めるので、前斎院は、こう返事を書き送った。

「秋果てて霧の籬にむすぼほれ
　あるかなきかにうつる朝顔

　秋も終わり、霧たちこめる垣根に縋り寄って、まるで見る影もない姿で残っております朝顔、
　それが今のわたくしにて……

仰せさながら、あまりにもぴたりと相応しい喩えごとを承るにつけても、そぞろ涙を抑え難く……」

と、ただこんなそっけないことだけが書いてあったに過ぎないのだが、どういうわけな

のだろうか、源氏は、手を離しがたい風情で、くりかえしくりかえし眺めているようであった。その文は、青鈍色の紙に、ふわりと柔らかな筆遣いで書かれている。源氏は、〈ああ、美しいな〉と思って見つめているようであった。

総じて、消息というものは、書いた人の身分や、美しい手跡などによって欠点などは取り隠されるものゆえ、その書かれた当座にはこれという難もないように見えるものだが、それを後の世にまでいかにもそれらしく語り伝えるとなると、どうしても事実と食い違うところも出来するやに見受けられる。それゆえ、分からなくなったところは適当にごまかして書いたりすることもあろうから、じつはこういうことは当てにならぬところも多いものであったが……。

源氏は思う。

〈……今さら昔に戻って、変に若ぶった消息を書き送るなどというのも、なにやら似つかわしくないように思えるな。……とはいえしかし、あの方の反応は昔からそうそう脈のない感じでもなかった。それでも、どういうわけか逢うことも叶わぬままになってしまった……なんとしてもそれは残念だったが、このままでは終われないぞ、どうしたって〉

そう思うにつけて、源氏は、今さらながらに、心を込めて懸想文を送り続ける。

源氏の前斎院への恋着と紫上の懊悩

その文を取り伝えたのは、くだんの宣旨という女房であったが、源氏は、紫上（むらさきのうえ）の居る西の対から離れた東の対のほうへ、その宣旨を呼び寄せては、前斎院との仲立ちのことなどを談じ込むのであった。

前斎院に仕えている女房たちのなかで、まずさしたることのない男にでもなびきがちな尻軽なる女たちは、それはもう源氏となればすぐにでも自分のほうから口説き寄ろうといわぬばかりの勢いで、源氏にのぼせ上がっているのであったが、前斎院は、もっと年若く源氏と恋に落ちても良かったほどの頃でさえ、さような色めいたことは、さらさら考えようともしなかったくらいだから、まして今は、前斎院自身も源氏も、どちらももういい歳ではあり、社会的な地位からいってもそんなことをうんぬんすべき立場でもなくなっているのであってみれば、なおさら、そのようなことは思いもかけない。ただ、源氏が季節の花などによそえて、いろいろと懸想がかった文をよこすのに対して、「六日の菖蒲（あやめ）、十日の菊」にならぬように、適宜返事をするということにしても、前斎院ともあろう方がなんと軽々しい行為を、などと世間の人に噂されはすまいかと、一心に思い憚るゆえ、今も今後も、気安く打ち解けてやりとりしようなどという気持ちは、さらさらない。この君の、こうしたどこまでも頑なる心がけを、源氏は、〈やれやれ、まったく世間一般の女たちとはことかわり、なんとまあめったといないような、またこしゃくな女であろうか〉と思っている。

ところが、こういう成り行きは、どうやら世の中に漏れ聞こえてしまったらしい。

「あの前斎院の宮ね、源氏の君が、それはそれはねんごろに言い寄っているらしい。それを叔母君の女五の宮などはよろこんでいるらしいという話。お似合いと言えぬこともない間柄でしょうし……」

などという噂が広まってしまったのが、あいにくと西の対に住む紫上の耳に入ってしまった。

紫上は、このことを聞いてからしばらくの間は、〈そうは言っても、もしそんなことがあるなら、いかになんでも私に隔てを置いて隠しておくということもなさいますまいに〉と思って、信じなかった。

けれども、よくよく源氏の態度を観察してみると、どうも様子がいつになく上ずったような調子で、ふわふわしているというのも、まことに情ない感じがするのだった。

〈……本心は本気になって結婚でもしようかというつもりなのに、口先ばかりは、まるで戯れの間柄であるかのような素っ気ないことに言い繕ってるんだから〉と、紫上はあきれ返る。

〈あの方は、私と同じ先帝の血を引く人ではあるけれど、なにぶん世間の声望も私などとは比べものにもならぬくらい立派なのだし、昔から、天皇家でも大切に思われておいでの方だったから……万一、源氏の君のお心があちらに移りでもしたら、私なんか、どんなに格好のつかない立場になってしまうだろう。……今までずっと大切にしていただいて、誰も肩を並べることのできないような特別のご寵愛にすっかり慣れてしまって……ああ、こんなことで、今さら人に押し負かされることになるかもしれないなんて……〉と、人知れず思い嘆いている。

〈でも、まさかふっつりとご縁が切れてしまって、跡形もないような扱いまではなさるまいけれど、思えば、私なんか母にも先立たれ、父の後ろ楯もなくて、ほんとに頼りない身の上だったのを、こうして二条のお邸で源氏の君と一緒に過ごし慣れてきた仲らいだもの、あの方などと比べたら、やっぱり軽く見られているのかもしれない〉

紫上の心は乱れるばかりであった。

いったい、まず深刻な問題でない事柄についてだったら、わざと恨んでいるようなことを、しかし憎らしくない程度に訴えたりもしてきた紫上だったが、このたびの前斎院との色恋沙汰は、ほんとうに心底辛いと思っているので、却って面には顕わさず、ひたすら我慢している。

〈いつもああやって、源氏さまは、私に背を向けて、邸の端近なところで、なんだかぼんやりと考え事をしたりして、それに、家を空けて内裏にばかり住むことが多くなったし、たまに家にいるとしても、やることといったら、ただ、手紙を書いているばかり、……ああ、これでは、あの方に入れ揚げているという噂は、どうやら空言ではなさそうに見える……それならそれで、せめてそのことを、ちらりとくらいは打明けてくれてもよさそうなものなのに……まったくなにも心を開いてくれないのだから……〉

と、紫上は、源氏のことを、ただただ疎ましく思うばかりであった。

源氏、又も桃園の院へ。紫上の苦悩

藤壺の宮崩御に伴う諒闇のために、宮中の冬の諸行事も停止となり、物寂しい冬の間、源氏はなすこともなく、所在なさのあまり、あの桃園の院の五の宮のところへいつものように訪ねていく。

折しも、雪がしきりと散り落ち、冷え冷えとした風情のうちに夕闇の迫るころ、源氏は出かけていこうとしている。しんなりと着慣れた衣に、いつにも増して香を焚きしめ、念には念を入れて、長い時間かけて身ごしらえをしたのだから、貞操堅固ならぬ女だったら、さぞ易々と落ち靡くだろうというほどに、なまめかしい美しさであった。

その出で立ちで、それでも源氏はさすがに紫上に出がけの挨拶だけは欠かさない。

「なんでもあの女五の宮がね、お加減がお悪いそうだ。だから、ちょっとお見舞いに行ってこなくてはなるまいと思ってね」

そう言いながら、源氏はつっとひざまずいたが、紫上は、そっちのほうは見もしない。

それで、ただ明石の姫君をかまいつけながら、顔を背けているその横顔を見れば、これはただごととは思えない。

「どうしたというのでしょうか。この頃は、なんだか変に態度が変わってしまって……。なにも悪いことなどしていないのだがな……。古歌にも『須磨の海士の塩焼衣なれゆけばうとくのみこそなりまさりけれ（あの須磨の浦の海士どもが塩焼きの時に着る衣が着慣れてくたくたになっているように、私もあなたと共に住み慣れてゆくと、却っていやなところばかり目につくようになってしまうことよ）』と歌うてあるその塩焼き衣さながら、あまり目垢のつくほど一緒にいては、却って見栄えのせぬ男だとお思いになるのではないかと思って、わざと内裏住みを多くして、こちらには間遠に来るようにしているのだけれど、それをまた、そなたはいったいどういうふうに邪推しているのやら……」

源氏はせいぜい言い訳に努める。しかし、紫上の心は解けない。

「ええ、ほんとうに。『馴れゆくは憂き世なればや須磨の海士の塩焼衣間遠なるらむ（あまり馴れすぎては辛いことばかりになるのが男女の仲というものだからでしょうか、須磨の浦に住む海士どもの塩焼きの隙間だらけの衣みたいに、あなたのお出では間遠なのですね）』という古歌もございますものね。じっさい、一緒に住み馴れれば馴れるほど、辛いことばかり多いわたくしたちの仲ですこと」

と、それだけ言うと、紫上は背を向けてそこに突っ伏してしまった。

こういう紫上を見捨てて、桃園の院へ出かけていく道行きは、なんだか憂鬱そのものであったけれど、といって、もう五の宮にはお訪ねする旨消息を送ってあったので、今になって取りやめるわけにもいかない。源氏は釈然としない思いで席を立った。

後に残される紫上は、〈ああ、こんなことまで起こる私たちの仲だったというのに、今までそんなこと、ついぞ考えもせずに過ごしてきたもの……〉と、鬱々とした思いに屈託しながら臥してしまった。

源氏はそっと出て行く。その姿を見送っていると、諒闇とあってまだ鈍色の衣こそまとっているけれど、それもまた濃淡の色合いが得も言われず重なりあって、なまじっかに色ある衣よりも却って素敵に見え、しかも、折しも積もった雪の白い光のなかに映えてたいそう優艶に眺められる。

〈もしも、もしも、このままほんとうに君のお渡りが離れがれになってしまうとしたら……〉と、そんなことを想像すると、紫上の心には堪えがたく思われた。

源氏は、前駆けの従者なども、ごく内輪に目立たぬように計らって、

「内裏へ参上するとき以外の出歩きは、なにかと面倒な立場になってしまったものだな。

あの桃園の宮におわす五の宮が、あまりに心細い様子でおられるから、こうして私などがお見舞いに出なくてはならぬ……今までは兄宮の式部卿がずっとお世話をしておられたのだが、亡くなられてからは、この私に頼むと仰せになるわけでね、まずそれも道理、なにぶんお気の毒なお身の上だからなあ」

などなど、くどくどと弁解らしいことを供人どもに漏らすのであったが、聞かされたほうでは、

「まったくなあ、わが君のあの色好みの癖ってものは、いくつになっても収まりがつかぬとみえる」

「それだけが玉に瑕(きず)というもんだろうな」

「こんなことが重なるうちには、とんでもない僻事(ひがごと)も出来(しゅったい)しかねまじきものよ」

などと囁(ささや)き交わしている。

桃園の宮では、北側の門は人の出入りも頻繁で、そこから入るのは人目に立ちやすく、とかくに噂にもなりかねないので、そこは用いないことにする。西側にある門は構えも堂々として源氏に相応しいので、まずは供人を先に遣わして、五の宮のもとへ来意を告げ

させる。

宮はびっくりした。かねて消息のあった源氏のお渡りが今日だとは思いもかけなかったので、慌てて門を開けさせる。

門番の者が、寒々とした顔をして、大慌てで出てきたが、さて、どうしたものかこの門扉（もんぴ）が開かない。どうやら、この者より他には下男のような者もいないらしい。門番は、がたがたと大きな音を立てて開けようとするのだが、動かない。

「あれあれ、錠がひどく錆（さ）びちまって、開きません」

そう門番が嘆くのを、源氏は牛車（ぎっしゃ）のなかで耳にしては、しんみりと心に沁（し）みるものがある。

〈諺（ことわざ）に、亡き人との別れは昨日今日と思ううちに、たちまち三十年の昔になってしまうというが、その通りだ。こうしてついこないだ主（あるじ）を失ったこの邸（やしき）の正門が、はやくも錆びついて開かなくなっている。……世の中というものは、まったく移ろいやすい。こんなことを目（ま）の当たりにしていながら、なんでまた私は、このかりそめの宿りの俗世を捨てることができないのであろう。木や草の色にもいちいち心を動かす己（おのれ）のあわれさよ〉と、つくづく思い知らされる。ふと、こんな歌が口をついて出た。

いつのまに蓬がもととむすぼほれ
雪降る里と荒れし垣根ぞ

いったいいつの間に、こんなに生い茂った蓬に閉じられて、
雪の降る、ふるびた里邸となって、荒れてしまった垣根なのであろうか

なかなか錆びついた錠は開かない。やや久しく待って後、やっと無理やりに門をこじ開けて、源氏は邸内に入っていった。

またもや源典侍登場

五の宮のもとに参じて、源氏は、いつもながらの物語のお相手を務める。宮の繰り言は、大昔の、どうでもいいような話題の繰り返しで、あれやこれやと話は尽きぬけれど、源氏にしてみれば、もう耳にタコができるほど聞かされた事ばかり、眠たくてしかたがない。源氏は、つい欠伸をかみ殺した。すると、それにつられて宮も大欠伸をする。

「おやおや、……まだ宵だというのに、こんなにぼおっとして……ようお話も申し上げら

れませぬ」

と呟いているとみるや、たちまち傾眠して、鼾というのだろうか、妙な音をたてはじめた。やれうれしや、源氏はこの間に失礼しようと立ち上がって出て行こうとするところに、またもう一人、えらく老人くさい咳払いをしながら、しゃしゃりでてきた人がある。

「エヘン、ウオホン、まことに恐れ多いことでございますけれど、わたくしがこのお邸にお仕えしておりますことは、お耳に達しているとばかり思って、いつかはお声をかけてくださるかと楽しみにしておりましたのに、いつまで経ってもそのお沙汰もなくて、これはまず、この世に生きている者の内には数えていただけないものかと存じましてねぇ。ほっほっほ、故院さまは、わたくしめを、いつも祖母殿と称えてお笑いになりましたが……」

ややや、見ればそれは、かの源典侍であった。

源氏は思い出した。

〈そうそう、この源典侍という人は、たしか尼になって、この女五の宮の弟子として勤行に励んでいるとか、ちらりと聞いたことがあったな、たしかに……〉

とはいえ、まだこの世に生き長らえているとも思っていなかったので、源氏は驚きあきれた。

「故院の御世のことは、今ではもうみな昔語りの世界になっていきますが、そんなはるかな昔を思い出すのも、なにやら心細い思いがいたしますところに、まことに嬉しいお声を聞くことで……。かくなるうえは『親なしに臥せる旅人』とでも思って、親代わりのお情をおかけくださいまし」

源氏は「しなてるや片岡山に飯に飢ゑて臥せる旅人あはれ親なし（ああ、この片岡山に食事に飢えて倒れている旅人は、かわいそうに親もないのだ）」という聖徳太子の御詠の片端を引いて、その親無しの自分の親代わりになってくださいと、母親よりも年長のはずの典侍をからかった。

こんなことを言いながら、源氏は物に寄り掛かっている。その姿の麗しさに、典侍はありありと昔の日々を思い出し、いまもなお色気を去らぬつもりに声作りして、なにか言おうとするが、さすがに歯という歯が抜けてしまって、口元がくしゃくしゃとすぼんでしまっているらしい声音で、しかもべちゃべちゃと呂律もあやしい。それでもなお艶めいた戯れ言を言おうという色気は失せていない。

「ほっほっほ、されどそれも『言ひこしほどに』ということにて……」

などと言い返してくるのには、まったくうんざりさせられる。典侍は、「身を憂しと言ひこしほどに今はまた人の上とも嘆くべきかな（わが身の老いを辛い辛いと嘆いておりますうちに、いつしかそれもあなたの身の上のこととして嘆くようになってしまいましたね）」という古歌を引いて、いい歳なのは自分ばかりでなくて源氏の君だってもう昔のような若さではありますまいと切り返したのである。なるほど、典侍は七十を超える婆さまであったが、そういう源氏とて、もう三十二歳になっている。

〈今はまた人の上とも……ってことか。祖母殿め、まるで今急に老いのやってきたような口ぶりだが〉と源氏は苦笑を禁じえない。さはさりながら、この歌の心をよく案じてみれば、源氏自身、身につまされるところがないでもなかった。

〈……考えてみれば、この祖母殿がまだ女盛りだったころ、互いに帝のご寵愛を競った女御更衣たちも、いまではもうみな亡くなってしまったか、あるいは生きている甲斐もないような見る影もない身の上に落魄しているか、いずれそんなところであろうに。藤壺の入道の宮などは、ご行年わずか三十七歳であったのだから、おどろくばかり儚い世の中だ。それなのに、当時からもうずいぶん年長で、老い先も長くはなさそうに見えた割には、心がけは妙に徒めいて見えたこの老女が、かくも長々と生き残っていて、心静かに念仏三昧の日を送っているというのは、まったく人の命ほど定めなきものはあるまい〉

源氏は、そんな感慨に耽っている。

すると、これを見た祖母殿は、源氏がかつての契りなど思い出しているのかと、胸ときめかせて、年にも似合わぬ若ぶった歌を詠んだ。

年経れどこの契りこそ忘られね
親の親とか言ひし一言

もうずいぶん長い年月が経ってしまいましたが、それでもまるで我が子のようなあなたとの、この契りが忘れられませぬ。
だって、わたくしのことを祖母殿、つまり『親の親』とか言った一言もあることですしね

いつでもなにか古歌などを引いてみせる典侍は、またも「親の親と思はましかば訪ひてまし我が子の子にはあらぬなるべし（もしあなたが私のことをほんとうに親の親だと思うのだったら、きっと訪ねてくれるはずなのに、そうでないのは、おそらく私の本当の子の子、つまり孫ではないのでしょうね）」という古歌を引きごとにして、妖しい色気をほのめかしたのであった。

さすがに、源氏はうんざりとする。

「身をかへてのちも待ち見よこの世にて
親を忘るるためしありやと

今生ばかりか、来世に生まれ変わりなさって後にもどうぞ待っていてごらんなさい。子というものが、この世にあって親を忘れるなんてことがあるかどうか

親子の縁となりますれば、さように忘れ難い、頼りになる契りでございましょうからね。そのうち、来世ででもゆっくりお話しさせていただきましょうか」

こう言い捨てて、源氏は席を立った。

前斎院の拒絶とその想い

寝殿の西面（にしおもて）には、格子戸が下ろしてあるが、全部閉め切ったのでは、まるで源氏の訪問を峻拒（しゅんきょ）しているように見えるので、それもいかがなものかと思うゆえ、なかの一枚二枚は敢（あえ）て下ろさずに開けてある。

月が静かに昇ってきて、うっすらと積もった雪の上に月光が映えているのは、中秋の名

月などよりも却って趣のある夜のさまであった。

〈さてさて、世間では「冬の月と老女の懸想沙汰」とやら、よからぬものの喩えに言いそやすようだが、月のほうはあんがい悪くもないとして、しかし、あの祖母殿の懸想にはまいった〉と源氏は苦笑せざるを得ない。

今宵、源氏は真剣そのものの態度で前斎院に口説きかかる。

「ただ一言、『いやです』とだけでもいいのです。それも人づてでなくて、ご自身のお言葉で仰ってくださるなら、わたくしもこの恋を諦めるよすがといたしましょう」

そんなふうに、源氏は立ち入った物の言いようで前斎院に訴える。

しかし、昔、まだ二人とも若くて、男女の過ちも許された時代、しかも父の故式部卿の宮が〈姫を源氏に縁付かせたい〉と思っていたという時にさえ、それでもこの女君は〈そんなこと、あるはずもない恥ずかしいこと〉と思って、沙汰やみになったというくらいであったから、こうして時世経て父宮にも死別し、若い盛りも過ぎ、懸想沙汰など相応しからぬいい歳になって、源氏のいうように「いやです」と一声発するというだけでも、きまりの悪いにも程がある、と前斎院は思う。この気持ちは、確乎として動かないので、源氏は呆れ返り、とんでもない姫君だと思うのであった。

そうはいうものの、無情にも突っぱねてしまうということでもないような思わせぶりな返事を、取り次ぎの女房に言わせるなどというのも、これまた源氏をじらすようなことではなかろうか。

しんしんと夜は更けて、風が激しく吹き出してくる。こんな夜は、じっさい、ひどく心細い思いに駆られるので、源氏は、おっとりと涙を拭いながら、

「つれなさを昔に懲りぬ心こそ
　人のつらきに添へてつらけれ

昔もあんなにつれなくされたのに、それにも懲りずに恋い慕っているわが心、あなたのつれなさも辛いけれど、さらにそんな自分のなさけない心こそ、我ながら辛いと思います

あの『心づからの』という思いにて」

と、口ずさみ恨みわたる。これには、そこで聞いていた女房たちも、「恋しきも心づからのわざなれば置き所なくもてぞわづらふ（恋しいのも、私の心のなせるわざですから、どこか別のところに置いておこうということもできず、思いわずらっております）」という古歌を思いやって、

「ほんとに、源氏さまがお気の毒でとても見ていられませぬことでございますよ……」

などと、例によって、前斎院を諫めている。

前斎院は、そこで、こう言い返した。

「あらためて何かは見えむ
人のうへにかかりと聞きし心がはりを

わたくしが心を変えてお目にかかるなどということがどうしてできましょう。
他の方がたにはそういうこともままあると聞いておりますけれど
昔と違うことをするなどは、ついぞし馴れておりませんので」
まことに、きっぱりとした拒絶であった。

この上は何を言っても甲斐のないことと、大まじめに怨みがましいことを言いながら立ち去るというのも、源氏の立場には似合わぬ未熟な態度だと思うゆえ、

「まったく、このように世の語りぐさにもなりかねないわが身の愚かしさを、決して人に漏らしてくださいますなよ。あの『いさら川』の古歌のように、などと申し上げるのも、

思えば馴れ馴れし過ぎることでございましょうか」

とやらなんとやら、あれこれと取り次ぎの女房の耳元で囁き交わしているのは、さていったいなにごとを語らうのであろうか。

思えば、源氏が口走った、「犬上(いぬがみ)やとこの山なるいさら川いさと答へてわが名もらすな(犬上のあたりのとこの山にあるいさら川ではないけれど、人に聞かれたら、いさ知らずと答えて決して床(とこ)を共にしたわが名を漏らすなよ)」という歌は、床を共にした男の歌ゆえ、貞操堅固な前斎院にとっては、失礼極まる引き歌なのであった。

しかし、源氏びいきの女房たちは、口々に言う。

「あれあれ、なんとまあ恐れ多い仰せごとを……」

「姫君はなぜにまた、これほどに強情につれないおもてなしをなさるのでございましょうか。軽々しく、ご無体(むたい)なことなどなさるはずもないご様子ですのにねぇ」

「ほんとうに源氏さまがお気の毒だこと」

これを聞いて、前斎院はとつおいつ思い巡らした。

〈それはそうね、あの君が人間的に魅力的だということも分かっているし、だから心惹(こころひ)かれぬわけでもない。でも、だからといって、私が恋の情を知っている者としてお目にかかったりしたとて、それは源氏の君にとっては、まあ当たり前のこと、この女も自分を称賛(しょうさん)する連中の一人だなというくらいにしか思ってはくださらないだろう。かつはまた、軽はずみなこちらの心のありようも、まったくお見通しにちがいない。なにしろ、あの、こちらが恥ずかしくなるように思えるくらいのご様子だし……、そう思うと、私のほうからお慕いするような情を見せても、何の甲斐もありはしないような気がする。でも、いつも頂(ちょう)戴(だい)するお手紙に対しては、一通りのお返事などは、折々につけて、総じて疎略にならない程度には差し上げることにしなくては……。直接に言葉を交わすなんてことはとてもできはしないけれど、人づてのやりとりだったら、そんなに無愛想にならない程度にはすることにしておこうかな……〉

　それにしても、この君は、ながらく斎院として神に仕えていた関係で、まったく仏道からは離れていたので、だいぶ罪作りをしてしまったという反省がある。

〈せめて、勤行を怠っていた罪を消滅させるように、これからは努めなくては……〉と思い立ちはするのだが、〈でも、いま急に出家したりすれば、いかにも源氏の君の求愛を逃れるためにしたことのように見えて、それまた却って目立ちたがりのわざとらしいやり方のように、傍目(はため)には見えるかもしれない。人は面白がってそんなことを噂に立てるに決まっている〉と、前斎院は、世間の口さがなさを思い知っているだけに、こんなことは、日ごろから伺候している女房たちにさえ、気を許して打明けることもしない。ただただ、慎重に心配りをして、すこしずつ勤行なども始めてみるのであった。

前斎院には兄弟なども数多くあったけれど、いずれも腹違いのこととて、日ごろの行き通いなどもなく、この桃園の院のうちも次第に人気なく寂しくなっていくなかで、これほどすばらしい源氏の君が懇篤に心を込めて語らいわたるのを見れば、女房どもはこぞってこの求愛に大賛成、だれも異を唱える者とてなかった。

紫上の悲嘆と源氏の言いわけ

源氏のほうでは、灼けつくような恋慕に焦心するというほどでもなかったが、ただ前斎院の冷淡なあしらいのいまいましさに、このまま負けて引き下がるというのも残念だという思いでいる。それにまた、今は若気の無分別なころとはことかわり、人格も声望も十分に備わったたし、思慮分別も格別深まり、世の人々とも広く交わって賢愚善悪あまねく見聞してきたのだから、昔よりもずいぶんと経験を積んだものをと、いささかならず自負するところがある。そういう今になっての移り気な恋慕沙汰も、心の片方では世の非難を恐れながら、しかし、〈……だといってこのまま空しく引き下がったのでは、源氏も大した男ではなかったなと、とんだ物笑いになりかねないしな。さていったいどうしたものであろう……〉というふうに心が揺れ動いている。

そのため、二条の邸の紫上のもとへはいっこうに夜の渡りもせず、女君は、あたかも「ありぬやとこころみがてらあひ見ねばたはぶれにくきまでぞ恋ひしき（逢わずにいられるものだろうかと、我と我が心を試すつもりで、意地を張って逢わずにいると、そんな戯れごとなど言っていられないくらい、恋しくてならない）」といういにしえの歌を思い出すような恋しさに駆られている。それで必死に我慢してはいるけれど、時には涙のこぼれるのを、どうして押しとどめておられよう。

そういう折々は、さすがに源氏も看過することができぬ。

「おやおや、どうしたことだろう。いつもとは様子がずいぶん違うけれど、それはなぜなのだろうか、さっぱり合点がゆかぬよ」

など言いつつ、源氏は紫上の髪を掻き撫で掻き撫で、いたわしく思っているらしい。そんな二人の様子は、絵にでも描きたいほどの麗しさである。

源氏は慰め顔で言う。

「藤壺の宮がお亡くなりになってからというもの、帝はとてもお寂しそうに世の中をご覧になっている。私などは、そのご様子を拝見しているだけで胸が痛むのだ。政治向きのことも、太政大臣がおられなくなっただろう、そうすると煩わしいことがなにもかもこの私に押し寄せて来る。それで忙しくてどうにもならないゆえ、なかなかこちらのほうへ来るのも途絶えがちになるわけなのだ。そのことを、今までにないこととそなたは思っているらしいが、それも、たしかにもっともなところがある。けれどもね、仮にそうであっても、今はともかく、心をゆったりと持って、無用の心配などはせぬことだ。そなたも、見たところはすっかり大人になったけれど、まだまだ物事を洞察する力が足りない。私の、そういう気持ちもいっこうに理解せずに不機嫌になっているなんてのは、まだまだ幼いことだね」

そんなことを囁きながら、涙に濡れてもつれたようになっている紫上の前髪を、源氏はやさしく撫でつくろう。しかし紫上はますますそっぽを向いて一言も口をきかない。

「やれやれ、そんなふうにひどく聞き分けがないのは、いったい誰のお躾けだろうかな」

源氏は、〈いずれ命などいつまで保つとも知れぬ無常の世に、ここまで心を隔てられるのはなんとしても面白からぬことよな〉と、思って、かたがた鬱々とした思いでもいる。

「斎院のほうへは、別に本気の懸想文など送っているわけではない。ただどういうことともない通り一遍の文に過ぎないのだが、もしや、また邪推をしているのではないのかな。そうだとしたら、それは非常な見当外れというものだよ。まず、いずれは自然とお分かりになるときもあるだろうけれど、……あの斎院という方はね、昔から、とかく私にはまるで興味のない方なものだから、こちらもいっそ気楽で、退屈な折々の暇つぶしに、恋文がかったような手紙などさしあげて困らせてやるのです。すると、あちらでも退屈しているところだったりすれば、たまさかには返事などくださることがある。が、どっちにしても本気の懸想文なんぞではないのでね、こんなやりとりを、かくかくしかじかで思わしい返事が来なかったとか、いちいちそなたに愚痴をこぼすようなことであろうかねえ。だから、なにも心配はいらないと、そう思い直していただかないと……」

などなど、その日は、日がな一日紫上のご機嫌取りで終わってしまった。

月下の雪まろばし

雪がみっしりと降り積もった上に、今もちらちらしている。松にも竹にも雪は同じように積もっているけれど、松は屹立し竹は頭を垂れて、はっきりとけじめがあるのも面白く眺められる夕暮れに、源氏の姿もまたいちだんと光り輝くばかりに見える。

「四季折々の風物のなかで、とかく多くの人が心を移すような、花や紅葉の盛りよりも、こういう冬の夜に、澄みきった月と地上の雪とが映発しあうようなそんな空ときたら……、どういうわけなんだろう、冷え冷えとして色がないぶん、しんみりと身に沁みてね、なんだか、この世ならぬものまでも思いが流れていく。それこそ、目に見える風情も、心に感じる情趣も、残るくまなく感じられる。それを、どこぞの女房が『すさまじきもの』とやら申して、『老女の恋』『師走の月夜』などと書いたようだが、なんと浅はかな心よな、それは……」

そんなことを言いながら、源氏は御簾を巻き上げさせた。

月光は隅々まで射して、雪の色と一つになり、あたり一面白一色である。すぐ前の植え込みは、雪の重さにしなだれてかわいそうなほどに見え、庭の遣水は、いたく凍って流れなずみつつ咽ぶような音を立てている。また池の氷は、えもいわれずぞっとするような色に鈍く光っている。

源氏は、この雪の庭に童女たちを降り立たせて、雪転がしをさせてみる。童女たちのかわいらしい姿も、頭つきも、みな月光に映え、すこし年かさの物慣れた童女たちは、さまざまな色の衵をしどけなく着て、帯も緩みがちな宿直の姿もういういしいところへ、長く伸ばして身の丈にも余るほどの髪の先が雪に触れている。すると、雪の白さが髪の黒さを際立たせて、たいそうくっきりと見える。

小さな童は子供らしくはしゃぎまわり、檜扇などもつい落としてしまう、その屈託のない顔もかわいらしい。すこしでも大きな雪玉を作ろうとして、欲張って転がしているうちに、やがて大きくなりすぎてにっちもさっちも動かなくなり、困惑しているように見える子もいるかと思えば、また片方には、さっさと簀子に上がって見物にまわり、その東の端あたりで、困っている朋輩衆をみてくすくすと笑っている子もある。

源氏の述懐と紫上の反駁

源氏は、この様子を見物しながら述懐するのであった。

「ある年に、藤壺の中宮の御前に雪の山を作られたことがあった。中宮の創案で始められたというわけではなくて、昔からあることはあったのだが、それでもあの中宮さまはどこか目新しいちょっとした工夫を巡らされたものだった。されば、何の折々につけても、あの方のお隠れになったことは残念で、満ち足りぬ思いがすることだね。中宮さまは、私に対してはいつも隔てを置かれていたから、あまり親しく謦咳に接することもできなかったけれど、内裏に居られた時分には、私を心やすい後見役として頼りにしてくださったものだった。だから、私もあの方を一心にお頼みしてね、なにかにつけて、どんなことでも申し上げてはご意見など承ったものであったよ。なにしろ物静かな方で、とくに表面だってなんでも巧みに処理してのける、というようなふうには拝見しなかったけれど、申し上げることにはちゃんと応えてくださったし、ささいなことでも願ったとおりにきちんとやってくださったなあ。思えば、この世にあれほど素晴らしい方がまたとあるだろうか。一見するといかにも物柔らかで頼りなげにも見えるのだが、じっさいには深い知性や見識をお持ちで、それはもうたぐいのない方であった。……そなたは、そうは言ってもやはり、あの方の血縁を引くだけに、なにかと通うものを持っているように見えるのだが、でも、すこしだけ煩わしいところがあって、かしこすぎるといえばかしこすぎるのが、ちょっと困るという感じでもあろうかな。で、あの前斎院という方は、またちょっと違っているように見える。いわば、所在ないような時に、どうということもないような手紙などを交わそうかという場合に、それでも、やはり自分としてもどこかきちんと気遣いをしなくてはならないというような方なんだが、そういう格調高い人となると、今ではもうこのお一方くらいしか、この世には残っていまいな」

　これを聞いて紫上は矛先を転じる。

「あの尚侍（朧月夜の尚侍）という御方、あの方こそは、なにごとにも巧みで、教養深いところはどなたにも勝っておられますでしょう。軽薄なところなどいっさいおありでないような、そういうお人柄と思っておりますのに、いったいなぜ、ああいう不可思議な事件が出来したものでございましょうかしら……」

「それはそのとおりだが……しかし、自然な美しさに満ちた容貌（かたち）の女ということになれば、やっぱりあの方は引き合いに出されるような人でもあるからね。そう思ってみれば、あの方との一件では、我ながらみっともなく、また悔やまれるようなこともあれこれあったな。とかく色好みの男は、命長く生きれば生きるほど、そういう悔やまれるようなことばかり多くなっていくのであろう。いや、私などは人よりよほどおとなしく生きてきたと思っているのだが、それでもああいう恥をかくわけだからね」

源氏は、こんなことを口に出して、この尚侍の思い出につけても、涙を少しばかりは落とすのであった。

「あの、そなたが人の数にも入れぬほどに軽んじている大井の山里の人などは、出自に比してはややでき過ぎというくらいに、教養もあり世の道理なども心得た人と思われるけれど、しかし、家柄が家柄だからね、気位の高いところがあるにはあるが、私は無視しているのだ。とはいえ、論ずるにも及ばないほどくだらない女などは、私の周辺では見たことがないからね。反面また、これは素晴らしいと思うような人というのも、人の世にはなかなかいないものだ。

それよりも、あの東の院にひとり寂しくしている人（花散里）の心がけこそ、いつに変わらず、なにかこう労ってやりたくなるような良さがあるよ。あんなふうには、これでなかなかできないものだが、ああいう愛すべき心がけの人だとわかってつきあうようになってからというもの、あの人は、もうずーっと変わりなく遠慮深い態度で過ぎてきたのだからね。じつに感心なものだ。だから、今となれば、もうお互いに離反するなんてことはありえない、それどころか、良い人だなあと深く感じ入っているくらいなのだ」

などなど、昔のこと今のこと、取り混ぜての物語に夜も更けてゆく。

月はいよいよ澄みわたり、あたりは静まり返って風情もひとしおである。女君は、

氷閉ぢ石間の水はゆきなやみ

空澄む月のかげぞながるる

氷が張りつめて岩間の水は行きなずんでいるけれど、あの空に澄みわたっている月の光は妨げるものもなく西へ西へと流れてゆく

と、こんな即興の歌を詠じて、外のほうを見やりながら、すこし首を傾げている様子は、比肩する者のないほどかわいらしげである。髪つきといい、面ざしといい、あの恋し

い藤壺の宮の面影がふと重なるほどよく似て、とても魅力的に見える。今は、すこしばかり、あの前斎院のほうへ分けて注がれている思いも、このぶんではきっと紫上の身一つに重ねられるに違いない。

……と、池に住む番い（つがい）の鴛鴦（おしどり）が鳴き交わすのが聞こえた。源氏は即座に歌う。

かきつめて昔恋しき雪もよに
あはれを添ふる鴛鴦（をし）の浮寝か

あれもこれも掻き集めて昔恋しいこの雪の夜に、さらにしみじみとした思いを添えるのは、あの夫婦仲のよい鴛鴦の番いの浮き寝の声か、……私には、思い出すだに憂き寝だったが……

藤壺、源氏の夢枕に現われて恨みごとを言う

母屋（もや）の奥に入っても、藤壺の宮のことが思われて、そのまま寝所に籠（こも）ってみても、夢ともうつつともなく、藤壺の面影が見え、それもたいそう源氏を恨む様子で、

「あのことは、決して人には漏らさぬと仰せでしたが、さきほどあなたはわたくしのこと

を平気で口にされましたね。それがために、浮ついた悪名がもうすっかり知れ渡って、いまはもはや恥ずかしさに堪えがたく、この冥界では苦患に沈んでおります。それが辛くてなりません」

と言葉を漏らすのであった。

夢のうちになにか答えようと思っているとき、源氏はなにかものに襲われるような心地がして、はっと目覚めた。するとそれは紫上が、

「これはいったい、どうなさいました」

と言って、揺り起こしたのであった。

〈……ああっ、目覚めてしまった。せっかくあの方と夢で逢うたに……〉そう思うと、残念で残念で、思いの鎮めようもなく、辛うじて胸を抑えていると、涙が滂沱と流れ落ちる。

次々と涙は落ちて、いつまでもひどく袖を濡らしている。これを見て、紫上は、いったいなにが起こったのかと思うけれど、源氏は、身じろぎもせず、じっと臥せっている。

源氏は、心の中で、こう呟いた。

とけて寝ぬ寝覚さびしき冬の夜に
むすぼほれつる夢の短さ

打ち解けても寝られずに、目覚めてしまったその寝覚めの寂しい冬の夜に、夢でむすばれて、しかし鬱屈（むすぼお）れた思いのまま終わってしまった、あの夢の短さよ

あんな夢の逢瀬をしては、かえって中途半端で飽き足らず悲しいと思うものだから、源氏は、いつになく早く起き出して、藤壺のこととは明らかにせずに、諸方の寺々に命じてその菩提を弔う読経などを命じた。

〈……藤壺の宮は、「苦患に沈んでいる」ということを夢のなかで怨んでおられたが、そのようにお怨みになるのもむべなるかな、……あの宮は、日ごろから念入りに勤行をなさって、万事罪の軽かろうような生前のお暮らしぶりだったというのに、ただあの一件があるばかりに、この世の汚れ濁りをお濯ぎになれなかったのであろうな〉と、源氏は、それからそれへと、物の道理を深く思い巡らしてみると、ますます悲しく思われて、〈かくなるうえは、どんなことをしても、あの宮の魂が知る人一人いないような寂しい幽界にさすらっておいでになるだろうところへ、きっとお訪ねして、その罪の身代わりになって差し

上げたい……〉など、つくづくと思いに耽るのであった。

〈……といっても、ここでにわかに藤壺の宮のために、取り立ててなにか法要などを営んだりすれば、こんどは世の人々が変に思って咎めだてをするだろう。帝も、疑心暗鬼のあまりに内心苦しまれることがあるかもしれない……〉と、ひたすら用心を重ねて、とりたての法要などはせずに、ただ心のなかで阿弥陀仏を念じ祈るばかりであった。そして、いつかはあの方と、極楽に往生して同じ蓮の葉の上に生まれたいと願いながらも、

なき人をしたふ心にまかせても
かげ見ぬみつの瀬にやまどはむ

あの亡き人を慕う心にしたがって、冥界に赴いたとしても、三途の川の三つの瀬のあたりで、あの方の影も見ることができずにくれ惑うばかりであろうか

と思うのであった。

その気持ちはまことに辛いことであったとか……。

少女（おとめ）

源氏三十三歳から三十五歳

葵祭の御禊の日、源氏と前斎院の贈答

また新しい年が巡ってきて、その三月(やよい)に、藤壺の宮の一周忌も過ぎた。

もはや喪服も脱ぎ替えて、色とりどりの服装に改まり、四月(うづき)一日の更衣(ころもがえ)の時分には、いっそう華やかな美しさが際立って感じられるところへ、まして賀茂の葵祭(あおいまつり)の頃ともなれば、空の色も明るく心地よげに見えるというのに、かの朝顔の前斎院ばかりは、亡き父桃園式部卿(ももぞのしきぶきょう)の宮のことなど思っているのか、ひとりぽつねんと寂しそうに考え込んでいる。

庭先の桂(かつら)の木のもとを吹き渡ってくる風の心地よいのにつけても、お付きの若い女房たちは、〈……ああ、姫君が賀茂の斎院をなさっていた頃には、この桂の枝なども身に帯びたりなどされたものだったけれど……〉など、あれこれ昔を思い出すことがある。

源氏から見舞いの消息が届けられたのは、ちょうどそういう折であった。

「今年の御禊(ごけい)の日は、どれほどのんびりとした思いでおられましょうや」

などと一通りの挨拶(あいさつ)があって、なお、

「今日(きょう)は、

かけきやは川瀬の波もたちかへり
君がみそぎの藤のやつれを
……さてもさても、思いがけぬことでした。あの賀茂の川瀬の波が立ち返るように、かつてこの川で斎院として禊をなさったあなたが、また立ち返り同じ川のふちで、身をやつしておられた喪服の藤衣（ふぢごろも）を脱いで汚れを祓う禊をなさろうとは」

と、こんな歌が添えてあった。それをしかも、藤の花を思わせる薄紫の紙に書き、きちんと上包に包んだ格式ばった文に仕立てて、藤の花房につけてある。

折しも藤の花の盛りの頃、前斎院の心にもしみじみと響くところがあって、すぐに返事が返ってくる。

「藤衣着しは昨日と思ふまに
今日はみそぎの瀬にかはる世を
この川のふちに喪服の藤衣（ふぢごろも）を着ることになったのは、つい昨日のことのように思っております間に、瞬く間に時が過ぎて、はや今日は川の淵（ふち）ならぬ瀬に禊をして藤衣を脱ぐことになりましたのは、なんと移り変わりの速やかなことでしょうかなにもかも夢のように儚いことにて……」

前斎院の返事には、あの『世の中はなにか常なる飛鳥川昨日の淵ぞ今日は瀬になる（世の中に常に変わらぬものなどあるだろうか、あの飛鳥川だって昨日は深い淵だと思っていたところが、今日見れば浅瀬になっている。そのくらい世の中は無常なものだ）』の古歌の心が匂わされている。ただこればかりの文であったけれど、源氏は、また例のごとくに、なにを思うのか、この文面をじっと見つめている。

前斎院の喪明けと源氏の心遣い

かくて、前斎院が喪服から常の服に脱ぎ替えるに際しても、源氏からは、お付きの女房の宣旨のところへ置き場所に困るほど、心を尽くした品々が届けられる。

これを見た前斎院は、そのように置き所に窮するほどの物を平気で受け取るのは、外聞もよろしからぬことゆえ、よく心せよ、と宣旨に口頭で注意を与えた。

叱られてしまった宣旨は不服に思った。

〈そんなことを言ったって、これがなにか懸想めいたお手紙でも添えてあるというのなら、叱られるのも仕方ない。だけれど、そんなことはなくって、真面目らしいお手紙しか添えて来られないのだから、とやかく申し上げてお返しするというわけにもいかないもの……。斎院におられた頃だって、斎院さまがご公務の神事に従事される折々には、いつだって源氏さまからは手厚いお見舞いを贈ってこられたんだし……。この度も、色めいたところなんかちっともない真面目などご文面なんだから、いったいなんと言い紛らしてお返しすることができるでしょう。そんなことできはしないし……〉
と、じっさい、板挟みになって処置に困っているらしかった。

叔母君の女五の宮のほうへも、源氏は、同様に時宜を外さずにお見舞いの品々やら手紙やらと贈ってくるので、宮はしみじみと心打たれて、

「この源氏の君という方は、つい昨日今日、子供だとばかり思っていたに、いつのまにかすっかり大人びてお見舞いくださいますことね。お姿がたいそう美しいばかりか、お心のほうも、まことに人並み外れてご立派にご成長あそばされて……」
と褒めちぎるのを聞いて、若い女房たちは嬉しそうに笑いさざめいた。

五の宮が前斎院に対面した折などにも、

「この源氏の大臣という方は、かように心濃やかに、こなたへもご消息をくださるやに見えますれど、なんのなんの、こんなことは昨日今日思いつかれたことではございませんよ。亡き式部卿の宮も、それはもう、あなたが斎院におなりになっては、そうそうお目にはかかれなくなったと、いつもお嘆きでね、『あの子は、ぜひ源氏の君にでも縁付けたいと思っていたのだがね、どういうわけか、どうしても嫌だというのでなあ』と、よくそんなことも仰せでしたよ。……そのことが成就しなかったことはよほど残念だとお思いの折々もございましたけれど、……それでもね、亡くなられた太政大臣の姫君（葵上）がご存命の時分には、あまりそのことを言うと姫君の母の三の宮がかわいそうだと思うものですから、あれこれと口出しもせずにおりました。けれども、今ではもう、その源氏の君のご正室でもあり、またいとこ同士でもあった姫君も亡くなられましたのでございますから、なるほど、式部卿の宮の願いにまかせて、あなたが源氏の君のご正室になられたとしたって、どうしてどうして悪かろうはずもございますまい。……とまあ、そんなふうに思い思いいたしておりますほどに、あの頃に戻ったように源氏の君が、ねんごろにお言葉をかけてくださるとあっては、まず前世からの宿縁でもございましたろうかと思うておりますのよ」

などと、古めかしい調子でしきりと説くのを聞けば、前斎院は、あまり良い気持ちはしない。

「そう仰いますけれど、亡き父宮にも、そんなふうに偏屈者のように思われてずっと過ごしてまいりましたのに、今さらながらに世間並みにしてみたところで、わたくしには全く似つかわしいこととも思えませぬ」

前斎院は、にべもなくこんなことを言う。これには生半可に諭しかかった五の宮のほうが恥ずかしくなるような凛然たる様子であったので、それ以上はとてもとても言い勧めることができなくなった。

こんなことのあるたびに、前斎院はひしひしと孤独感を嚙みしめる。

〈五の宮もあんなことを言い出すし、近侍の女房たちだって、どうやらみな源氏びいきで、もしかしたら源氏に籠絡されているかもしれないし……、となると、いつ源氏の言いなりになって自分の閨へ手引きなどして来ないものとも限らない……〉

前斎院は、なにやら身辺のうそ寒いような思いを味わっている。

そう疑われている源氏ご本人はといえば、前斎院の疑心暗鬼な気持ちなど知る由もなく、ただただ、自分が心を尽くし、真剣な思いを解ってもらうようにすれば、いつかは強情な朝顔の君とて心を許してくれる時が来るだろうから、その時を待とうか、というくらいには思いこそすれ、やわかそのような無理やりの手段で朝顔の君の心を傷つけるようなことをしようとは思ってもいないことであろう。

若君（夕霧）の元服と源氏の学問の奨め

葵上の遺した若君は、今年十二歳になり、元服の儀を控えて源氏もなにかと準備に追われている。もともと、二条の私邸で式を挙げようと思っていたのだが、葵上の母大宮がどうしても孫の元服姿を見たいと思っているのも道理だという思いやりから、あえて二条のほうへ引き取ることはせず、そのまま三条の故太政大臣邸において式を執り行なわせることとなった。

葵上の兄右大将（もとの頭中将）を始めとして、異腹の息子たちも、それぞれにみな上達部となって帝のお覚えも格別な人々ばかりゆえ、それらの伯父君たちからも、われもわれもと用意の品々が届けられる。

かくて、今を時めく源氏の若君の、しかも故太政大臣邸における祝典だというので、公家社会挙げての大騒ぎ、仰々しいまでの準備の威勢のほどであった。

臣籍に降下した源氏の子息ゆえ、規定上は従五位下に叙するのが当然であったけれど、源氏は親王がたの子息に準じて四位に叙することにしようかと当初は思った。また公家衆も、源氏の重々しい権威のほどからすれば、そのくらいのことはあろうかと思っていたのだが、そこで、源氏は考え直した。

〈いやいや、まだ若君は幼弱だ。それなのに、いかに自分の心のままになる世だからとて、そのように唐突に高い位を与えるのも、考えてみれば、天下を掌握している源氏ならさもありなんと世の中の人々は思うだろう。それもありきたりすぎるやりようかもしれないな〉

そんなふうに思って、四位に叙するのは見合わせた。そうして、六位の服である浅葱色(薄い青色)の袍の姿のまま、また殿上することを許されることになった。祖母大宮には、かかる扱いはなんとしても満足がゆかず、あきれたことだと思うけれど、それも道理というもの、心痛察するに余りある。

そこで、大宮は、源氏に直接対面して、このことに納得ゆかぬ由を申し入れると、源氏が答える。

「現在ただいま、こんなふうに強いて元服を急ぎ、まだ未熟な者を大人めかすべきではないのかもしれませぬけれど、わたくしにはいささか考えるところがございますゆえ、大学寮にて学問の道にしばらくのあいだ親しませよう、とそういうふうに思っております。されば、あと二、三年は役立たずの者と思うことにいたしまして、しかるべく朝廷のお役にも立つ年格好にもなりましたら、そのうちにはいずれ一人前になることでございましょう。

……思えばわたくし自身は、宮中に生まれ育ちまして、世間のことは何一つ知らぬまま、夜昼父帝の御前にあって、かろうじて少々ばかり学問の漢籍なども習ったというほどのことでございました。恐れ多くも父帝御手ずからお教えいただいたわたくしなども、なにぶん知見の狭い人間でございましたほどに、文の道を修めますにも、あるいは琴や笛の調べを学びますにも、結局中途半端で、知識も技も及ばぬところが多くございました。ましてそういうわたくしの子でございます。取るに足りない親に賢い子が育って親を超えるというような前例を探すのも難しいことでございますから、代々下ってまいりますうちには、しまいにどうなってしまうか、まことに心もとないことに存じます。さればこそ、今、あの子を大学の道へ進ませたいということなのでございます。

そもそも、高家の子として官位も叙爵も思いのままとなりますと、すなわち世の中の栄華に馴れて心の驕りを生じましょうから、学問のようになにかと苦心の多いことは、どうしても遠く無縁なことと思うようになろうかと思われます。そうして、ただ面白おかしい戯れごとや遊びなどにばかりうつつを抜かして、それでも思いのままに高位高官に昇るというようなことになりますと、時勢に諂うのは世のならいでございますれば、下心には鼻先でせせら笑うようにしてばかにしながら、表面はお追従をしてご機嫌を取り結ぶ者も多くなる……というような仕儀ともなりましょう。かくては、自分もいっぱしの者のように勘違いもし、外見ばかりはいかにも立派そうにいたしておりましょうとも、そんなことは長続きもいたしますまい。やがて時移り風向きが変わってくれば、後ろ楯となっていた親なども亡せ、家の権勢も衰微してまいりますその果てに、結局人から軽んじられ、侮られる結果となって、もはや誰にも頼ることのできない身の上となり果てましょう。

されば、人は漢学の才を基礎として、その上で融通自在に大和人の心をもって世を治めていくならば、その時こそ政も盤石の強さとなり得ましょう。六位の軽輩とあって、さしあたっては心もとないようではございますが、後の世に、やがてしっかりと世の重しとなるような心がけを、若いうちに学んでおけば、後ろ楯のわたくしがいなくなった後にも、よもや気掛かりなことはございますまい。

……ただいまのところは、いかにもぱっとしない身分ではございますが、わたくしとしてあの子が困らぬように、せいぜい心を配ってまいりますので、いかに貧窮せる学生だからとて、せせら笑い侮るというような者も、まさかおらぬであろうと愚考いたします」

源氏の説得は間然するところがない。さすがに大宮も、うちうなずき嘆息をもらして、

「まことに、そこまで深くお考えを巡らされてのことでございましたに、こなたの右大将なども『六位のまま大学へなど、あまりにも前例に外れたなさりようだ』などと、しきりと首をひねっておりましたようで……。若君の幼ごころにも、たいへんに残念に思っていたようで、右大将、左衛門の督の子どもなど、若君としては自分より下位の者と思って下に見ておりましたのに、その下臈どもがみなそれぞれに五位を振り出しに昇進いたしつつ、すっかり一人前らしくなってまいります。それを、なぜ自分ばかりは六位の浅葱者かと、その姿をたいそう辛いと思っているのを見ていると、胸が痛んでなりませんでしたよ」

と打明ける。源氏はからからと笑って、

「ははは、それはまた一人前のつもりで、不平たらたらというところでございますな。いずれ取るに足りぬことでございましょう、あの年ごろでは……」

と、こんなふうに言いながら、源氏は若君をたいそうかわいいなと思っているのであった。

「これより学問などして、すこしは分別(ふんべつ)というものを心得るようになれば、そんな取るに足りない不平などは自然と雲散霧消(うんさんむしょう)いたしましょう」

源氏はそう言って大宮を慰めるのであった。

若君(夕霧)に字(あざな)をつける

大学に入るとなれば、唐国(もろこし)の学問を博士(はかせ)について学ぶのであるから、唐風(からふう)の呼び名、すなわち「字(あざな)」というものを付けなければならぬ。そこで、この字命名(あざなめいめい)の儀は、二条の東院を会場として挙行することにした。その東の対(たい)にそのための設備が調(ととの)えられる。

上達部、殿上人、いずれもこんなことはめったとないことゆえ興味津々で、われもわれもと参り集(つど)うてくる。さすが字作(あざなづく)りなどに馴れている大学の博士といっても、こう高位顕官の人々が注視するなかでやらなくてはならぬとあって、なまじっか博士などと敬(うやま)われているだけに却って気後れがしてしまうということもあったろう。

「遠慮には及ばぬ。ただ、こういうことには慣例というものがあろうから、いい加減な妥協などせず、厳しく行なうように」

と、源氏は申し渡す。

博士どもは、無理無理に平気そうな様子を作って、どこからか借りてきた装束など着て、いかにも似合っていない不体裁な姿を恥じるところもなく、その顔つき、声遣い、いかにも曰くあり気なもっともらしさを作っている。そして、座に着き並ぶにも一定の作法があるなど、見物の公卿たちには、なにもかも見も知らぬ珍しいことばかりであった。それゆえ、若い公達などは、可笑しくて可笑しくて、ついつい我慢の限界を超えて自然と笑いが出てしまう。

じつのところ、万一にも笑い声を立てたりするような粗相があってはいけないというので、年長けた、また心静かな人ばかりを選び出して、この博士どもに対して酒の酌などをさせたのであった。この任に当たったのは、右大将、民部卿などの人々であったけれど、なにぶんとも、いつもとはまったく違った筋の、馴れも習わぬことなので、必死の面持ちで土器を取ったにもかかわらず、博士たちにはまったくお気に召さなかったものと見える。

博士どもは、呆れ返るような口調で咎めだてし、こき下ろした。

「おおよそ、饗応相伴役の人士諸卿、頗るに非礼非法のなされ方でござりましょうぞ。かくばかりに名の聞こえ著きそれがしを知らずして、朝廷にお仕えなされ得ましょうかや。甚だ戯けたることでござろうぞ」

あまりにむきになってそんなことを言うのには、皆々思わず吹き出して笑い声をあげる。

博士どもは、なお声を荒らげた。

「ええい、声が高い。静まりなされよ。甚だ非礼でござろう。さあ、その座より引き上げ立ち去っていただきましょうぞ」

などと脅しつけるように言うけれど、それがますます可笑しいのであった。

見物の公卿たちは、大学のありさまなどは見たこともないので、なにもかもが面白く思われる。

いっぽう、なかには大学で学んだ上達部などもいて、そういう人は、したり顔でにんまりと微笑んだり、また源氏がこういう方面のことをずいぶんと好んで、若君にわざわざ漢学を学ばせるということはたいそう素晴らしいことだと限りなく尊び、ひそひそと隣の殿上人に囁いたりしている。すると、そんなわずかの私語をも博士どもは見逃さず、

「お黙りなさい。無礼でござりましょうぞ」

などと言って咎める。

かくて、囂(かまびす)しく大音声(だいおんじょう)に論じ立てている博士どもの顔も、やがて夜に入ると、輝く灯火のもとで却って昼よりもはっきりと見えるようになって、なにやら物まね芸人の申楽師(さるがくし)さながら、侘(わ)びしげでみっともないその相貌(そうぼう)が眺められる。

一事が万事そんな調子で、なにもかも貴族社会一般とは大いに違った風変わりな儀礼なのであった。

この一部始終を、源氏は、御簾(みす)の内に隠れて眺めながら、ふと博士どもの聞きなれぬ物言いを口まねしてみたりして興がっている。

「それがしまた、はなはだぐずぐずして偏屈(へんくつ)なる者ゆえ、喧噪(きょうそう)し（口やかましく咎められ）、さぞまごまごと惑わかされることでござろうな」

など呟きながら、右大将らが博士どもに咎められているのを、源氏はこっそりと隠れて見ていた。

そうして、数の限られた席に座れぬため退出する学生たちがいるということを耳にして、邸(やしき)の南端、池に面した釣殿(つりどの)のほうへ招き寄せて、そこでなにかの賜り物などをする。

作文ということ

やがて儀式がすべて終わると、退出する博士やひとかどの文人詩人などを召し寄せて、源氏は、またまた漢詩文を作らせなどする。そのために、上達部、殿上人のなかにも、その方面の才学優長な者ばかりを選りすぐって、これも邸に留めおいたのである。

博士の面々は五言律詩を、またそれ以外の人々は源氏自身も含めて五言七言の絶句を作ることになった。

この際、興趣豊かな詩題を選んで、文章博士が捧呈するのに応じて、みなせいぜい頭を絞って詩句を按ずるのであった。

折柄、夏の短夜とあって、たちまち夜が明けてきたが、それがすっかり朝になってしまった頃に、でき上がった漢詩の披講に至った。朗々と読み上げる講師は左中弁があい務める。

姿形も清々しい左中弁が、声遣いもいかめしく、いっそ神々しいまでの声調で詠唱したのは、いかにも雅趣満点であった。この人は、漢学の世界では、輿望も格別な碩学というべき博士なのである。

かくして出来上がった詩文どもは、どれもみな手を替え品を替えて、若君の聡明を讃えるものばかりであった。

かかる高貴の家に生まれついて、そのままでも世界の栄華のうちに耽溺していてもよい身の上でありながら、敢て学問に志して、唐土の車胤のように窓辺なる蛍の光を友とし、あるいは孫康のように枝の雪の明かりに書読む心がけの殊勝さ、その優れたる人格を、あれやこれやと、物に寄せては思いを陳べるという手法で、それぞれ思うままに作り集める。その詩句のいずれもみな面白く、本家の唐土にまで持ち伝えて彼の地の文人たちにも披露したいと思うほどの名句揃いだと、そのころ公家たちの間で大評判になったくらいであった。

源氏の作ともなれば、言うまでもないことながら、纏綿たる情緒を湛えているばかりか、そこに親としての、深い思いやりまで感じられて素晴らしく、参席の公達みなみな涙を流して、かつは詠じ、かつは賛嘆しなどしたことであったが、なにぶんこの漢詩文のことは女のよく知るところではないので、わかったような顔をしてあれこれ書き連ねるのは、なにやら知ったかぶりで嫌らしく思われるだろうから、これ以上は書かない。

若君（夕霧）の秀才ぶり

引き続いて、入学の儀典を行なわせて師弟の礼を尽くし、ただちに、この二条の東院のなかに特別の部屋を作り、学識深い師匠に若君を預け、真剣に学問をさせることにしたのであった。

若君は、祖母君の大宮の邸のほうには、ほとんど全く顔を見せない。なにぶんにも、この大宮は、若君を昼といわず夜といわずかわいがって、ただもう幼子を愛撫するように持て扱うので、そのような環境ではとうてい勉強どころではないだろうという源氏の心遣いから、敢て二条の東院のほうに静かな学問所を造って、そこにとじこめて勉強させるように計らったのである。そうして、ひと月のうちにただ三回ばかり、大宮のところへ顔を見せにいくことが許された。

こんなふうに、じっと学問所に籠(こも)っていては、鬱々(うつうつ)たる思いのままに、父の源氏を恨む心も、ふと起こってくる。

〈父上は、ほんとうに厳しすぎる。こんなに辛い思いをしなくたって、高い位に昇り、世に重んじられている人だってなくはないのに……〉

そんなことを思わぬでもない若君であったけれど、しかし、若君はそもそもまじめな性格で、浮ついたところのない人であったから、よくよく我が心に言い聞かせながら、なんとかしてしかるべき学問の課程図書を早く読み終え、内裏に仕えて人とも交わり、やがて出世もしたいものだと思って猛勉強し、たった四、五か月のうちに、あの浩瀚な『史記』をすっかり読みこなしてしまった。

それならさっそく大学寮の試験を受けさせようというので、源氏は、みずから模擬試験をして勉強の進捗具合を確かめようとする。

あの右大将、左大弁、式部大輔、左中弁など、みなその道の学識豊かな人々に集まってもらい、さらには、若君の師匠大内記を召して、くだんの『史記』の難解な巻々を読ませてみる。なおまた、試験のときに試験官の博士が反問しそうな問題点を引いて、ざっと読ませてみると、あたかも目から鼻へ抜けるごとくに、隅々まで危なげなく読み解いてみせた。しかも、普通は解らない箇所に爪で線を引いたりして本に印などつけてあるものだが、この君に限っては、一点の爪印もつけられていないのであった。その聡明なことは驚きあきれるばかり、まさに比類のない出来であったので、さても生まれつきにかかる天分に恵まれていたのであろうと、誰も誰もみな感涙に咽んだ。

「ああ、ここに父大臣が生きておわしたならなあ」

と右大将は、そんなことを口にしてはまた泣く。

源氏もさすがに心を動かさずにはいられない。

「とかく、他人事としては、親馬鹿など愚かで見苦しいものよと見聞きしていたけれど、さてその身になってみれば、子がだんだんと大人になっていくにつれて、親のほうはこれと入れ替わりに老い惚けていく現実……、まだそんなに老人でもない我が身ながら、それが世の定めというものであったと思い当たる」

など言い言い、源氏は涙を押しぬぐう。この源氏のありさまを見る師匠の大内記の心地は、嬉しくも面目を施したというところであった。

右大将は、師匠の大内記に、褒美の盃を一杯また一杯と差す。そのうちに、ひどく酔っぱらってしまった大内記の顔つきを見れば、痩せに痩せて貧相な面相をしている。この男は、世を拗ねた偏屈人で、たしかに学才は立派なものだが、その割には世に認められず、すげなく貧しい暮らしをしていたところを、源氏は、どこか見どころのある人物と見定めて、わざわざ若君の師として召し寄せたのであった。大内記にとっては、これまさに身に余るほどのご恩顧を頂戴したものというべく、かかる聡明な若君のお蔭で、たちまちに別人になったような誉れを得たのだと思うと、ましてや、行く行く若君出世の暁には、世にならびない声望を得るにちがいないものと思われる。

若君（夕霧）寮試に及第

いよいよ、その大学寮の試験の当日になった。

大学寮の正門の前には、若君の受験に随行参観する上達部どもの牛車が数えきれぬほど集まっていた。そのありさまは、まるでここに来ない上達部などもう残っていないように見えるほどであったが、さるなかにも、供人たちにならびなく大切にもてなされて、調度装束など念入りに調えなどして入寮していくこの若君のありさまは、じっさい、大学寮の学生どもとの切磋琢磨の生活に堪えられるとも思えないくらい、貴やかにまたかわいらしい様子であった。

先日の字作(あざなづく)りの儀の折に見たような、みすぼらしい風体をした学生どももかれこれ立ち交じって、そこらに着座している。若君は最年少ゆえ、これらの貧相な学生どもの末座(まつざ)に座っていなくてはならないのは、いかにも堪(た)えがたい思いであったが、それもまず道理というものであったろう。

ここにもまた、学生どもの言行(げんこう)について、荒(あら)らかな声でこき下ろし罵倒する博士どもがある。そんなことはまことに心外千万だけれど、それでも若君は、少しもおめず臆せず堂々と試問されたところを読み終えてしまった。

かのいにしえの御聖代(ごせいだい)も偲(しの)ばれるほど、今は大学の重んじられる世であったから、身分の上中下にかかわらず、我も我もと、この学問の道に志して大学に集まってくるので、世の中には、学問の才があって、ひとかどの人材たるべき人がいよいよ多くなる。

若君は、無事大学寮試験に合格して、まずは擬文章生(ぎもんじょうしょう)という身分から始めて、どの課程も滞るところなく進級しつつ、なおかつ熱心に身を入れて勉強し、師匠も弟子もいよいよますます出精(しゅっせい)してやまない。

源氏の邸でも、これに応じて、作文(さくもん)、作詩などの集(つど)いが催されては、博士、才人たちが、我が所を得たという顔つきをして集まってくる。かくて、詩文に限らず、なにごとにつけても、それぞれの方面で、人の才の顕彰せられる世の中であった。

斎宮の女御の立后

こういうことで、そろそろ帝にもお后が定まってよい時分であったが、源氏は、

「斎宮の女御をぜひ、……帝の母君藤壺の宮さまも、自分の代わりにこの女御を後見役にと仰せになっておられたことですから」

と、藤壺の言葉に事寄せて、斎宮の女御の立后を主張する。しかし、それは、先の中宮、藤壺の宮も先帝の姫君であったし、こたびまた故皇太子の姫である斎宮の女御が立后することになれば、二代続いての皇族出身の后ということになって、それは藤原氏から后を出すのが世の定めと思っていた世の中の人々が許さない。しかも右大将の息女である弘徽殿女御は、余人にさきがけて入内していたのに、それを差し置いて斎宮の女御が立后するというのはいかがなものかという意見もある。表向きはともかく、内々には、斎宮方でも、弘徽殿方でも、それぞれに心を寄せる人々が、さていったいこれはどう決着するのだろうかと気を揉んでいた。

藤壺の兄、兵部卿の宮は、今は式部卿に任じられていたが、帝にとっては伯父に当たる人ゆえ、いよいよその信任は厚い。その式部卿の姫君が、やっと願いの通りに入内することが叶った。となると、この姫君も王女御（皇統の女御）ゆえ、斎宮の女御とその意味では同等である。

この王女御に味方する人々は、帝は母宮を喪われて、その代わりになるようなしっかりした後見の君が必要だろうから、それなら御母藤壺の宮に近親の王女御こそは后にもっとも似つかわしかろうと主張して、それぞれに囂しく争論を重ねたけれど、それでも結局、梅壺に住む斎宮の女御が、后となった。かくて、薄幸であった母御息所とはことかわり、この姫の幸い厚きことを、世人は等しく驚き申したことであった。

源氏は太政大臣に、右大将は内大臣に

やがて、源氏は内大臣から昇進して太政大臣になり、右大将は内大臣になった。

そこで、世の中の政務全般を管掌するべく、源氏は内大臣に権限を委譲する。内大臣の人柄はたいそうしっかりしていて威厳もあり、万事に意を用いることもまことに賢明であ

った。

内大臣は学問をとりたてて修めた人ゆえ、風流韻事の方面こそは源氏に一歩を譲って、たとえば韻塞ぎの遊びなどはかなわなかったけれど、朝廷の政務に関してはおさおさ劣るものではなかった。また、あちこちの御方の腹々に子供を十人あまり持ち、みな立派に成長して、一人また一人としかるべき地位に就いて、源氏に勝るとも劣らず、一家弥栄というべきありさまであった。

姫君は、弘徽殿女御のほかに、もう一人あった。その姫の母は、これも皇統に連なる女君であったゆえ、高貴の血筋という意味では人に後れを取るものではなかったけれど、あいにくに、この女君は内大臣と別れた後に按察使の大納言の北の方となって、そちらのほうでも多くの子を儲けていた。そうなると、内大臣としては、自分の娘が、母親の再婚相手の、按察使の大納言の娘となって、異父兄弟のなかに混じって育つというのも不都合だと思う。だから、この姫君だけは、母から引き離して手元に引き取り、実家の母、大宮に預けて養育させていたのである。

この姫君のことを、内大臣などは、正室腹の弘徽殿女御に比べてはるかに見下していたのであったけれど、実際には、人柄といい、容貌といい、たいそうかわいらしい姫なのであった。

源氏の若君（夕霧）と内大臣の姫君（雲居の雁）のわりなき恋

この姫君と源氏の若君とは、そんなわけで同じ邸で育てられていたのだが、おのおのが十歳を過ぎてからというものは、さすがに部屋を異にしていた。いかに睦まじい間柄だとしても、その歳になったら、男の子とはそうそう馴れ馴れしくするものではないと、父内大臣はよくよく教訓して、敢て疎遠に暮らすようになっていた。

けれども、幼ごころにも、互いのことをなつかしく思わぬわけでもなかったので、ちょっとした花や紅葉などの折々につけても、あるいはお人形遊びのお相手なども、親しげにどこへでもまつわりついてゆくのであった。こうして、好意をはっきりと示すので、やがてお互いに憎からず思い合うようになり、いかに父の諫めがあろうとも、姫君のほうから露骨に恥じ隠れたりすることもなかった。

お世話係の乳母や女房たちも、〈まだまだ幼いお心どうし、何の差し障りもございますまい……、今までだって幼なじみでずっと慣れ親しんできた間柄なものを、いまさらそうそうにわかに引き離して、みじめな思いをさせることなど、どうしてできましょうか〉などと思って黙認していたのだが……。

女君のほうは、今年十四歳ながら、まだまだ無邪気で幼い様子であったけれど、男のほうは、十二歳で、あれほどわけもない子供だとみなが思っていたというのに、なんと似つかわしくもないことに、はてさて、この二人の仲に、どんなわりないことが出来（しゅったい）したものであろう。部屋が別々になってからは、どうやら、そのためにいつも心が揺れ動くという間柄になったものであったらしい。

まだ書き慣れない筆跡ながら、これから先にはどんなに達筆になるだろうかと将来がしのばれる美しい筆遣いで書き交（か）わした恋文どもを、しかし、そこはやはりまだ子供で、ついついそこらに落としてしまったりして、人に読まれてしまうことなども折々あった。そのため、姫君付きの女房たちのなかには、この事実をほのかに知っている人もあったが、こんなことを、しかじかのことがございました、などと、どうして大宮や内大臣に告げ口などできるものであろう。みな、知っていながら知らぬそぶりをしているのであったろう。

内大臣、大宮と語る

源氏かたの、また内大臣かたの、新任(しんにん)の饗宴(きょうえん)などもみな終わって、世の中にはこれといって大きな行事の準備などもなく、のんびりとした頃、時雨(しぐれ)がざっと降って、風が吹き出した。古歌に「秋はなほ夕まぐれこそただならね荻(をぎ)の上風(うはかぜ)萩(はぎ)の下露(秋はおしなべて哀れ深いけれど、そのなかでもなお、夕まぐれが一段と身に沁みる。荻の上を吹きゆく風の音、そして萩の下葉に置く露のこぼれるさまなど……)」と歌われたような、しんみりとした夕暮れのこと……。

大宮のもとに、内大臣がやってきて、姫君を呼び立て、琴(こと)などを弾かせてみる。大宮はもともと各種の楽器に通暁(つうぎょう)している斯道(しどう)の上手(じょうず)ゆえ、そのいずれも、姫君に伝授してあったのである。

内大臣は言う。

「琵琶(びわ)……あの楽器は、女が弾くというのは、どうもあまり形のいいものではないように思いますけれど、しかし、その弾いている姿は、いかにも達者な感じがするものでございますな。今の世に、正しくその奏法を伝えている人も、もはや寥々たる数になってしまいましたが……。さよう、なにがしの親王、くれがしの源氏……」

と、こんなふうに指折り数えなどしつつ、さらに言葉を継いだ。

「そうそう、女の、といえば、あの源氏の太政大臣が、山里に住まわせているという人がおりますが、あれこそは、たいそうな上手だと聞きます。そもそも先祖が、この道の上手であったらしいのですが、子孫の代になってすっかり落ちぶれ、ひどく田舎のほうに生まれ育って、もうずいぶん長いことになったという人なのですが、それが、どうしてさように上手に弾くのでございましょうかな。あの源氏の大臣は、その田舎人の琵琶のことを別格に優れたもののように思って、口の端に上せられる折もありますぞ。しかし、ほかの技芸とは事変わり、音楽の才と申しますものは、ただ一人で練習しているだけではなくて、広くいろいろな楽器と合奏するなりして、あれこれの楽器に調べを合わせることが、上達の必須条件です。それなのに、さような田舎に育って、一人で稽古しただけにしては、そこまで上手になるというのは、ほんとにあり得ないようなことでございましょうな」

など言い言い、母大宮に、一曲所望する。大宮は、

「このごろはめったと弾くこともなく、弦を押さえる手つきなどもまるでおぼつかぬよう

になってしまいましたが……」

と言いながら、それでも、見事に弾いて聞かせる。

「その女君という方は、身に幸いを帯びているばかりでなく、さらに不思議なくらいに立派なお人柄だとやら……。源氏の君が、もういい歳になるまで持つことがなかった女の子を儲けられて、しかも、そのたいせつな姫を自分の手元において育てたら、田舎の受領の家の娘ということになってしまう、そのことをいさぎよしとせぬがゆえに、高貴なお家柄のご内室にお譲りになられたとやら、そのお心がけなども、まことに見上げたもの、かれこれ、とりたてての欠点もない人だと仄聞(そくぶん)いたしておりますよ」

など、弾く手を止めてそんなことを語った。

内大臣が答える。

「なるほど、さようにございます。女というものは、ただただ心がけ次第で、世に用いられるかどうかが決まるものでございましょう」

こう話し始めると、やがて、具体的な人物評に及んでいった。

「わが娘の弘徽殿女御は、決して誰に見劣りするということもなく、おさおさ余人(よじん)に後(おく)れを取るような生まれ育ちとはもとより思ってもおりませんでしたが、いや、運命でございましょうか、それも思いがけぬ人に押し負かされるとでも申すべき因縁なのでございましょう。まことに世の中は思う通りにはならぬもので……。されば、お手元にお預けしてあるこの姫だけは、なんとかして思う通りに入内のことを成就させたいと、そのように思っておりますのですが、……東宮様のご元服も間もなくのことになってまいりましたから、じつは心中密かに、あの姫をと心がけておりましたところ、なんとしたことか、くだんの幸運な人の腹にもまた、東宮妃候補が生まれ出て、追いついてまいりましたからなあ。あの明石の姫君とやらが入内されるようなことになれば、ことは源氏の太政大臣の姫……とてもとても太刀打ちのできる者などあるはずもございますまい」

内大臣は、長大息する。

「どうしてどうして、さようなことがありましょうぞ。代々后にそなわる姫を入内させてきた、ほかならぬわが家に、いまさらそうした人が出ぬままになるなんてことがあってよいものではありませぬ。そう思えばこそ、亡き太政大臣も弘徽殿女御のことについては、せいぜい力を尽くして準備をさせたものでございましたものを。ああ、それにつけても、故大臣が、この世に生きていてくださったら、ゆめゆめかかる筋違いの出来することもございませなんだろうに……」

と、大宮は、このたびの立后のことに関してだけは、源氏を恨めしく思うのであった。

さて、いま目の前にいる十四歳の姫君が、たいそう華奢なかわいらしい姿で、箏の琴を弾いている様子を見れば、その黒髪はすらりと下がり、また額の生え際などもいかにも気品に満ちて初々しい。父内大臣は、ついついこの若々しい姫をじっと見つめてしまう。それに気付いて姫君は、恥ずかしがってふと顔を背けた。その横顔を見れば、頰のあたりもかわいらしく、左手で弦を押し揺するその手つきなども、まるでみごとにこしらえた人形の指のごとくで、大宮もまた、かぎりなく愛しく思わずにはいられない。

姫は、小手調べの小曲を少しばかり弾いて、琴をむこうへ押しやった。

内大臣は、六弦の和琴を手元に引き寄せると、あえて平俗な律の調べで、それだけに却って派手やかな感じのする一曲を搔き鳴らして見せたが、なにぶん自他共に許す和琴の名手内大臣が、ゆるゆるとくつろいで弾奏するのだから、それはそれは見事なものであった。

庭前の木々の梢もみな葉を落とし尽くした。

年老いた女房どもなどは、ここかしこの几帳のうしろに、居並んでこれを聞いている。

内大臣は、朗々と詠吟する。

落葉、微風を俟ちて以て隕つ
而して風の力蓋し寡し
孟嘗、雍門に遭ひて泣く
琴の感以て末なり

落ち葉は、微かな風によって落ちる。そうして、風の力は、思えばわずかのものだ。孟嘗君は、雍門周の琴の音に遭遇して泣いた。しかし、その琴の感動はむしろ瑣末なことに過ぎぬ。落ち葉の落ちるのも、孟嘗君の泣くのも、おのずからそうなるのであって、風や琴の音によるのではない

こんな古風の漢文を朗詠してみせると、内大臣は、姫に言葉をかけた。

「この琴の感……でもないけれど、なんだかわけもなく身に沁みる秋の夕べだ……。姫、どうだね、もう少し弾いてごらんにならぬかな」

姫は、『秋風楽』を掻き鳴らし、内大臣は、その琴声に和して笛の譜などを口ずさんでいる。その声がまたいかにも素敵なので、〈姫も、内大臣も、それぞれにかわいいものね……〉と大宮は思っている、そこへ、さらに興を添えようというつもりであろうか、幼なじみの源氏の若君がやってきた。

内大臣は、これを見て、

「どうぞ、こちらへ」

とて、姫君とは几帳を隔(へだ)てた御座(おまし)へ招じ入れる。そうして、さっそく言葉をかけた。

「これは若君、なんと近ごろはろくろくお目にもかかれませぬことで。どうしてまた、そのようにひたすらに猛勉強ばかりなさっておいでか。学才が、御身のほどに過ぎてもいけませぬぞ。さようなことは、父君もご存じのところであろうに、このように定めおかれたについては、さぞかしなにか訳のあることであろうと、愚考いたしますことながら、さりとて、ここまで引きこもって学問ばかりというのは、まことにお気の毒なる次第で……」

こんなことを言いながら、なお、

「されば、時々は気晴らしを兼ねて学問とは違ったこともなさいませ。いや、この笛の音にも、いにしえの唐土(もろこし)の聖賢(せいけん)の教えが宿っておるとか」

と、横笛を手渡した。

若君は、笛を取ると、たいそう若々しく味わい深い音色でこれを吹き立てる。あまりにも面白いので、内大臣は、大宮の琵琶や姫君の箏(そう)の弾奏をしばしとどめて、みずからうさくない程度に拍子を打ちつつ、催馬楽を歌い合わせた。

更衣せむや　さきむだちや
我が衣は　野原篠原
萩の花摺や　さきむだちや

冬の衣に更衣しようよ　さあさ公達や
俺の衣は、野原篠原、
その萩の花摺衣ぞ　さあさ公達や

「源氏の大臣も、こんな管弦の遊びにお心を留められて、今や、忙しいばかりの政務は、すっかりこの私にお預けになり、うまく逃れておしまいになったものよな。まったく、このつまらぬ現世に、せめては心の晴れることをして暮らしたいものさ」

などと言っては、若君に一献参らせる。

そうこうするうちにあたりはすっかり暗くなった。

明りに灯をともさせて、飯の湯漬けや木の実などを、一同で食べたりもした。

やがて内大臣は、姫君をむこうの自室に帰してしまう。大事な姫君ゆえ、仲良しの源氏の若君から無理やりに遠ざけて、いっそお琴の音だけだって若君には聞かせまいとするほどに、今は念入りに引き離しているのであった。

この様子を見ては、

「これでは、やがて困ったことも起こりそうな、お二人の仲だこと……」

と、大宮のお側近く仕えている老女房たちはささやき交わしている。

内大臣、老女房どもの評定を立ち聞く

内大臣も、しかし隅に置けぬ人で、この邸の女房のなかに密かに情を通じている者がいるとみえ、帰るような顔をして、こっそりとその女の局へ立ち寄り、そろりと小さくなってその部屋から出ていこうとした。そのとき、ふと、ひそひそ話をする老女房どもの声を耳にした。

〈なにを言うておるのだ、あれは……〉と、内大臣はその声に耳を凝らした。すると、なんと自分自身の評定をしているのであった。

「まあ、あれで大臣も、ずいぶん賢ぶっておられるけれど、やっぱり人の親よの。結局分

かってるようで何も見えてやしないのでしょう。いずれ、あの様子では、ばかげたことが出来するように見えますぞよ」

「そうそう、子を知ること親に如(し)かず、なんて申しますけどね、どうしてどうして、とんだ空言(そらごと)でございましょうねえ」

そんなことを喋々(ちょうちょう)しながらつつきあいなどしている。

〈やや、なんとあきれたことを。だから言わぬことじゃない。かねてそういうことが起きはせぬかと思わぬでもなかったが、あれらはまだ幼いからと思って、すっかり油断しておった。ああ、さてもさても、世の中というものは、なんと心憂きものか……〉

内大臣は、ことの始終をつぶさに悟り得て、一段と足を忍ばせつつ、誰にも悟られぬように立ち去っていった。

しかし、すぐにその車の前駆(さきが)けの従者どもの声が大げさに聞こえてくると、驚いたのは女房どもである。

「あれあれ、殿はたった今お帰りになったらしい。もうとうに出られたと思うておったに……」

「されば、いったいどこの物陰に……隠れておいでになったのであろうの」

「ははーん、さてはどこぞの局にか」

「おやおや、今でもまだそんなお気移りなことを」

などなど、しきりとささやき合うのであった。

「まあいやだ。さっきから変にいい香りがして、なにやら衣擦れの音が聞こえていたのは、あの源氏の若君がおいでなのだとばかりおもっておりましたになあ」

「くわばらくわばら、この分では、もしやさきほどからの評定を、殿は耳にされたかもしれませぬぞ」

「やれやれ、あの気難しいご気性だというに……」

女房たちは、すっかり意気消沈している。

内大臣は、帰る道々、つらつらと考えた。

〈もとよりあの若君と、うちの姫とあれば、必ずしも取るに足りない間柄ともいえぬ、いや悪くもないことは承知だが、しょせんはそこらにいくらもあるようなことと世人は思いもし、噂にものぼせよう。しかし、それにしても、あの源氏の大臣が斎宮の女御の後見となって、弘徽殿女御を立后の儀から蹴落としてくれたのも面憎いが、ひょっとして、この

姫ばかりは東宮妃になって源氏の大臣を見返してやれるかと思ったに、ええい、小癪な〉
そう思うと、源氏との仲も、たいがいの事は昔も今も変わらず親しくはあるけれど、ただこのお妃争いのような重大事がらみともなれば、一家の浮沈もかかっていることゆえ、とかくに張り合ってきたことなども思い出されて、心は憂いに満たされ、その夜は悶々として寝覚めがちに夜を明かした。
〈……なんてことだ。大宮も大宮だ。あの二人の様子くらい、ご覧になっていたであろうに。おおかた、若君がかわいくてかわいくて、世に二人といないほどに思っていた孫ゆえ、なにもかも好きなようにさせていたのであろう〉
そんなことを思いながら、あの女房たちが、自分を愚かな親馬鹿のように言いそやしていたことを、また思い出しては、心外も心外、癪に障ってしかたもなく、憤懣と怒りに心は千々に乱れ、もとより男性的で黒白をはっきりさせねば気が済まぬ気性ゆえ、なんとしても思いを鎮めがたいのであった。

内大臣、大宮を非難

それから二日ほどして、内大臣はまた大宮のもとへやってきた。

そのように子息内大臣がしきりと顔を見せてくれるときは大宮もたいそうご満悦で、うれしいことと思っていた。大宮は、尼削ぎにした額の髪なども美しく調え、端正な小袿を纏うなど、いかにもきちんとした身なりで応対する。もとより内大臣は実の息子ながら、面と向かっては恥ずかしくなるほどに立派な押し出しゆえ、大宮とて真正面に対面するということができぬ。

内大臣は、しかし、いかにも不機嫌であった。

「わたくしがこちらに参りますのも、なにやら落ち着かぬ思いがいたします。……いったい、こちらの女房たちも、わたくしをどのように見ておるのか、いささか嫌な感じがいたします。いずれ、わたくしなどは、たいした働きもないふつつか者ではございますけれど、こうして生きております限りは、絶え間を置くことなくお目にもかかり、ご機嫌のほども分からぬなどということのないようにと思い思いいたしておりました。が、……あの不出来の娘のことで、わたくしは母君をお恨み申し上げたくなるようなことが出来(いでき)つつあります。いや、そんなことは思うまいと心の一方では思うのでございますが、それでも憤(いきどお)ろしい気持ちを鎮めがたい思いがするのでございます……」

と、なにか奥歯に物の挟まったようなことを言いながら、涙を押し拭(ぬぐ)う。

大宮のお化粧をした顔の色がさっと変じ、目を真ん丸に見開いている。

「それはいったい、なんのことにて……今さら、このような歳になってから、心の隔てを置かれますのか」

さすがに、おろおろする母宮の姿をみれば、内大臣も気の毒な思いにかられる。

「ほかでもございませぬ。頼もしいおかげを蒙(こうむ)り、あの幼い姫をお預け申しまして、……あれは、ずっとわたくしの手元を放しておりましたもので、実の親のわたくしには、小さい頃からさっぱり懐(なつ)きもいたしませず……。また、わたくしの目の届くところにおります弘徽殿のほうも、お上(かみ)にお仕えする件については、なかなかはかばかしいことにもなりませんので、もう長いこと様子を見ては嘆きもし、努力も致しておりますけれど……。それでも、この幼い姫のほうは、大宮さまのお力で一人前に生(お)し立ててくださるものと頼みにしておりましたのに、思いもかけない妨(さまた)げができてまいりましたので、それがもう口惜しくて口惜しくて……。たしかに、天下無双に学問のできる若君のようにはお見受け申すものの、あの二人はいとこ同士、こう血縁近いものがかかる状態だというのは、世間では、いかにもお手軽なことのように喋々いたしましょう。そこらの者どもの縁組み程度のことですら、さように言いそやすことでございますから、ここは、あちらの若君の御為にも、まことに不都合千万なることでございましょう。もっとずっとかけ離れたご縁の方で、しかも今を時めく華やかな一族に婿がねとしてちやほやされるのこそ、一世の晴れと申すもの。それが、このように手近な親類うちで縁を結ぶがごときは、とてもとても心がけの良からぬように、源氏の大臣も聞いて思われることでございましょう。……いや、仮に百歩を譲って、この縁を許すといたしましても、かくかくしかじかと前もってわたくしにお知らせいただき、婿がねとしてきちんともてなしてのうえに、少しは世の中の人々に感心されるような儀礼など挙行して、万事はそれからというところでございましょうに、……ああして若い二人の野放図な思いに任せて、見て見ぬふりをなさっておいでだったとは、情ないなされようであったと思うのでございます」

　内大臣は、こんなことを切々と訴えた。

が、大宮はそんなことがあろうとは、まったくの寝耳に水であった。びっくり仰天、呆

れ果てる思いがして、

「さようなことが万一あるのであれば、それは仰せごもっともというものながら、わたくしは、あの二人に、やわか、さような下心があろうとは、毛の先ほども存じませなんだが……。まことに、残念なことで、でもそれを嘆かわしく思うのは、そなたよりもむしろわたくしのほうでございましょう。しかも、あの二人に同心してわたくしまでがこのことに与したと同罪になさるというのは、なんとしても恨めしいこと……。わたくしが、あの姫を預かってお世話をするようになってからというもの、ことのほか心をかけて大切に思いもし、そなたが思い至らぬようなところまで、優れた者に育てあげようと、人知れず思っておりましたほどにな。まだわけもない子供だというに、ただただ、親代わりに愛するゆえの心の闇に惑うて、ひたすらに急いで結婚させようなどとは、思いも寄らぬこと。……それにしても、かかるやくたいもなきことを、誰がそなたの耳に入れたのやら。取るに足りない下世話の者どもの噂話などを信じて、さように角々しいことを思うも、口にされるも、まことにけしからぬこと、さような根も葉もなきことにて、姫の名が穢れますまいかの」

大宮は気色ばんだ。が、内大臣も黙ってはいない。

「なんの根も葉もないことでございましょうか。おそらく、たぶんこちらに仕えているかと見える女房どもなども、陰ではみな、ばかにして嘲笑(ちょうしょう)しておるやに見えますものを、なんとしても悔しく、心安からず存ぜられますぞ」

そう言って内大臣は座を立った。

内実を知っている女房たちは、こんな二人の様子を見ていると、ひどく胸の痛む思いがする。先夜、物陰で内大臣をそしっていた女房どもともなれば、まして生きた空もなく、〈なんだってまた、あのような打ち解け話をしたものか……〉と思い、ため息ばかりついている。

内大臣、乳母たちも叱責

姫君は、そんな騒ぎなどなにも知らず、のんきに過ごしていた。内大臣が、大宮のもとを立っての帰りがけに、姫君の部屋をちらりと覗(のぞ)いてみると、まさかそんなわけがあろうとも思えない。その、まことにかわいらしい姿を、父大臣は、胸を締めつけられるような思いで見ている。

「いかに若いとはいいながら、男女のことについて、あまりにも無分別だ。屈託のないにもほどがある。その現実を知らずに、私は、あの姫に人並みの入内などをさせようと願っていたとは、やれやれ、この私のほうが、あの幼稚な姫にも増して、よほど未熟で頼り甲斐のない人間であったぞ」

内大臣は、こんなことを言っては、姫君付きの乳母どもに当てつける。言われたほうは、返す言葉もなかった。

「とかく、こういうことは、限りなく大事に傅かれている帝の女御子だとて、ふと間違いをしでかすという例が、昔物語などにもあったように思いますけれど……」

「でも、そういうことは、万事を飲み込んだ訳知りの女房などが、しかるべき隙を狙って仲立ちをしてこそ、出来するのではございませんかしら。今の場合は、私たちがどうこうするというまでもなく、お二人は、もうお小さいころから、明け暮れ睦まじくして、何年も過ごしておいでになったのですものねえ」

「そうそう、それをどうして、まだお二方がお小さいうちから、私たちのごとき者が、大宮さまのなされように口をさしはさむような、出過ぎたまねをしてまで、わざと御仲をお隔てするようなことができましょうかしら。そう思って、お二人のことは、すっかり心を許して過ごしてまいりましたのに……」

「それなのに、一昨年あたりから、なんだか急にはっきりとお仲を隔てるようになったらしく見えましたでしょ、ねえ」

「ええ。でも、若い人だといっても、世の中にはちょっとした物の紛れに、隠れてませたことをする人もあるやに思えますけれど、まさかあの若君に限って、ゆめゆめそのような浮いたところがおありのようにはお見受けしておりませんでしたものね。私たちが気付かないのもしかたのないこと」

「よしよし……」

などなど、乳母（めのと）どうし、口々に嘆きあう。

それを聞いていた内大臣が口をはさんだ。

「……いずれにしても、このことは、当面他言（たごん）は無用ぞ。いつまでも隠してもおけまいけれど、まず、そこは重々心配りをして、もし噂になれば、根も葉もないことだと、そう言っておけよ。ここにいては、やはり剣呑（けんのん）だから、姫はすぐに私の邸のほうへ引き取ることにしよう。ああ、それにしても大宮のお心がけの恨めしさよな。そのほうたちは、いかになんでも、こんなふうになってほしいと、そんなことは思いもされなかったろうね」

乳母たちは、うんざりした思いのなかにも、せめて大臣が自分たちの肩を持ってくれたことを、嬉しく思うのであった。

「ええ、ええ、まさか。まちがってもそんなことを思いはいたしませぬ。それどころか、あの姫君の義理のお父上の按察使(あぜち)の大納言殿に、このことが漏れ聞こえたらどうなるだろうかと、そこまで案じておりましたほどに……。源氏さまが、いかほどご立派なお家柄だとしても、しょせんは一介の臣下のお家でございますれば、どこを取柄(とりえ)に姫君を差し上げようなどと……そんなことは思いもかけませぬことで」

と、乳母どもは、内大臣の味方らしく言いそやす。

姫君は、まことに幼げな様子で、これ以上父大臣があれこれ言いきかせても、なんの甲斐もなさそうであった。この無邪気な様子に、内大臣は、涙を流し、

〈さても、この先、姫が役にも立たぬ疵物にならぬようにするには、どうしたらよかろうか……〉と、とつおいつ思案しつつ、こっそりと信頼できそうな乳母どもと語らっては、ただ大宮のことばかりを恨めしく思うのであった。

大宮の内心

しかし、大宮は思う。

〈二人とも、とても気の毒だけれど……、でも、なかにもあの男君のほうが、より思いが強いのではあるまいか。もし仮にそういう恋心があったとしても、かわいいもの……と、そんなふうに私は思っているのに、内大臣ときたら、ほんとうに情知らずで、なんだかひどいことをしているように思って、やいのやいのとうるさく言い募る。けれども、あの幼い仲良しの、どこがそんなに悪いことなものでしょう。そもそも、内大臣こそ、はじめからこの姫を、ろくにかわいがってもいなかったのだし、ましてや入内させようなどは全然考えもせず、大事に扶育しようと思ってもいなかったくせに……。私がこんなふうに育てたればこそ、ああして立派に育って、それゆえに東宮入内のことまで思いついたものと見えますものを……。入内のことが思わしく進まなくて、結局はどこぞの臣下に縁付く宿縁だったとしても、もし臣下のなかで比べたら、あの源氏の若君以上の人など、あるはずもありますまい。風姿といい物腰といい、肩を並べる人だってありはすまいに。それどころか、あの若君はうちの姫君以上の、ほんに高貴の姫の婿どのにそなわってもいいほどの人だと、そこまで思っているくらいなのに……〉

と、みずからの心が、源氏の若君を贔屓に思うせいだろうか、息子の内大臣のほうを恨めしく思うのであった。もし、こんなことを思っている大宮の心のうちを、内大臣に見せたなら、内大臣は、ましてどれほど恨み申すようなことになったであろうか。

大宮の若君（夕霧）への教訓

その夕さり、こんな大騒ぎになっているとも知らず、源氏の若君が、また大宮の邸へやってきた。

先夜は、ずいぶんと人目が繁くて、なにかと思いの丈を姫君に話すこともかなわなかった。それゆえ、常よりもいっそう思いが募って、まだ何日も経たないのに、この日の夕方ころになってまた入来したものであろう。

若君がやってくると、大宮はいつもだったら無条件ににこにこして待ち迎え、喜んでいたのに、今日に限っては変に真面目くさった表情をして、あれこれの物語などするついで

に、

「あなたのことが問題になって、内大臣があれこれと恨みがましいことを仰せになるので、姫もかわいそうなことになっているのですよ。もしや、聞きたくもないような、つまらぬことをお思い初(そ)めなさったのではありますまいか。そんなことで、この私をやきもきさせなさるのは、私として胸の痛むこと……。こんなことは、かくかくしかじかとあからさまには申すまいと思っておりますが、さようなことも、ちゃんと弁(わきま)えてくださらなくては、とそう思って申し上げるのですよ」

と、釘(くぎ)をさす。

若君は、もうずっと我が心にかかっていたことであったので、こう遠回しな言葉でも、大宮の真意はすぐに思い当たって、知らず知らず、顔が赤くなる。

「それはいったい、なにごとでございましょう。あの静かな学問所にのみ籠(こも)っておりまして、とにもかくにも、人と交わることなどございませんので、仰せのごとき、お恨みを買うようなことはございません……とそのように思っておりますが」

若君がそう答える様子は、なにやら恥ずかしそうで、その表情がすべてを物語っていた。

大宮は、これを見て、なんだかかわいそうで胸が痛む思いがする。

「よろしい。それではね、これからでも遅くはないから、きちんと注意なさるように」

それだけ言うと、大宮は、ほかの話題へ話を逸らせた。

若い二人の苦悩

こうなっては、手紙などを通わせることも、いっそう難しくなるだろうなあと思って、若君は嘆かわしく思う。そのため、食事などを供しても、いっこうに食が進まない。また寝ようとしても、心が空ろになったようで眠りをなさない。皆が寝静まった頃に、姫君との間を隔てる中仕切りの障子をちょっと引いてみるけれど、いつもだったら、特に錠前を下ろしたりもしていないはずだのに、今夜はがっちりと錠が鎖してあってびくともしない。様子を窺ってみても、人の声や物音も聞こえぬ。

若君は、心細い思いに駆られて、障子に寄り掛かっていた。

障子の彼方では、姫君も目を覚ました。

風が、まるで竹の葉に待ち迎えられるかのように吹き来たって、さやさやと音を立てている。遠く空の上のほうから、渡ってきた雁が鳴き交わす声もほのかに聞こえてくる。

このしめやかな夜の空気のなか、姫君は、幼い心ながら、なおあれもこれも物思いのたねとなって、心動き、ふと古歌を口ずさむ。

霧深く雲居の雁もわがごとや
晴れせずものは悲しかるらむ

ああやって、霧深く晴れ間のない雲の彼方の雁たちも、私と同じように晴れ間のない物思いに悲しい気持ちでいるのでしょうか

姿は見えぬ。しかし、その玲瓏たる声を聞けば、いかにも若々しくかわいらしい相貌が目に浮かぶようであった。この歌のゆかりに、これよりは、この姫君を雲居の雁と呼ぶことにしよう。

若君は、いてもたってもいられない思いに駆られて声をかける。

「どうか、この障子を開けてください。なあ、小侍従、小侍従は、そこにいないのか」

しかし、姫君の乳母子小侍従の反応はない。

雲居の雁は、こんな歌をひとりごちたのを、若君に聞かれたことが恥ずかしくて、いま

さらそんなことをしたとてしかたがないのに、急いで顔を夜の衣の内に隠してしまった。

こんな無邪気らしい姫君でも、恋の思いは知らないでもないというのが、小憎らしい。

ただ、そこここに乳母や女房たちが寝ているとあっては、こうして二人だけが目覚めていて、身じろぎをするのも気が引けるので、そっと息を殺して、互いの存在だけを感じあっている。

若君の心中ひそかに、歌が浮かんだ。

さ夜中に友呼びわたるかりがねに
うたて吹き添ふ荻の上風

おお、ああして真夜中に友と呼び交わしながら渡ってくる雁の声の物悲しさに、ますます悲しみを吹き添えるような荻の上吹く風よな

なんと、なにもかもが身に沁みて悲しいと思い続けて、若君は大宮の側へ帰ってもなお、ため息ばかり漏らした。このため息を大宮が目覚めて聞きはせぬかと、そんなことも気が引けて、身じろぎをしながら臥せている。

ただわけもなく心恥ずかしい思いがして、若君は、まだ皆寝静まっている暁時分に、

いち早く起きて、自分の部屋に戻り、雲居の雁にあてて手紙を書いた。が、頼みの小侍従にも会うことはできないし、といって、いまさらあちらの部屋へのこのこ出かけていくわけにもいかないし、ただただ、胸をかきむしられるような思いで懊悩(おうのう)している。

女のほうでもまた、父大臣にむやみと大げさな言われようをしたことばかりが、ともかく恥ずかしかった。

そうして、この先自分はどうなっていくのだろうとも、また、世の人々はこんなことをどう思うだろうとも、それ以上深く思い巡らすということもなく、相変わらず美しく、愛すべき風情で、周囲の女房どもが、自分と若君のことを、あれこれ評定(ひょうじょう)するのを聞いても、とくに嫌(いや)らしいと思って思いが離れるというようなこともなかったのである。

また、二人の間柄はもう昔からの仲良しだと思っているゆえ、そうそう大人たちが騒ぎ立てるようなこととも思っていなかった。にもかかわらず、乳母や女房どもが、たいそう厳しく躾(しつ)けがましいことを言い募るので、手紙などももう通わせることができなくなった。

もし雲居の雁が、いま少し大人びていたら、なんとか上手に逢瀬(おうせ)を遂げる機会を作ることもできたろうけれど……。いっぽう男君のほうも、まだまだ頼りにならないほどの年ごろゆえ、なにの知恵も術策も思いつかず、ただただ逢えなくて悔しいとばかり思っている。

内大臣、雲居の雁を自邸に移すことを申し入れる

内大臣は、あの日以来、さっぱりこちらへは寄りつかず、大宮を、ひどい人だと思って恨んでいるばかりであった。そうして、正室北の方には、これらのことどもは、いっさいおくびにも出さず黙っている。そのくせ、ひたすら不機嫌にむっつりして、斎宮の女御の立后のことなどを話すのであった。

「あの中宮は、格別のお仕度でにぎにぎしく参内なさったが、かわいそうに弘徽殿の女御のほうは、もうすっかり萎れていてね、なんとしても労しく胸が痛い。だから、いっそ弘徽殿には、この際宮中から下がらせて、うちで心安らかに休養してもらうことにしよう。中宮立后は果たせなかったとは申しながら、今もお上のお側に夜も昼もずっとお仕えしているようだから……、あれでは、側仕えの女房どももさぞ気を張りどおしで、辛い思いをしているであろうしな」

内大臣は、こんなことを言って、娘の弘徽殿を、にわかに里下がりさせることにした。本来なら、そうそう簡単にお暇など許されるものでないが、内大臣が無理押しに申し入れた結果、帝ご自身は決してご同意ではなかったにもかかわらず、お許しが出て、大臣方から強いて迎えの者が遣わされた。

「里の邸では、きっと退屈されましょうから、大宮のところにいる姫をこちらにお連れして、一緒に音楽でもされたらよかろう。姫を大宮にお預けしているのは、たしかに心丈夫ではあるのだけれど、ただ、あそこには、たいそう小賢しくませた人が一人いてね、これが近くにいるものだから、とかく気安くやってくる。しかし、姫もそういうことをされては困るというお年ごろだからね」

内大臣は、こう女御に吹き込んで、にわかに雲居の雁を手元に引き取ることに決め、そのことを大宮に申し入れた。

かわいがっていた姫を取り上げられるというので、大宮は、なにもかも張り合いが抜けてしまった。

「たった一人の娘（葵上）が亡くなってしまって後は、もう寂しくて心細くてなりませなんだが、嬉しいことにこの姫を得て、かくなるうえは、わたくしの命のある限りに、このていました。姫を大事に大事にお育てしよう、そうして明け暮れにつけ、老いの憂いを忘れようと思っていましたに……。それをこうして、いきなり取り上げていこうとは、思いの外に心の隔てを置いたなされよう、ほんとうに辛いこと……」

そう大宮に嘆かれて、内大臣は恐懼の態度を見せながら諄々と思いを述べる。

「心の隔て……と仰せになりますか。これまた心外な仰せごとにて、わたくしは、ただ胸の内に飽き足りない思いがいたしましたことを、そのまま正直に申し上げたまでで、どうして仰せのごとく深い心の隔てなどございましょうか。姫を申し受けますのには、それなりのわけがございます。……あの内裏にお仕えしております弘徽殿が、斎宮の女御の立后という仕打ちに遭うて、お上のお気持ちを恨めしく思っておりますやに存じますゆえ、近ごろ里下がりをしてまいっております。さすれば、それもまたたいそう手持ちぶさたにて、心塞いでおりますので、まことに見ていてかわいそうでございます。そこで、かの姫なれば、ちょうどよいお相手。せめて一緒に音楽でも奏でなどして、心を慰めるようにと、さように存じましてのことでございます。したがって、ずっとこちらに置こうというのではなく、ほんのわずかのあいだ来ていただくまでで……。これほど立派に育てて一人前にしてくださったことのありがたさを、わたくしは、決しておろそかに思うものではございません」

ここまではっきりと思い定めたこととあっては、いまさら大宮がいかに止めたとしても決心を覆すことなどあり得べからざる内大臣の気性ゆえ、大宮は、心底飽き足りず、また口惜しく思って、

「まことに、人の心ほど訳の分からぬものもございますまい。あの若君にせよ、姫にせよ、とかくにまだ幼い心々とて、わたくしに隠して、けしからぬことがあったとは……。また、仮にそういうことが未熟な者たちの心にあったにもせよ、大臣ともあろうものが、ほんらい酸いも甘いも嚙み分けたはずでありながら、見当外れにわたくしを恨み、こんな形で姫を連れ去ってしまおうとは……。あちらのお邸に引き移ったとて、ここに過ごしているより心安らかなことなど、あるわけもございますまいに」

と、泣きみ語りみする。

そういうところへ、折悪しくもまた、あの若君がやってきてしまった。本来ならば、月に二、三度というのが父の定めた掟であったに、このところは、もしや雲居の雁に逢える隙がありはせぬかと思うゆえ、頻々と姿を見せるのであった。

しかし、見れば内大臣の車がある。

〈これはまずい……〉と、後ろめたい思いに気がとがめ、そっと隠れて、自分の曹司にすべり入った。

内大臣の子息たち、すなわち、左少将、少納言、兵衛の佐、侍従、大夫などの公達も、みな父大臣に従って、この大宮のもとへ参り集うていたが、いずれも御簾の内まで入ることは許されていない。

そのほか、左衛門の督、権中納言なども、側室腹の子息たちであったが、異母兄弟みな隔てなくという、亡き太政大臣の仕向けによって、今も大宮のところへやってきては、なにかと用を弁じること、まことに親切であった。さらには、その左衛門の督や権中納言などの子息たちまでも、こもごも大宮のもとへ来集うてはいたものの、どの君も、結局源氏の若君の美しさには似る者とてもなかったのである。

そして事実、大宮の心のうちにも、源氏の若君のことを、たぐいなく大切に思ってはいたが、ただ、この姫君ばかりは特別に大切にして、いつだって身近にまつわらせて、親しみ深くかわいい者と思わずにはいられない。そういう姫が手元から去ってしまうのは、なんとしても寂しくてしかたがない。

内大臣は、

「これから内裏まで参上して、夕方ころに姫のお迎えにまいりましょう」

と言い置いて出ていった。

〈……しかし、今さら言うてみても出来てしまったものは、しかたあるまいものを、いっそ角を立てずによしなに言い繕って、やがて二人の思いが叶うようにでもしてやろうか……〉と、内大臣は思わぬでもない。しかし、それでもやはり心中面白くないので、すぐには許す気にもなれぬ。

〈……まず、あの若君が人並みの官位にでも昇進してしかるべき身分にでもなったら、その時にこそ、わが家の婿として相応しいものとも見てやることにしよう。いや、そうなった時に、なお姫への愛情の深さ浅さなどをきちんと見定めた上で、結婚を許すことに……そうなった場合に限って、なおきちんとした手順を踏んで、二人の仲を認めてやることにしてもいい。が、いまここでいかにダメだと異見してやったとしても、ああして同じ邸に住んでいては、なにしろ幼稚な心がけのままに、なにかと見苦しいことも出来てこよう。大宮とて、あの分では、よもや厳しく異見などしてもくれまいし……〉

こう思うと、内大臣は、弘徽殿の女御が所在なく過ごしているということを理由に、大宮にも、またわが北の方にもじょうずに言い繕って、雲居の雁をどうでも自邸に引き取ってしまおうという腹なのであった。

大宮、雲居の雁との別れを惜しむ

大宮は、雲居の雁に文を届けさせた。

「内大臣は、きっとわたくしを恨んでおいででしょう。けれども姫君は、こんなふうになったとしても、わたくしの心中の思いはきっとご存じと思います。どうか、こちらへおいでになって、お顔を見せてくださいませ」

文にはそんなことが書いてあった。雲居の雁は、これを読んで、さっそく美しく身繕いをして大宮のもとへ姿を現わした。

歳は十四になっている。まだいくぶん子供らしいところも残っているのだが、おっとりと鷹揚（おうよう）な風情があって、しかもしっくりと落ち着きもあり、それでいてかわいらしくもあるのであった。

「わたくしはね、そなたにはずっとそばにいて欲しいと思っていましたよ。それで、明け暮れ話し相手にでもなっていただこうと思っておりましたのに……。これよりお別れするとなれば、どんなに寂しいことでしょう。もう老い先の短い齢のほどですから、そなたが立派に成り行くさまを見届けることも叶うまいと思うと、限りある命が恨めしい。それなのに、今さらながら、わたくしをうち捨ててお移りになる行方がどこなのだろうと思うと、胸が痛みますよ」

これから先、継母のもとで暮らすことになる姫の身を思って、大宮はさめざめと泣いた。

雲居の雁は、この優しい大宮の言葉を聞くにつけても、源氏の若君とのことであれこれ言われて恥ずかしい思いをしたことを思って、顔も上げることができず、ただ泣きに泣くばかりであった。

若君付きの乳母、宰相の君が、そこへやってきた。

「わたくしは、若君付きではございますけれど、姫さまのことも、ご主人さま同様に、頼みのお方と思って過ごしてまいりました。それなのに、ああ残念なことでございます……こんな形で、あちらにお移り遊ばしますこと。……内大臣さまが、なにか他のご縁をお考えになることがございましょうとも、どうかどうか、そのようなことにお靡きなさいませぬよう」

宰相の君は、こんなことを囁いた。これを聞いて雲居の雁は、ますます恥ずかしいと思って俯いたまま、なにも言葉が出ない。

大宮が、見るに見かねて言葉をかける。

「さてさて、そのような面倒なことは申さぬものぞ。先のことは前世からの因縁次第、どうなっていくか、先のことは誰にも分からぬ」

「いいえ、内大臣さまは、わたくしどもの若君を、大したものではないと侮っておいでなのだろうと、そんなふうにお見受けいたします。さりながら、まことに、わが君が、他の方に劣っておられるかどうか、どうぞどなたにでもお尋ねくださいまし」

宰相の君は乳母の贔屓心から、いい加減腹立ち紛れにこんなことを言い募った。

大宮、若君（夕霧）と雲居の雁の対面をはからう

これらのやりとりを、若君は物陰に隠れて見ていた。

人に見咎められるなどということも、それがなんでもない時であったら、ただ心苦しい

という程度のことですんだのだろうが、今はもう逢えなくなるかどうかという瀬戸際ゆえ、ひたすらに心細いばかりで、涙を押し拭いながら立ち尽くしている。その様子を、乳母はたまらない思いで見て、大宮になんとかかんとかお願いをして、ともかくも夕方のせわしい時間の紛れに、そっと雲居の雁に対面させてもらったのであった。

雲居の雁と若君と、もうすっかり暗くなってきた夕暮れの光のなか、人々がばたばたとしているのに紛れて、やっと逢うことができたけれど、二人とも、互いに、ただただ恥ずかしい思いに胸も苦しいばかり、ものも言わずに泣いている。

「内大臣さまのお心の、あまりの非情さに、ええ、もういい、きっぱりと諦めてしまおう、と僕は思ったりもしました。だけれど、このままあなたに逢えぬことになったら、毎日恋しくてどうにもならないと思います。どうして、こんなことになる前に、まだいくらかはお逢いする機会があったに違いない日々を、あんな学問所にばかり籠っていたのだろう……」

若君はこんなことをかきくどきながら、泣くさまは、いかにも初心らしく痛々しい。

「わたくしだって、同じように……」

雲居の雁は、せめてそれだけ言って泣く。

「じゃあ、あなたも……恋しいと思ってくださるのですか」

若君がそう言うと、雲居の雁は、かすかに頷く。その様子がいかにも初々しかった。

あたりはすっかり暗くなって、灯明台に油火がともされる。いったん参内していた内大臣が、退出してこちらへ下がってくる気配がして、なにかうるさく先払いをする前駆けの者の声に、女房たちは、

「おお、それそれ、お帰りぞ」

と懼じ騒ぐ。これには、雲居の雁も、恐ろしくてただわなないている。若君は、しかし、〈こんなふうに騒がれるのなら、えいままよ、騒がれたってかまうものか〉と一途に思い切って、雲居の雁を抱きしめたまま放そうとはしない。

乳母がこちらへやってきて、主人の雲居の雁を探してまわるうちに、はたとこの二人の姿を見た。

〈なんとまあ、不都合にもほどがありましょうぞ。なるほど、大宮さまはご存じないということでもなかったのじゃな、と言うて……〉と思うにつけて、乳母は、たいそう恨めしい思いに駆られる。

「いやはや、いやになってしまうような……こんなことでは、殿がお怒りになってお叱りを賜るのは、いまさら言うまでもないこと。ひいては、姫の母君のお連れ合い按察使の大納言殿に漏れ聞こえでもすれば、どんな思いでそれを聞かれましょうぞ。いかに結構なお家の若君でありましょうとも、ご婚儀の初めに、たかが六位ふぜいのご縁ではのう」

乳母が、腹立ち紛れに、そんなことを呟く声が、二人の耳にも届いてくる。実は、二人の隠れている屏風のすぐ後ろのところまで尋ね来て、聞こえよがしに嘆くのであった。これを聞いて、男君は、〈さては、私の位が六位なんて下っ端だと思って、バカにして言うのであろうな〉と思う。

〈ああ、世の中が恨めしい……〉

今は、恋の思いに冷水を浴びせられたような心地がして、若君は、〈無礼な奴だ〉と憤懣やるかたない。

「ほら、あんなことを言っている……お聞きなさい。

　くれなゐの涙に深き袖の色を
　あさみどりとや言ひしをるべき

悲しさに血の涙を流して濡れるこの深い紅の袖の色なのに、あんなふうに六位ふぜいの浅緑の袖だといって言い腐すなんてことがあってよいものでしょうか

こんなことでは合わせる顔がありません……」

この若君の嘆きに、雲居の雁がすぐさま歌を返す。

いろいろに身の憂きほどの知らるるは
いかに染めける中の衣ぞ

紅の袖、浅緑の袖、この色々のありさまに、わたくしたちの身の辛さが思い知られます。されば、ほんとうのところ二人の仲の衣は、どんな運命に染められているのでしょうか

この歌を詠じも果てぬうちに、内大臣が邸に入ってきた気配がする。雲居の雁は、割り切れない思いのままに、自室のほうへ引き下がっていった。

悲嘆する若君（夕霧）

あとに一人残った若君は、そこにつくねんとしている心持ちも体裁悪いし、また、胸も

塞がる思いがして、自室で臥せってしまった。

やがて、外のほうで、車が三台ばかり、そろりと出て行く音が聞こえてきた。この車に、恋しい人が乗って行ってしまったと思うと、若君の心は平静ではいられない。悶々としている若君のところへ、大宮から使いが至り、

「こちらへお越しなさいませとの仰せでございます」

と伝言がある。けれども若君は、心挫(くじ)けて横になったまま、身動きもしない。

そのまま、ただ涙が流れて、ため息ばかりついているうちに、夜が明けてくる。その早朝、一面に霜が置いて真っ白ななかを、若君は急ぎ帰っていった。

泣きはらした目元を女房どもに見られるのも恥ずかしいし、また、いったん大宮のもとへ伺えば、そうそうすぐにはお放しくださらないだろうから、と思って、若君は、ともあれ、今は気を使わずに済む場所……二条の東院(とういん)に設けられた学問所に、急いで戻ったのであった。

その道々、自分でそうしようと思ったことながら、一人でいることは心細くてならぬ。空の気配も、どんよりと曇って、まだ薄暗い。

霜氷うたてむすべる明けぐれの
　空かきくらし降る涙かな

霜が降るだけでも辛いのに、それが凍ついてはますます辛いこの夜明けの薄明の、その空をなおも真っ暗にして降ってくる涙の雨よなあ

若君の胸のうちに、こんな歌が浮かんだ。

源氏、五節の舞姫に惟光の娘を差し出す

源氏は、太政大臣として、今年宮中新嘗祭に奉仕する五節の舞姫を差し出すことになった。このための準備は、源氏にとっては、どうということはない程度の事柄に過ぎなかったが、それでも、舞姫に随従する女の童の装束を調製させるなど、その日限も近くなってきたことゆえ、とりあえず急いで用意させる。

また東院の花散里には、その祭祀の夜に付き従って参内する女房たちの装束を調進させる。

源氏自身は、そのほか全体を見渡してのぬかりない準備、また中宮（斎宮の女御）のかたからも童女や下仕えの女たちの衣装など、いずれも得も言われぬほど見事に仕立てて送ってくる。

去年は、あの藤壺中宮の崩御に伴う諒闇のため、五節の舞なども停止となっていたが、それはいかにもものさびしい限りであったから、その分も合わせて常にもまして盛大に執り行なおうというので、殿上人どもの心持ちに、例年よりいっそう華やかにしたいと思ってでもいるように見える今年ゆえ、舞姫を差し出す家々、いずこも、競い合って、それはそれは見事に綺羅を尽くして準備していると、もっぱらの評判であった。

五節の舞姫は新嘗祭の折は四人というのが決まりであったが、そのうち、少なくとも二人は公卿の娘を差し出すという恒例に従って、こたびは雲居の雁の継父按察使の大納言と、左衛門の督がそれぞれ召しに応じ、以下殿上人の娘の中からは、今は近江の守で左中弁となっている良清の娘を差し出すことになった。この年は、祭が終わったあとも、舞姫どもをみな宮中に残して宮仕えをするようにという帝の仰せがあったため、これらの人々は娘を差し出したのであった。

では、源氏はどうであったか。源氏が奉った舞姫は、摂津の守にしてなお左京の大夫を兼ねていた惟光の朝臣の娘であったが、源氏の娘分、すなわち公卿の娘の格でこれを差し出すのであった。この娘は、姿形が美しいという評判であったので、源氏は、これを自分の手元から差し出すということにしたのである。

突然にこういう晴れがましい場に娘を召されるということになって、惟光は〈ああ、困った、困った〉と思う。今まで人目にさらしたこともなし、こんなお役目でさらしものになるのは困ったなと思うのだが、このことを漏れ聞いた周囲の人々は口々に惟光を責め立てる。

「いや、あの按察使の大納言殿も、側室腹の娘を差し出したという話じゃないか」

「そうとも、そなたが箱入りにしている娘を差し出すこと、なんの恥ずかしがることがあるものか」

などなど、言い込められて、惟光は困じはてる。しかし、〈うむうむ、それはそうかもしれぬ。どうせいずれは宮仕えをさせたいと思っていたものだし、この際、舞姫に差し出して、そのまま内裏へお仕えさせていただくことにするか〉と、惟光は踏ん切りをつけた。

そうなれば、舞の稽古なども、おさおさ怠りなく実家のほうで学ばせ、いっぽう、参内するについて娘の世話をする女房どもなど親しく身近に仕える者は、念入りに選び抜き、いよいよ参内という日の夕刻ごろに二条の源氏邸まで送り届けた。

迎えとるほうの源氏も、紫上や花散里に仕えている女の童や下仕えの女たちをよくよく見比べて、その中からとりわけ姿の美しい者を選出する。源氏のおめがねに適って選ばれた少女たちは、それぞれの身分に応じて、みなみな誇らしげな思いでいる。

この選ばれた少女たちは、すなわち帝の御前に召されて「童女御覧」の栄に浴する決まりゆえ、その予行演習のために、源氏は自分の見ている前を歩かせてみることにした。

見れば、それぞれ様子は違っていても、いずれも美しい少女ばかりで、さすがの源氏も、誰を落とすこともできない。

「さて、困ったな。こう美しい娘ばかりでは、いっそもう一人舞姫を差し出して、二組に分けてみんな参内させたいくらいだ」

源氏は、そんな軽口をたたいて笑ったが、それほどに容色には甲乙が付けがたかったので、結局、その態度物腰、また心の用意の善し悪しを、よく見極めて銓衡がすすめられたのである。

若君（夕霧）、惟光の娘に恋慕

大学の君、すなわち学問所に戻った若君は、雲居の雁と無理に別れさせられて、胸が塞がり、食事もろくろくのどを通らない。ただただ心の挫けること甚だしく、書籍を読むどころではなかった。それで、昼夜ぼんやりと考え込んでは、横になっている。ときどきはまた、気晴らしにもなろうかと思っては、学問所の曹司を立ち出でて、御殿のあちらこちらと人々の間に紛れ歩いている。

すると、大学の君の姿や顔形、いかにも立派で魅力満点であるばかりでなく、その振舞いは落ち着いていて初々しい美しさもあるので、若い女房どもは、ただただ〈すてきな方……〉と見とれている。

もともと、大学の君は、紫上の住む御殿の、御簾の近くに寄って親しげにすることとさえ許されていない……源氏自身の悪い心癖に照らし合わせて、なにをどう考えての上の定めであったろうか、さて……ともあれ、いつでも疎遠らしい扱いをする定めであったのだから、紫上に仕える女房たちも、あまり親しげにはしないようにと心がけていた。

が、今日に限って、大学の君は、この五節の舞姫騒ぎのうちに、そのあたりまで紛れ入ってきたものとみえる。

ちょうどその時、舞姫に上がる惟光の娘が、この邸に到着したのを大切に車からおろし、廂の間の隅、開き戸のある辺りに屏風などを立て回して、仮の座席をしつらえてあった。

大学の君は、そっと近づくと、屏風の内を覗いた。すると、舞姫は、なにやら具合悪そうに物に寄り掛かっていた。見れば……

〈おお、ちょうどあの人と同じくらいのお年だろうかな……背はすこしばかりこちらのほうが高そうに見える。全体の様子は、ちょっと気取っていて、……いやしかし、美しい姫だな、美しいということだけでいえば、あの人よりもいくらかまさっているかもしれぬ……〉

若君の目には、そのように映った。

あたりは夕闇で暗いので、細かなところまでは見えない。けれども、その全体の雰囲気が恋しい雲居の雁をどこか思わせるところがある。

大学の君の心は揺れ動く。心を移すというほどではないが、しかし、平静ではいられなくなった。
その舞姫の衣の長く引いた裾（すそ）のあたりを、思わず引っ張ってみた。さらさらと衣擦（きぬず）れの音が立った。
舞姫は、まさかそんなことになっているとも思わず、いったいなぜこんな音がしたんだろうと思った、その刹那（せつな）、大学の君は、一首の歌を歌いかけた。
「あめにますとよをかびめの宮人も
わが心ざすしめを忘るな
天にまします豊岡姫の宮居に仕える方、そのごとくにお上に仕える舞人も、どうかお忘れくださいますなよ、その宮居に注連縄（しめなわ）を張ったごとくに、みな私の心の内に占めている人だということを
『みづがきの……』という思いでございます」
初対面だというのに、「をとめこが袖ふる山の瑞垣（みづがき）の久しき世より思ひそめてき（乙女子があぁして袖を振る、あれは布留山（ふるやま）……その山の青々とした瑞垣が太古から変わりないように、私の思いも久しい久しい昔に思い初（そ）めて以来ずっと変わりがないのです）」などという単刀

直入なる歌を引きごとにして口説きかかるとは、なんという露骨なやりようであろうか。

こんな歌を朗吟する声は若々しく美しい。が、それが誰の声なのか、舞姫はにわかに思いつかず、なんて嫌らしいことかと、うっとうしい思いに駆られていると、

「お化粧をお直し申しましょう」

などと言って騒ぎ立てる後見役の女房どもが近く寄ってきて人騒がしくなった。

大学の君は、ああ残念と後ろ髪を引かれる思いで立ち去っていった。

五節当日、源氏、ふと昔の五節の君を想い出す

大学の君は、いまだ六位。正式の服装は浅葱色の袍と定まっている。が、そんなみっともない姿では、とても内裏へ上がる気がしない。それゆえ、参内はずっと気が進まなかったのであったが、こたびは、五節の折だということにかこつけて、特に位階による色目など気にしなくてもよい直衣姿で参内することにした。しかるべき色の定められている袍などとはちがい、太政大臣の嫡男とあっては、自由な色の直衣でも参内を許されるというわけなのであった。

その風姿は、いまだ幼げではあったけれど清らかな美しさで、とはいえ、年のわりには世慣れた感じに、そこらを闊歩している。すると、帝をはじめとして、誰も彼もが、この若君をもてなす様子は並々ならず、思えば世にたぐい稀な、帝のお覚えのめでたさであった。

さて、いよいよその五節の儀式の初日、十一月の中の丑の日になると、舞姫の参内するについては、どの家でもおのおの思い思いに、またとない趣向を凝らして立派にこしらえて送り出したが、とりわけてその容貌について言えば、源氏のところと按察使の大納言家の姫が優れていると、人々の間ではもっぱらの評判であった。まことに、いずれもたいそうな美形であったけれど、初々しくかわいらしいという感じにおいては、やはり源氏のところの姫には敵わないというべきであったろうか。この姫は、どこかしら清潔な美しさがあって、なおかつ今風の華やぎもある。とても惟光ふぜいの娘とは想像もできぬくらいに見事に飾り立ててある、その様子は、まったく世にも稀なほどに風情あるがゆえに、こんなにも讃めそやされるものと見えた。

概して、例年の舞姫どもよりは、皆少し年長けていて、思えばそれも格別な年なのであった。

源氏は、参内してこの一部始終を見ていた。すると、〈……そういえば、かつて私も目を留めた五節の舞姫の乙女……大宰の大弐の姫が……いたことだったな……〉と、あらぬことを思い出した。

そこで、辰の日、すなわち豊明の節会における五節の舞の当日の暮れ方に、源氏はなつかしいあの大宰の姫に文を届けさせた。その文面は、読者よろしく想像されたがよい。

をとめ子も神さびぬらし天つ袖
ふるき世の友よはひ経ぬれば

あの五節の舞を舞った天つ乙女も、今ではさぞ神格を帯びられたことであろうな。天上で乙女が袖を振る、ではないけれど、今では私も、そなたのふるい世の友というべく、ずいぶんと齢を重ねてしまったのだからね

源氏としてみれば、ただ、あの頃からずいぶんと長い月日が経ってしまったと、そのことをふと思い出したはずみに、感慨を催して文を送ったというほどのことだったのだが、いやいや、受け取ったほうの女心には、とても平静ではいられない思いが湧き起こったの

も、思えば空しいことであった。
筑紫の五節の君から、さっそく返し文が届けられる。

かけて言へば今日のことぞ思ほゆる
日蔭の霜の袖にとけしも

五節の舞に引きかけて申しますなら、ああ、あれはまったく昨日今日のことという気がいたしますこと。あの日蔭蔓を挿頭にかけて舞を舞いましたわたくしが、日光の君の御光のお蔭で、日蔭の霜が袖に融けるように、温かなお情を賜りましたことを思い出します

こんな歌を、舞姫の装束を彷彿とさせる模様入りの青染め紙に書いてよこした。まことにこういう手の込んだ紙をよくも当座に間に合わせたものと、それも感心されるけれど、なお、誰の手とも分からぬように、わざと濃い墨、薄い墨、いろいろに変化をつけた上に、文字もまた、万葉仮名の草体に崩した字をそこかしこ混ぜるなど、凝りに凝った文づらであった。
〈ふむ、あの人の身分にしては、なかなか良くできているな〉と、源氏は感心して見ている。

いっぽう、子息の若君も、この惟光の娘に目を留めて、人知れず思いをかけては、しきりとあたりをうろうろしてみるけれど、姫君付きの女房たちがよくよく注意をして、それ以後は、近くに寄せ付けもせず、ひたすらよそよそしいもてなしをしている。そうなると、さすがにまだ初心で恥ずかしがりやの心には、それ以上の思案も浮かばず、ただため息ばかりついているほどのことであった。それでも、一目だけ見たあの姫の容貌が、くっきりと心に焼き付いてしまっている。いずれ、恋しい雲居の雁にはどうしても逢えないのだから、それなら、その逢えぬことの慰めにも、この舞姫のほうに逢う手だてはないものかと思ったりもするのである。

やがて五節の舞もことなく済み、かねて舞姫たちを内裏に留め置いてそのまま宮仕えさせるようにとの、ご内意が下っていたが、敢てこのたびはひとまず退出させることになった。舞姫として神事に奉仕した身分を解除する禊をさせるためであった。

そこで、近江の守良清の娘は、琵琶湖畔の辛崎へ、また摂津の守惟光の娘は、難波の浦へ、禊のため競い合うようにして内裏を退いていった。また按察使の大納言は、改めて入内させたいという旨を奏上して娘を退かせる。左衛門の督は、本来は五節の舞姫になる資格のない人を養女分にして差し上げたことで、いささかのお咎めを蒙ったが、帝の寛大なるお心を以てお許しがあり、そのまま宮中に留め置かれる。

惟光は、

「典侍の席が空いてございますれば」

と、その席を望んで言上する。源氏は、〈そうか、ではそのように一つ骨を折ってやるか〉と思う。

大学の君は、このやりとりを漏れ聞いて、〈さてはあの舞姫も宮中に上がってしまうのか。……それは、なんと残念な〉と思う。

〈それにつけても、自分の年齢や位が、こんな取るに足りないものでなかったらなあ……そしたら、私に頂戴したいとお願いしてみるんだけれど。こんな情ない身分では、自分が思いを寄せているということすら、知ってもらえないまま終わるのであろうな〉と、くやしくてならぬ。いや、この舞姫への思慕は、とりたててどうしても執心するというほどのことでもないのだが、雲居の雁との仲も裂かれたうえに、今またあの舞姫とも引き離されては、重ね重ねに、自然と涙ぐんでしまう折々があるのであった。

若君（夕霧）、惟光の娘に懸想文を贈る

この舞姫には一人の兄があった。宮中の見習いという意味で童姿のまま殿上していた少年であったが、この者は常々、大学の君のところに出入りをして、なにかと役に立っていたのであった。そこで、大学の君は、一計を案じて、ふだんに増して親しげな様子で声を掛けた。

「なあ、あの五節の君は、いつ内裏へ参るのかね」

「今年じゅうにはと聞いておりますが」

こんな問答があって、大学の君は思い切ってこう切り出した。

「お前の妹は、ほんとに顔がきれいで、私はそぞろ恋しくてならないのだ。だから、お前は、兄ゆえいつも逢えるのだろうと思うと羨ましいぞ。どうだろう、もう一度逢えるように計らってはくれまいか」

兄は驚く。

「とんでもございません。どうしてそんなことが……。いえ、わたくしとて、思うように

逢うなどということはできません。なにしろ、男兄弟だとて、近くにも寄せないようにしているのですから。まして、どうして若君さまのお目にかけるなんてことができましょうか」

しかし、若君は諦めない。

「じゃ、せめて手紙だけでも……」

そう言って、若君は、無理やりに手紙をこの兄に押し付けた。

〈……あーあ、困るなあ。前々から、親たちには、こんなことを断じてしてはならぬと言い渡されてるのになあ……〉と、兄は困惑したけれど、若君が強いて押し付けるので、困り果てながら持ち帰る。

妹の舞姫は、年齢よりはいささかませていたのであろうか、この若君からの文を、〈素敵なお手紙ね〉と思って見たのだった。

日蔭蔓を思わせる緑色の薄い紙に、程よい色の紙を重ね合わせて、そこに、手跡としてはまだ未熟なところがあるけれど、しかし手筋は良く、将来はさぞ見事な書き手になるだろうと思われるような字で、それはそれは立派に、こう書いてあった。

ひかげにもしるかりけめやをとめ子（こ）が
天（あま）の羽袖（はそで）にかけし心は

日光（ひかげ）のなかではっきりと分かったであろうね、あの日蔭蔓（ひかげかずら）をかけて舞った舞姫のあなたにも。美しい乙女が天の羽衣の袖を翻（ひるがえ）して舞った時、その姿に、思いを懸けた私の心のことは……


兄妹二人で、この文を見ているところへ、父惟光が、ふと近寄ってきた。二人は恐ろしくなって呆然自失（ぼうぜんじしつ）の体（てい）であったが、いまさら引き隠すわけにもいかない。

「それは、どういう文かね」

惟光は、そう言いざま手紙を取り上げる。二人は顔を真っ赤にしている。

「良からぬことをしたものだな」

父は子供たちを責める。たまらず兄は逃げていった。そこを惟光は呼び寄せる。

「これは、いったい誰のだな」

そう尋ねられて隠してもおけない。

「それは、源氏さまのところの若君さまが、かくかくしかじかのことを仰せになって、くだったものです」

なるほどそうか、と惟光は破顔一笑する。

「ははは、そりゃまた、なんともはや、かわいらしい若君のお戯れよな。おまえは、若君と同い年だけれど、引き比べると、言いようもなく頼りなく見えるぞ」

こんなことを言って、惟光は、若君を誉め、その文を二人の母親にも見せた。

「考えてみれば、もしこの若君が、少しでもうちの娘を人の数のうちにお考えくださっているのだったら、並々(なみなみ)の宮仕えに出すよりは、この君に差し上げたいくらいのものだがな。……源氏の殿のなさりようを見ていると、かりそめにも一度は見初(みそ)めた人を、ご自分からお忘れになるということはなさそうだ。その若君だもの、なんといっても頼りになるぞ。ほら、あの明石の入道のところの姫な、あんなふうにならぬとも限らないぞ」

など、あれこれ言うけれども、家の中は、誰もが姫の宮仕えの仕度で忙しく、いちいちそんなことに取りあってくれる人もいなかった。

若君（夕霧）の後見役としての花散里

大学の君は、今はあの雲居の雁には手紙すら届けることができない。そうして、惟光の娘よりも身分も想いもはるかに勝る雲居の雁のことばかりが心にかかって、ぼんやりと時が過ぎていくままに、〈ああ、あの無性に恋しいあの人に、またなんとかして逢えぬものだろうか〉と、その思いばかりが心を領している。

そうなると、もう雲居の雁のいない大宮のところへなど、なんだか面白くもなくて行く気も起こらない。かつて雲居の雁が住んでいた部屋や、いっしょに遊び馴れたところばかり思い出されることが日に日に多くなっていく。そうなると、生まれ育った里の邸だというのに、すっかり居心地が悪くなってしまって、また学問所に籠ってばかりいるのであった。

源氏は、若君の世話については、もっぱら二条の東院の西の対に住む花散里に任せている。

「大宮もご高齢だ。残るお命もそうそう長いことではあるまい。だから、大宮がこの世におられなくなってから後(のち)も、今この幼いころから馴れ親しんで、後々(のちのち)、後見役として世話をしてやってはくれぬか」

そう言って、源氏は花散里に頼んだ。花散里という人は、源氏に言われたことは素直に従う人柄なので、このことも喜んで引き受け、親しみ深く、また細やかに心を配って若君の世話をするのであった。

そういう間柄ゆえ、若君は、おりおり花散里の姿をちらりと見ることがある。

〈あの方は、お顔立ちなどは、それほど美しいとは思えないな。でも、父上という人は、こういう人でも思い捨てるということがないものなあ……。それにくらべて、僕などは、なんだってまた、あの雲居の雁のように、つれない人のことばかり、いつまでもいつまでも心にかけて恋しいと思っているんだろう。なんだかばかばかしくなった。おなじことなら、あんなふうに、気立てが優しい人と、思い合って暮らしたいものだな〉と、若君は思う、そのいっぽうでまた、こんなことも考えるのであった。

〈しかしなあ、それだといって、向かい合って見る甲斐(かい)のないような姿形(すがたかたち)の人というのも、これでお気の毒のようなものだし……。あの西の対の御方(おんかた)などは、こんな調子でもうずいぶん長いことになる。けれども、父上は、ああいうお顔立ちだということは、ご承知の上で、いつもなにかの隔てを置いて直接は顔を合わさないようにしておられるようだ。……昔の歌に「み熊野の浦の浜木綿百重なる心は思へどただにあはぬかも（熊野の浦に生える浜木綿が幾重にも幾重にも重なって繋っているように思いは募るけれど、直接には逢わぬことよなあ）」とある、あの『浜木綿』じゃないけれどね。まあ、そういうふうにしておられるのも、考えてみればもっともかもしれない……〉

まだ年端も行かぬ若君にしては、こんなところまで考えを巡らすというのは、こちらが恥ずかしくなるほどの観察眼に思える。

大宮なども、いまは出家して異様な姿になってしまったが、それでもなお十分に美しかったし、御殿のなかは、どこもここも、美しい人ばかりなので、若君の心には、人というものはそういうふうに美しいのが当たり前だと思っていた。しかるに、あの花散里ばかりは、もともとさしたることのない容貌であったものが、今ではずいぶんと女盛りを過ぎて、痩せに痩せ、また髪の毛なども抜けて薄くなってしまっている。これでは、若君の目からみれば、このように悪い評価になるのもやむを得まい。

年の暮れ、若君（夕霧）と大宮の対話

年の暮れになった。

大宮のもとでは、正月の装束などの調製に余念がなかったが、去年までは、雲居の雁と大学の君と、二人分の用意をするのがこよなき楽しみであったものを、今年からは、ただこの若君一人の分だけを、もっぱら用意するということになった。

しかし、なんといっても、大学の君はまだ六位の身分のままである。用意する装束とて、いずれも浅葱（あさぎ）のつまらぬ色ばかり。幾着（いくちゃく）も幾着も、それはそれは見事に仕立てられたといっても、しょせんは浅葱色のばかりだ。若君は、うんざりとせずにはいられない。

「わたくしは、元日などには、必ずしも参内いたしますまいと思っておりますのに、なぜにこんなにお仕度をなさるのでしょうか」

そんなことを、つい口にする。

「元日に参内なさらぬなど、どうしてそんなことがあってよいものですか。まるで老いぼれて足腰の立たなくなった人のようなおっしゃりようだこと」

大宮はそう窘（たしな）める。

「あーあ、ほんとにもう、老いぼれたわけではないけれど、心が挫（くじ）けてしまってる気分なんだから……」

若君は、そう独り言をいいながら、ふと涙ぐんでいる。

〈おやおや、さては、あの姫のことを思っているのでしょう……かわいそうに〉

そう思うと、大宮もつい泣き顔になりながら、若君を励まそうとする。

「男というものはね、ごくつまらぬ身分の者でも、志は高く持つものだと申しますよ。そんなふうに、あまりめそめそしてくよくよ考え込んでばかりいなさるな。だいいち、かように物思いばかりして悲観的になっている必要など、どこにありましょう。良いご縁など、これからいくらもございましょう。そんなふうに泣いているなんて、まったく不吉なこと」

「いいえ、大宮さま、そんなことで嘆いているのではないのです。わたくしのことを、皆、六位だ六位だなどとばかにしているように見えますけれど、これからずっと六位のままというはずもありませんし、それは今しばらくの辛抱（しんぼう）だと思っています。ですが、内裏へ上がるのもなんだか億劫（おっくう）な思いがするのです。もし、太政大臣のお祖父様（じいさま）がご存生（ぞんじょう）だったら、たとえ戯れごとにも、そんな侮りを受けることはなかったに決まっている。でも、源氏の父は、正真正銘の実の父親でありながら、いつだってひどく他人行儀に、わたくしを避けようとしておいでです。だから、常のお住まいのあたりには、なかなか近づくことを許していただけません。ただ東院のほうにお出での時に限って、お前近くに伺うことを許されるんです。あの、西の対にお住まいの御方だけは、ほんとうに心を込めて優しくしてくださいます。けれども、もしもう一人の親、あの亡くなったお母上さまがいてくださったら、何の悲しいことなど思うことがございましょう」

若君は、そう言うと、涙の落ちるのを必死にごまかそうとしている。その様子は、あまりにもかわいそうで、大宮はつい、ほろほろともらい泣きをするのだった。

「思えば、母親に先立たれた人は、どんな身分であっても、それぞれにつけてかわいそうなところがあるけれど、それでも、誰もみな前世からの因縁というものがありますから、おのおの運命に従って、それなりに一人前になっていくものですよ……、それで一旦一人前になってしまえば、もうそうそう疎略に思う人もありますまい。だから、あまり悲観的になってくよくよしないこと……。あの故太政大臣が、せめてもう少しだけでも元気でいてくださったらねえ。……あの源氏の大臣も、そなたの後見人としては、またとないお人として頼りにもいたしましょうけれど、それでも、なにかと思うに任せないことばかり、いろいろありますね。内大臣の気性も、それはそこらの人たちとは格別に違っていると、世間の人々は誉めてくれるようですけれどね、でも、母親のわたくしから見たら、なにもかも昔とはすっかり変わってゆくように思えます。ああ、こんなことなら、いたずらに命ばかり長いことが恨めしい。わたくしなどは、もう老い先も限られていますけれど、そなたは、これからまだまだ人生が長い。その春秋に富むそなたまでが、こんなことで多少なりとも身の上をくよくよ思い悩んでいるなんて、それこそほんとうになにもかもが恨めしく思われる世だこと……」

こんなことを言いながら、大宮はさめざめと泣いた。

新年の宮中と源氏邸の儀礼

元旦になった。

太政大臣の源氏は、並々の大臣たちと違って、新年参賀の出仕には列席しなくともよい定めゆえ、この日は外出もなく、のんびりと過ごした。

正月の宮中は、いにしえ、太政大臣藤原良房公の定めた例に倣って、七日には白馬の節会、十四日の男踏歌、十六日の女踏歌、など次々と正月の儀礼が挙行されるのだが、源氏の邸でも、内裏の儀式になぞらえて、白馬の節会の折には、その馬を二条の邸にも引かせ、その他の節会また、源氏の邸でも同じように執り行なう。いや、同じどころか、良房公の定めおかれた事よりもさらに盛大に儀礼を加えて、まことに厳然たるありさまであった。

朱雀院への行幸

二月の二十日過ぎ。

朱雀院に帝が行幸される。

桜の花盛りにはまだ間があったが、なにぶん三月は故藤壺の宮のご忌月とあって避けなければならず、また早咲きの桜がいくぶん咲き初めた色も美しかったので、二月下旬の行幸と定められたのである。

されば、朱雀院にも、じゅうじゅうお心を込めて修繕させるやら、せっせと磨き立てるやら、あれこれのご用意怠りない。また行幸に供奉する上達部、親王がたはじめ、一行ことごとくその出で立ちには心を用いて、みな一同に麹塵（青みを帯びた淡黄色）の袍に桜襲（表白、裏紫）の衣を身に着けている。麹塵は帝ご日常の衣ながら、上席の公達はこれを賜って、こういう盛儀のときは等しく着用して参列する例であった。そういう場合の例に従って、帝ご自身は赤色の袍をお召しになっている。その壮麗、まさに花々として匂うがごとき景色であった。

そこへ、お召しによって太政大臣の源氏が参内してくる。源氏また帝と同じく赤色の袍に身を包み、帝と並んださまはまるで瓜二つの美しさに輝いて、いずれがいずれとも見まがうばかりである。

それ以下の人々の装束も、また挙措動止も、ふつうの時とはまったく違っている。

朱雀院も、今では、たいそうきりりと美しく年を重ねられて、そのご容姿といい、お振舞いといい、以前にもましてますます清雅な美しさを増しておられる。

今日の行幸に当たっては、専門の文人詩人などは召さず、ただ、その詩文の方面に才長けているという評判の高い大学寮の学生を十人召した。その上で、式部省の文章生試験の出題になぞらえて、帝御自らお題を賜った。

こういうことにしたのは、おそらく、源氏の長男の若君に、帝の御前で勅題を以て試問を賜るということにしたいからなのであったろう。

しかし、若君以外の学生たちにとっては、恐るべきことであったというべく、みな臆病な者たちで、こんな晴れがましい場に引き出されては、すっかり上がってしまって、なにがなんだか分からないという状態になっている。しかも、盗み見などの不正行為を防ぐために、放島と称して、岸に繋がれていない船に乗せられて、庭中の池に浮かび、そこで勅題に答えなくてはならない。学生たちは、みな、どうしたらいいか分からないという顔つきであった。

その日も暮れ方になって、池の上には楽人を乗せた龍頭（龍の飾りを船首に付けた船）・鷁首（鷁という想像上の鳥の飾りを船首に付けた船）の船が漕ぎめぐり、船中の楽人どもがやがて調子合わせの楽を奏する頃には、楽の音と山風の音とが面白く響きあって聞こえてくる。その風雅な音曲を耳にして、源氏の若君は、

〈……なにも学問修業のこんなに苦しい道を行かなくとも、音楽でも奏でて、皆で楽しく過ごしていてもよさそうなものをなあ……〉

と、世の中を恨めしく思いもするのであった。

しばらくあって、『春鶯囀』が舞われる。

「ああ、先の帝（桐壺帝）の御世、あの花の宴はほんとうにすばらしかったが、再びああしたことが見られるだろうか」

朱雀院は、かつての花の宴の折に、源氏がこの舞を舞ったことを思い寄せて、ふと洩らされた。源氏も、さすがにあの頃のことを追懐すると、胸中に湧き上がってくる感慨がある。

舞が果てたころ、源氏は、朱雀院に土器を差し上げて、一首の歌を詠じた。

鶯のさへづる声は昔にて
むつれし花の蔭ぞかはれる

鶯の囀る声そして『春鶯囀』の楽音は昔と少しもかわりがありません。けれども、みなが睦みあった花の蔭……先の帝の御世のありさまとは、なにもかも変わってしまいました

朱雀院が、すぐにこれに和して歌われた。

九重を霞隔つるすみかにも

春と告げくる鶯の声

宮中からははるかに霞で隔てられたこの寂しい住み処にも、今こうして春が来たことを告げる鶯の声や、かの楽の音が聞こえる

かつて帥の宮と呼ばれていた源氏の異母弟は、今は兵部卿になっている。この兵部卿の宮は、今上陛下に土器を差し上げて歌った。

いにしへを吹き伝へたる笛竹に
さへづる鳥の音さへかはらぬ

いにしえの音色を、そっくり変わらずに伝えております笛竹の音、その上に、ああして鶯の声さえ、昔と少しも変わりがありませぬ。陛下の御世も、昔の聖代と少しも変わらぬこと、まことにまことに、めでたきことでございます

こんな風に、あざやかに言祝ぎ歌を奉った、その心の用意も、まことに立派なことであった。

この宮の土器を受けられて、陛下も一首仰せいだされる。

鶯の昔を恋ひてさへづるは
木伝ふ花の色やあせたる

ああして鶯の昔を恋い慕って囀るのは、その飛び伝うて鳴く枝の花の色が褪せたからであろうな。私の治世など、あの『春鶯囀』を賞玩した先の帝の御世に及ばぬこと遠い

こんな謙虚な歌を詠じなさるお姿は、それはそれでこの上なく奥床しいお心ばえが感じられる。

この盃の応酬は、院の御所における私的で内々のやりとりであったので、このほか多くの廷臣たちにまでは盃が回らなかったのであろうか、それとも、まだこのほかにも歌の応酬はあったのに、書き漏らしたのであろうか、さてさて。

音楽を奏でている所は、ずいぶん遠くて聞こえ方がおぼつかないので、帝は御前に琴などをお召しになった。

兵部卿の宮は琵琶を、内大臣は和琴を手にし、また箏の琴は院のお前に差し上げた。そうして、琴の琴は例によって太政大臣の源氏が頂戴し、どうしても弾けと仰せがある。こ

うして合奏が始まったが、もとよりこうした名人たちが手を尽くして演奏したのだから、その楽音のすばらしいことは喩(たと)えようもなかった。また、楽の譜を口ずさむ殿上人は数多く集うている。

こうして、まずは催馬楽の『安名尊(あなたふと)』が演奏される。

あな尊(たふ)と　今日(けふ)の尊(たふ)とさ　や
昔(いにしへ)も　はれ　昔(いにしへ)も
斯(か)くやありけむ　や
今日(けふ)の尊(たふ)とさ　あはれ
そこよしや　今日の尊さ

ああ、尊い、今日の尊さ　やあ
いにしえも、はあ、いにしえも
こんなふうであったろうか　やあ
今日の尊とさよ、ああ
それよいよい　今日の尊さ

次に、『桜人』が……。

桜人　その舟止め
島つ田を　十町つくれる
見て帰り来むや　そよや
明日帰りこむ　そよや
言をこそ　明日ともいはめ
遠方に　妻ざる夫は　明日もさね来じや
そよや　さ明日もさね来じや　そよや

桜の人よ、その舟を停めておくれ
あの島に田を　十枚作ったものを
見て、帰って来ようほどに　それそれ
明日帰って来ようほどに　それそれ
言葉では、明日帰ってくると言うけれど、
遠くのほうにもう一人妻のいる夫は、明日ほんとに帰ってくるものか、それそれ
さあ明日も帰ってくるものか、それそれ

こんな歌や、楽や、朗々と演奏されるうちに、いつしか月がおぼろおぼろと空にさし昇ってくる。その美しい月光のもと、池の中島のあたりに、ここかしこと篝火を灯して、すばらしい音楽は鳴り止んだ。

院中に養われている弘徽殿大后への見舞い

もうすっかり夜が更けていた。帝は内裏へ還御になるついでに、この朱雀院の御所に引き取られている弘徽殿大后にご挨拶をしてゆかれることになった。せっかくこうして院の御所まで行幸あったというのに、大后を避けてご挨拶なさらぬというのもあまりに思いやりのないことと思われてのことであった。

源氏も、いっしょにお供をしていった。

大后は、帝のご訪問を喜んで待ちうけ、御簾を隔ててのご対面がある。

もうずいぶん年を取ってしまった気配の大后であったが、その様子に帝は、ふと亡き母宮（藤壺）を思い出され、〈ああ、こんなにも長く命を保たれる方もおいでなものを、母宮はあんなに若くして先立たれて……〉と、あらためて口惜しく思し召される。

「今は、もうこんなに老いさらばえてしまいまして、なにもかも忘れてしまっておりますのに、まことに、もったいなくも、こんなところまで、陛下にはお渡りくださいましたので、今さらながら、先の帝の御世のことが、心に蘇ってまいります」

大后は、そういって嗚咽を洩らした。

帝は、そっとお言葉をかけられる。

「わたくしは、亡き帝や、母宮など、お蔭を蒙っておりました方々に先立たれまして後は、春の訪れもなにも分からぬほどに心乱れておりましたが、今日ただいま、大后さまにお目にかかって、ようやく心の慰められたことでございます。また次の折にもお目にかかりましょうほどに、どうぞお元気で」

供奉していった源氏も、疎漏なく挨拶をして、

「いずれまた、機会を改めまして……」

と言いながら、立って行く気配である。今や太政大臣の重職にあって、すぐにもまた行かなくてはならないところがあるのであろう。ゆっくりもせずに帰ってゆくと、その後から多くの人々が付き従って帰っていく物音がして、そんな響きを耳にしても、大后は、今なお胸のうちに不愉快な思いがさざ波立つ……さて、なにをどのように思い出されていた

のであろうか。
〈ああ、源氏の君は、前世からの因縁があって、なにがどうあっても、このように世を治めるようになる運命だったのであろう。そのことは、どうあがいても消せるものではなかったに……〉

大后は、昔のことを悔恨とともに思い出していた。

朧月夜の尚侍も、今心静かに昔のことを思い出してみると、しみじみと胸を打たれるようなことがたくさんある。いや、今でも、なにかの折々には、源氏が、風の便りのようにして、そこはかとない手紙を送ってくることがあるらしい。

いっぽう、大后のほうは、帝になにかの用事でいろいろ申し上げることがあるような折には、年々に賜り置かれる俸禄のことなど、お願いするのだが、そうそういつも願いが叶うものではない。そういうとき、老大后は、

「さてもさても、こう無用に長生きなどするから、こんな末の世を見る目にあうのだ」

と、愚痴をこぼしつつ、それにつけても、さっさと位を譲ってしまった朱雀院が恨めしく、もう一度朱雀の世に戻したいと願いもする。かくては、よろずのことが面白くなくて

ひどく機嫌が悪い。しかも老いが募っていくにつれて、口さがない意地悪な性格は、ますます甚だしくなっていくのだから、朱雀院としてももはや手が付けられず、堪えがたい思いに苦慮されているのであった。

若君（夕霧）、進士及第

ともあれ、この日、大学の君は、勅題による作文の課題を、立派に作りおおせて、無事進士及第ということになった。こうして、若君は文章生となった。今回の試験には、もう何年も大学寮で学問を積んだ秀才ばかり十人が召されたのだったが、そのなかから無事及第したのは、わずかに三人に過ぎなかったのである。

かくて、大学の君は、秋の諸官任命式に際して、従五位下侍従に任ぜられた。文章生は通常まず従六位式部少丞あたりに補せられるのが例だったが、若君は特段の出世任官となったのである。

あの雲居の雁のことは、忘れる日とてもなかったが、父親の内大臣が後生大事に囲い込んで守っているのも、あまりにひどいやりかただと思い、それなら、無理算段をしても逢おうとまでは思わない。ただ、しかるべき機会に、そっと手紙を送る程度で、おもえば二人ともお気の毒な仲らいではあった。

六条院の造営と式部卿の宮の五十の賀の準備

源氏は、どこかに静かな住まいを営みたいと思った。同じことなら、土地も広く取り、堂々たる普請(ふしん)をして、あちらこちらに離れていてなかなか逢うこともできない女君たち……たとえば、あの大井川の山荘に住んでいる明石の御方のような人々を、一所(ひとところ)に集めて住まわせたいという心積もりから、六条京極(ろくじょうきょうごく)のあたりに地(ち)を卜(ぼく)することになった。

この土地は、梅壺の中宮が、母親の六条御息所から受け継いだ古い宮の建っている場所で、その周辺も合わせて四町(よまち)、およそ二万坪ほどの土地を占めて造営することになった。

折しも、紫上の父、式部卿の宮が、明年には五十歳を迎え、五十の賀(が)の祝宴を張らなくてはならないので、紫上は、なにかと準備を始めていた。そうなれば、源氏も、見過ごしにはできない。そこで、おなじく準備をするのであれば、今の古い邸ではなくて、新しく造営した邸宅でと思うゆえ、この新邸の普請を急がせた。

着々と建築も進み、やがてまた新年を迎えた。

五十の賀の準備も、いよいよ佳境に入り、宮の長寿を祈願する法要の後に催すべき精進落としの祝宴のあれこれ、楽人、舞人の差配などを、源氏は熱心に手配させる。いっぽう、紫上は、法事の折の経巻や仏像、あるいは読経の僧に布施する装束や褒美の品々などを用意させるのであった。

二条の東院の花散里のほうでも、それなりに役割を受け持っている。源氏とこの女君との仲らいは、以前にもまして高雅な風情のやりとりに終始している。もう生臭い男女のことからは、遠く隔たった静かな関係になっているのである。

かくて、世の中に鳴り響くほど盛大な用意のほどを、式部卿の宮も仄聞して、思うところがある。

〈源氏の大臣は、もう何年と世の中の誰に対しても仁愛周到なるお心だと評判だが、わが家の辺りだけは、どういうものかな、憎らしく冷淡なあしらいで、なにかにつけて、ばつの悪い思いをさせられる。……私ばかりでなく、わが宮家に仕える者たちに対しても、決して好意を示してはくれぬ。まったく、嘆かわしいことばかり多いものだが……さては、

よほど私のことをひどいと恨むようなことが以前にあったのであろうな……〉
宮は、源氏の冷淡さを、こまったものだ、辛いことだと思っている。
〈とはいえ、こんなにあちこちにかかずらう女も多いなかで、あの娘の紫上だけは、とりわけて愛情深くもてなしてくれている。まことに、奥床しくすばらしい妻として大事に世話をしてくれているらしい……その前世からの良縁が、わが家にまでは及んで来ないのは残念だが……〉と、そんなふうに、恨み半分ながら、また半ばは面目がましいことにも宮は思う。また、
〈しかし、これほどの評判になるほどに、盛大な準備をしてくれるとは思ってもいなかったが、これは、まことに我が年老いての果ての栄誉とも申すべきことよな〉と、単純に喜んでいる。しかし、そのことを、卿の北の方は納得せず、ひたすら不愉快なことばかり思っているのであった。なにぶん、北の方にとっては、自分の腹を痛めた姫の女御入内の折などにも、源氏がなにも便宜を図ってくれなかったらしい一件以来、いよいよもって恨めしく心に染みついているのであったろう。

六条院完成

八月(はづき)。

六条の院の造営が終わって、引き移る。

広大な新邸は、四つに区分されて、まず、西南(ひつじさる)の御殿は、梅壺中宮の実家が以前建っていたところゆえ、そのまま中宮のお住まいと定められた。東南(たつみ)の御殿は、源氏自身の邸である。東北(うしとら)の御殿は、もと二条の東院に住んでいた花散里が住み、西北(いぬい)の御殿は、明石の御方の住まいにと、源氏は決めている。

もともとからあった庭の池や築山(つきやま)なども、よろしからぬところは崩したり、移し替えたりして、遣水(やりみず)の風情や山の姿をすっかり改めて、それぞれの御殿の主(あるじ)となる女君たちのお好みにまかせて造営させたのであった。

東南の御殿の庭は、山を高く築き、そこには、春を好む紫上の好尚(こうしょう)に添うて春の花の木を無数に植え、池の様も風情豊かに美しく造りなし、御前(おまえ)近い植え込みには、五葉(ごよう)の松、紅梅、桜、藤、山吹、岩躑躅(いわつつじ)などのような、春の眺めものの木を特に選び植えて、秋の木々はほんの少しずつ混ぜて植えてある。

中宮のお住まいの御殿は、もとからあった築山に、こちらは秋を好む中宮の好尚に添うて、紅葉の色の見事な木々を植え、庭内に湧き出ている清水から、清らかな水をはるばると引き回して、水音が際立つように、巌を立て加え、そこから滝を落として滔々と響かせる。庭に秋の野をはるばると再現して、ちょうど時節がら、盛んに秋草が咲き乱れている。嵯峨の大井川あたりの野山など、まるで取り柄もないほどに気圧されて見えるばかりの、見事な秋景色である。

東北の御殿、すなわち花散里の住まいは、涼しげな泉があって、夏の盛りにも良い日陰ができるように造ってある。御前近い植え込みには、淡竹を植えて、さやさやと涼しげな葉音を聞かせ、また高く聳える木を植えては木深く山里めいた風情も面白く造りなし、そこに卯の花の垣根をことさらに巡らして、あの花散里の旧宅を彷彿とさせるかのごとく、「五月待つ花橘の香をかげば昔の人の袖の香ぞする（五月の到来を待って咲く花橘の香を嗅ぐと、なつかしい昔の恋人の袖の香がする）」の古歌もゆかしい花橘、また撫子、薔薇、牡丹など、夏の花を数多く植えて、春や秋の木や草は、そのなかにところどころ混ぜてあるに過ぎない。この御殿の東側には、とりわけて馬場の御殿を造って、そこで端午の節句の行事として競馬や騎射を見るための用意としてある。こちらには馬場の柵を立て、さらに五月の節句の遊び所ゆえ、池の岸辺にわざわざ節句にゆかりの菖蒲を植え繁らせて、対岸には厩を建て、世にも稀な名馬を何頭も揃えて立てさせている。

西北の御殿は、その北側に土を盛り立てて仕切り、その向こう側は倉を建て並べてある。この仕切りの築地には、松の木をたくさん植えて、松の雪を愛で遊ぶようすがとしてある。冬の初め、朝に霜の降りた菊の籬、われこそはとばかりに黄葉する柞の原、それに、名も知れぬ深山木の深く枝の茂り合ったのをみっしりと移し植えてあった。

御方々六条院へ移る

秋も彼岸の時分になって、源氏は新築なった六条院に引き移った。その日、みないっしょに移るようにと源氏は定めおいたけれど、梅壺中宮だけは、全員がいっしょの時では、あまりに騒がしくて大仰だからといって、移転をすこし繰り延べると申し入れてくる。

例によって、おっとりとして角々しいところのない花散里は、源氏の希望どおり、その夜、紫上一行といっしょに新邸へ移転してきた。

源氏と紫上の住む春の御殿は、室内の調度も春向きで、この秋彼岸の季節には似合わないが、それでもたいそう格別なしつらいがほどこされている。

紫上の移転に際して用いられた女車は十五台。前駆けの者とては四位五位あたりの者が多く、それ以下の六位の殿上人ともなると、特に縁故のある者だけを選んで随行させる。十五台の車となるとずいぶんな数のようだが、それでも特に数が多いというわけではない。源氏は、あまりに大げさなのも世間の批判のもとになろうかと、これでもずいぶん簡略にしたのであって、何事につけても鬼面人を驚かす大仰さで威勢を見せつけるというようなことはしない。

もう一人、花散里の引っ越しの行列も、これにおさおさ劣るまじき様子であった。こちらには新たに侍従に任官した源氏の若君が付き添って、母代わりのお方として丁重にお仕えしている。これまた、まことにこういう場合の措置として理に適った仕方と見えた。

それぞれの御殿に設けられた、女房どものための局の並んだ一画は、一人一人に相応しいように細かく分けて造作してあって、そこは、全体的な設備調度よりもいちだんと結構な拵えなのであった。

五六日が過ぎて、梅壺の中宮が内裏から下がってきた。それについてはまた、相応の儀礼が執り行なわれたについて、これも大げさにならないようにとの計らいだということであったけれど、それでも当たり前の目から見れば、たいそう重々しいことであった。

中宮が、こうして並び無い地位に就いたということ自体、人に優れた幸運というべきであったけれど、それはもとよりのこととして、なおその人柄の奥床しさや堂々とした風格からして、世の人々から重んじられることも並々ではなかった。

邸内の四つの御殿は画然と仕切られていたわけではなく、それぞれの間(あいだ)に設けた塀に通い戸を設けるやら、渡り廊下を通わせるやらして、縦横に行き通えるようにしてある。そうやって、お互いに親しく温雅(おんが)な間柄(あいだがら)を醸成(じょうせい)できるように配慮して造作してあったのである。

中宮、紫上と贈答

九月(ながづき)になった。

庭の紅葉も、あちらこちらと色づいて、中宮の秋の御殿の庭前(ていぜん)ともなれば、なんとも言いようのない見事さである。

風の颯々と吹いてくる夕暮れに、美しい箱の蓋に、濃淡とりどりの色の花や紅葉をとりまぜて、中宮のかたから、紫上の御殿のほうへ届けられてくる。それを運んできたのは、大柄な女の童であった。濃い紫の衵に、紫苑の織り物（縦糸蘇芳色、横糸青色）の表着を重ねて、赤みの勝った朽葉色の薄物の汗衫という時節柄洒落た出で立ちに着飾って、まことにしずしずと物慣れた態度で廊を渡り、また渡殿の反り橋を渡りしてやってきたのだ。

本来、中宮からのお使者とあっては、なにかとやかましい格式があるはずのところながら、中宮は、童女のなかで容貌の美しい者を放っておくことができずに、敢て、こうしたお使いに用いなどするのであった。

しかも、この童女は、もとより中宮の御所にお仕えし慣れている関係で、一挙手一投足、また風姿容貌など、ほかの女の童どもとは格別、まことに好感が持ててまた麗しくもある。

中宮からの贈り物には、一首の歌が添えられている。

　心から春まつ園はわがやどの
　紅葉を風のつてにだに見よ

秋より春をお好みのお心から、今この秋の美しさには目もくれずに、ただ春ばかりをお待ちになっておられるお庭の辺りには、どうぞわたくしの住まいの紅葉を、折しも吹いてまいりました秋風の便りばかりに、ご覧くださいませ

こんな洒落た贈り物を持って、しかもとびきりにあかぬけた身なりでお使いにやってきた童女を、こちらの御殿の若い女房たちが、せいぜい心を込めて歓待する様子も、またまことに風雅なものであった。

紫上かたからのお返事には、その箱の蓋に、こんどは苔を敷いて、ほどほどの大きさの石を巌(いわお)らしく置き、そこへ挿した五葉の松の枝に、歌を結びつける。

風に散る紅葉はかろし春の色を
岩根(いはね)の松にかけてこそ見め

ああして風に散ってしまう紅葉は、いかにも軽々しいものでございます。せめて、常磐(ときわ)の春の色をば、この重々しい岩根の松の枝にご覧くださいませ

と、あったが、その巌も松の枝も、仔細(しさい)に見ると本物の岩や松ではなく、みな精緻(せいち)を極めた作り物なのであった。

この「お返し」が中宮のもとへ届けられると、こんなにも当座の間にここまで考えついた並々ならぬ心配りなどを、中宮は面白く思って見る。すると、中宮にお仕えしている女房たちも、みな口々に称賛しあったことであった。

このやりとりを見ていた源氏は、

「ふーむ、この紅葉のお手紙などは、まことに小癪なことに見えるね。どうせのことなら、いずれ春の花盛りにでも、一矢報いて差し上げるのがよろしかろうよ。せっかく美しい紅葉の盛りの頃に、強いてそれを言い貶めるのは、ははは、秋の女神竜田姫の思惑もいかがかというところがあるというもの……。だから、ここはひとまず負けるが勝ちとしておいて、やがて、花の盛りのころに、その花の美しさのお蔭を蒙って言い返してお上げなさい。そのほうが、きっと勝ち目のある歌もできることであろうよ」

と、こんなふうに戯れて言い聞かせる。その、いかにも若々しく、美しさの尽きせぬ源氏の君の様子だけでも、たいそう見どころが多いのだが、しかもこの理想のままに造営した見事な御殿で、とりどりに魅力的な女君たちが、かくお互いに優しい心を通わせあっているありさまも相まって、まことに夢のように美しい六条院の暮らしぶりであった。

明石の御方移転

さて、大井の山荘の明石の御方は、このように、ほかの方々の移転がすっかり落ち着いてから、〈わたくしのような物の数でもないような者は、いつのまにか何かの紛れにこっそりと移らせていただくことにしましょう〉などと思って、翌十月（かんなづき）になってから、引き移ってきた。

その部屋のしつらい、また引っ越しの行列のありさまも、ほかの御方がたにすこしも劣らぬよう、源氏は、立派に配慮して執り行なわせた。それもこれも、大切な明石の姫君のためを考えれば、なにごとにつけても、万事ほかの高い身分の方々と差別をすることなく、たいそう重々しいもてなしにするというのが、源氏にとっては、ごく当然のところなのであった。

玉鬘（たまかずら）

源氏三十五歳

忘れ得ぬ人、夕顔

あれからもう何年も経(た)って、はるかな昔になってしまったが、かの思い尽きせぬ夕顔、その花の露(つゆ)のように儚(はかな)く消えてしまった人のことを、源氏は、つゆ忘れることがない。その後(のち)、縁を結んだ女君たちは、それぞれに心のありようは違っていたけれど、恋の数を重ねるにつけても、夕顔のような女はついぞいたためしもない。

〈……ああ、やはりあの人には生きていてほしかった〉

源氏は、しみじみと悲しく残念な思いに、いまでも駆られている。

夕顔に最後まで随従していた乳母子(めのとご)の右近(うこん)は、とりたててどうという身分のものでもなかったが、ただ、夕顔の形見ともいうべき人ゆえ、どうしても面倒をみてやらなくてはならぬと源氏は思って、もう長いこと自分の手元に召し使っている。といっても、かつて須磨に退隠の折、女房どもはみな西の対(たい)のほうへ預けたので、いまも同じく紫上に仕えていて、気立てのごく良い、そうして控え目でおとなしい人だと、紫上は思っている。が、右近の心のうちには、さまざまな思いが去来している。

〈ああ、今は亡きあの方が生きておられたら……どう考えても、明石の御方ほどのお恵みには、ゆめゆめ引けをお取りになるものではなかったものを。源氏さまは、それほど深いご愛情のない人ですら、思い捨てられるということはなくて、ちゃんと取り立てて面倒をみてくださる、そういう、お心が長く変わらない方なのだもの、まして……〉

と、右近は、くやしくてならない。紫上や、梅壺中宮のように、皇統に連なる生まれの女君たち同様にはいかないかもしれないが、田舎の受領の娘に過ぎない明石の御方までが、ああして六条の院の主の一人として引き移ることになっているのを見れば、夕顔の御方だってきっと、ああいう中に混じっておいでだったにちがいないと思うにつけて、果てしなく悲しく思うのであった。

夕顔の娘（玉鬘）、乳母と共に筑紫下向

あの西の京に置き去りにされた姫君も、いっこうにその後は行方が知れない。

夕顔急死の一件は、ひとえに世間体を憚って内密にしていることではあり、もう死んでしまったものは帰らないというのに、今さらながらにこのことを表ざたにすれば、無用に

源氏の悪名が世に聞こえてしまう。源氏からは、くれぐれもこの一件のことで、「わが名をもらすでないぞ」と口固めをされているのであってみれば、姫君を預っているはずの西の京の乳母に消息を送って尋ねてみるわけにもいかない。

そうこうするうちに、この西の京の乳母の夫が、大宰の少弐に任ぜられて、大宰府へ赴任するのに随行して、乳母も姫も九州筑紫へ下っていってしまったのであった。それは、姫君が四つになる年のことであった。

姫にしてみれば、突然に母君が失踪してしまったのだから、乳母は、なんとかしてかの母君の行方を知りたいものと、神仏に祈念して、夜も昼も泣く泣く恋い慕って、もしやと思うところは、あちこち尋ね合わせてもみたのだが、とうとう消息を知ることはできなかった。

〈こうなったからには、やむを得まい。せめてこの姫君だけは行方知れずの母君のお形見として、どこまでもお世話をすることにしよう。……筑紫なんて、とんでもない田舎へお連れするについては、都からはるか彼方に下っておいでになる、その悲しいお身の上について、やはり姫の父君の頭中将さまに、それとなくお知らせしようかしら……〉と乳母は思いもした。しかし、いざとなれば、父君にお知らせする伝手も思いつかぬことであった。

姫君に従っていた乳母たちは、どうしたものだろうと語り合った。

「母君がどこにおいでになるのかも分からないし、……もし中将さまに申し上げて、それでは母親はどこに行ったかとお尋ねになったら、どうお答えしたものでしょう」

「そうそう、それにね、父君といっても、めったとお目にもかからなかったことだし、こう幼い姫を、あちらのご本邸にお引き取りいただくのも、……さあ心配でなりませぬほどに……」

「といって、もしこの姫のことを中将さまがお知りになったら、ゆめゆめ筑紫へ連れて行ってよいとお許しになるはずもないし……」

などなど、口々に言いあったが、結局、これという妙案も得ないまま、ともかく、ただただかわいらしい、そして幼いながら気品高く清純な美しさの姫君を、しかるべきしつらいも施さぬ粗末な船に乗せて、筑紫へ向かって船出していくことになった。その船が漕ぎ出していくときの様子は、まことにいたわしく思われた。

姫君は、幼心にも母君を忘れず、折々に、

「ねえ、お母さまのところへ行くの」
とかわいらしい声で尋ねるにつけて、乳母として涙なしには過ごせない。乳母の娘たちも、夕顔のことを思い出しては、つい涙を流す。そんなとき乳母は、船路に涙は不吉だと、娘たちを諫めなどするのであった。

かくて、風光明媚な瀬戸内の海を、ゆるゆると進んでゆくにつれて、娘たちは、こもごも語りあった。

「あの母君という方は、ずいぶん心の幼い若々しい方だったから、こんな美しい景色を見せて差し上げたかったわ」

「でも、もし母君がいてくださったら、私たち、こんなふうに船にのって下ってきたりはしなかったものを」

そんなことを口々に言い交わしては、ただ都のことばかりが恋しく思い出される。古き物語に、はるばる田舎へ下っていった人の心とて、「いとどしく過ぎゆくかたの恋しきにうらやましくもかへる波かな（それはそれは、過ぎていって二度と帰ることのない日々の恋しいことだのに、この浦（うら）に寄せ来ては、うらやましくも返る波よなあ）」と歌ってあることなども思い出されて、そぞろ心細い思いに囚われていると、折しも、船頭どもが、塩辛声で歌うのが聞こえた。

「うらがなしくも遠く来にけるかな……

浦（うら）の景色も悲しく、心（うら）悲しくなるほど遠く来たものよなあ」

それを聞いて、二人の娘は、向かいあって泣き、歌を歌い交わした。

船人（ふなびと）もたれを恋ふとか大島の
うらがなしげに声の聞こゆる

船頭たちも、いったい誰を恋うというのでしょうか。
ああして大島の浦（うら）のあたりで、心（うら）悲しげに塩辛声が聞こえます

来（こ）しかたも行方（ゆくへ）もしらぬ沖に出（いで）て
あはれいづくに君を恋ふらむ

どこから来て、どちらへ行くのかも知れない、この渺茫（びょうぼう）たる沖に出て、
ああ、いったいどこに私たちは、あなたの行方を恋しく求めたらいいのでしょう

むかし、遠く鄙のほうへ流されて「思ひきや鄙の別れに衰へて海士の縄たき漁せむとは（ああ、思いもかけなかった、こんなふうに都落ちして鄙へ行くとて、すっかり意気消沈して、海辺の民どもさながらに、縄を繰って魚獲りの手技まですることになろうとは）」と詠んだ古人の心さながらに、今都落ちする姉妹は、心ごころに鬱する思いを晴らそうとて、こんな歌を歌い交わしたのであった。

やがて船は筑前の国、金の御崎という難所を過ぎる。この時、「ちはやぶる金の御崎を過ぎぬとも我は忘れず志賀の皇神（あの金の御崎を船が過ぎてしまおうとも、俺は忘れない、志賀島を統べておいでの神さまを）」という古い歌を思い寄せて、姉妹は、こもごもに「姫君の母君さまのことは、私は忘れないわ」と、日々口癖のように言いあうようになった。

やがて大宰府に到着してからは、まして、都までの遥かな遠さを思いやって、その恋しさに泣きながら、ただただ、この姫君を大切にお守りすることだけを考えて、乳母は明け暮れ過ごしたのであった。

乳母の夢などに、ごくたまに夕顔の君が現われることもあった。が、そういう折々の夢には、かならずいつも同じ様子をした女が寄り添うようにして現われてきた。すると、かならず寝覚めの気分が悪くなってしまうということがあったので、どうやらその影のように取りついている女が、よほど悪性のものと思われた。そうなれば、〈ああ、やはりあの君は、もうこの世にはおられないのであろうな……〉と思うようになったのも、思えば、ただ悲しいばかりのことであった。

大宰の少弐死す

大宰の少弐は、五年の任果てて上京したいと思ったが、なにぶん都は遥かの遠きにある。しかも、とりたてて裕福というわけでもない一介の役人に過ぎなかった身ゆえ、なにかと逡巡してばかりいて、すっきりと出立することもできぬまま、無為に月日が過ぎていった。

そうこうするうちに、少弐は重い病にかかって、もはや死にそうな心地になる。けれども、十歳ばかりになっていた姫君の美しさは、不吉なものを感じさせるほどであった。これを見て、少弐には、ただこの姫の行く末が案じられてならない。

「先には母君に捨てられ、いままた私までがお見捨てして、これから先どんなふうに零落なされようとするのでございましょうか。こんなどうしようもない田舎にご成長なさるのも、まったくもったいないことながら、かくなる上は、一日も早く、京にお連れして、しかるべき後ろ盾になってくださる方にもお知らせし、姫君がほんらい身に具えておいでの、前世からの因縁のままにお過ごしいただきたい……と、その思いは山々でございますがなあ。なにぶん、都は広大なところで、なにかと伝手などもございましょうから、まずは都に上ってしまえばなんとかなろうと、その準備を急いでおりましたが……。無念ながら、こんなところで命が尽きようとしておりますことにて……」

少弐には、息子が三人あった。この息子たちに向かって少弐は、

「よいか、ただこの姫君をな、かならず京にお連れ申せ。くれぐれも、そのことだけを心にかけ置くのだぞ。まちがっても、このわしの死後の孝養など余計なことを思わぬようにな」

と、そんなことを遺言したのだった。

この姫君が、誰の子であるかということは、大宰府の人たちにも知らせず、ただ「孫で、大切に育てなくてはならないわけのある子だ」と、そういうふうに披露してあった。そこで、誰にも見せず、ただひたすら大事に大事に育てているうちに、少弐は、突然亡くなってしまった。

残された乳母は、つくづくと心細い思いがして、ただ京へ上りたいと、そればかり思っていたが、この少弐という人は、地元の官吏たちとはとかくに折り合いが悪かったために、その遺族たちが上京をしようにも、助けてくれる人とてもなく、なかなかその便宜を得ることができなかった。ただ、四方敵ばかりというような異郷にあって、乳母たちは、あれやこれやと恐ろしいこと、また憚りのあることに、おろおろとしながら年月を過ごしてしまった。

そうこうするうちに、姫君はいつしか成長して立派な大人になった。すると、亡き母君にも勝るほどのすっきりとした美人で、そこへさらに父頭中将の血筋が加わったせいでもあろうか、いかにも貴やかな品格が具わり、しかもかわいいのであった。加えて、その性格はおっとりとして非の打ち所がなかった。

こういう姫の存在を、人聞きに伝え聞いては、色好みの田舎人どもが、懸想をしかけ、その気になって恋文などよこすことが多くなった。もちろん、とんでもない不釣り合いだと思うゆえ、乳母も、また息子や娘たちも、断じて相手にしない。

そこで一計を案じて、

「顔容貌ばかりは、まずまず十人並みでもありましょうが、じつはとんでもない差し障りがありますゆえ、人様にも披露せず、そのまま尼にでもして、私どもの生きている限りは世話をしなくてはと思っているので……」

などと言いふらした。すると、世間の噂として、

「故少弐どのの孫は、どうやら人並みならぬ差し障りがあるそうな。せっかくの美形が、もったいないことよなあ」

などと言っているもののように聞くと、それまた、なんともはや不吉なことのように思えて心穏やかでない。

「かくなる上は、なんとしても都にお連れ申して、父大臣にお知らせ申しましょうぞ。小さかったころには、あれほどかわいがっておいでしたものを、なにがどうでも、これほどの姫君を疎略に思い捨てなさるということもございますまい」

乳母は、そんなことを言いつ嘆きつ、ひたすら仏様神様に願立てをして、一心に念じるのであった。

乳母の二人の娘も、また息子たちも、長ずるままに地元の人たちのなかに連れ合いができて、田舎に住み着いてしまった。かくて、乳母ばかりは、心中に上京のことを急がなくてはと思うものの、じっさいには、京のことはいよいよ遠ざかって、ただ願いと現実の隔

たりばかりが大きくなっていくのであった。

姫君は、やがてだんだんと物心がついてくるに従って、自分の身の上のままならぬことを自覚し、生きていくことの辛さを嘆いては、年三、すなわち、正月、五月、九月の前半十五日間に、仏名を称えて罪障消滅を帝釈天に祈願する精進の戒行に励むのであった。

その後、二十歳ばかりになると、もう立派な大人になったが、その風姿を見れば、こんな田舎に置いておくのはいかにももったいないほどの美しさであった。

この乳母どもが住んでいたのは、肥前の国というところであった。

そのあたりでも、いくらか由緒ありげな家の男たちは、いち早くこの少弐の孫という女の美しいことを噂に聞き付けて、なにやかやと言ってきたものだったが、今も相変わらず四六時中訪ねてやってくること普通ではなく、まことにうるさい限りであった。

大夫の監、姫君（玉鬘）に懸想す

さるなかにも、大夫の監という男は、少弐の下役に当たる者だったが、元来肥後の国に勢力をもっている一族の出自で、そちらの地元では相当の声望家でもあり、裕福で権勢を持った武士なのであった。しかも、荒々しく武骨な心のなかに、なお相当に色好みの心も混じっていて、近在に容貌の美しい女ありと聞けば、なんとしても手に入れて妻にしたいと、そんなふうに思っている。この男が、姫君のことを聞き付けてしまった。

「いやさ、どんな差し障りがあろうとも、俺は目をつぶって妻にしてやろうぞ」

などと、それはそれは熱心に口説きかかってきた。

乳母は、ひたすら恐ろしく思って、

「どうありましても、こうしたお話は聞きいれませず、本人は尼になりたいと申しておりますので」

と返事を申し送る。

すると、大夫の監は、〈おっと、尼になんぞなられてはたまらぬぞ〉と危ぶんで、ごり押しにこの肥前の国までやってきてしまった。

そうして、乳母の三人の息子を呼びつけると、こう話を切り出した。

「のう、もし俺が思う通りにあの姫を手に入れることができたら、その時は、おぬしらと心を一つにしてやっていこうじゃないか。どうだ」

などと持ちかけてくるので、万一逆らってはどんなことが起こるか分からないと恐れる気持ちもあったのであろう、次郎と三郎の二人は、監の味方になってしまった。

二人は交々語り合った。

「思うに、最初この話を聞いたときは、なんとも似合わぬことで、いくらなんでも姫君がお気の毒と思ったが、しかしな、そのご縁を得て我らの後ろ盾として頼りにするには、もってこいのお人じゃ」

「いやまったく。もしあんな御仁に憎まれなどしては、この辺りではにっちもさっちも行きますまいぞ。いかにあの姫が、良いお血筋の人だとしても、現実にその高貴なるお方からは子供として認められてもいない、世にこんな姫がいることも知られないていたらくでは、なんの甲斐のあることぞや。さるほどにこの人がここまで熱心に思いを懸けて下さったことは、姫君にとっての御幸福と申すものじゃ」

「さようさ。思えば、こんな宿縁があったればこそ、かかる辺境にまでさすらっておいでたのであろうさ。となれば、いまここで監どのから逃げ隠れしたところで、なんのよいことがあろう。いずれ監どのも負けぬ気を起こし、怒りにまかせて、どんなことをしでかすか分かったものでないぞ」

二人がこんな恐ろしげなことを言うのを聞き、長兄の豊後の介だけは〈なんというたわけた言い草だ〉と思って、母乳母に、ひそかにこう言い聞かせる。

「さようなことは、いかにもよろしからぬこと。まったく以てもったいないことじゃ。亡き父上のご遺言のこともある。この上は、なんとか手だてを尽くして、姫君を京へ送り届けなくてはなりませぬな」

乳母の娘たちも、泣き惑うている。その心中には、〈あの姫の母君は、突然に姿を消されてしまって、いまだに行方知れず……私たちとしたら、あの母君はほんとにお世話のし甲斐もない方だったわ。だからせめてその代わりに、姫君にお仕えをして、いずれ人並みのお幸せを得られるよう、お世話を申し上げようと思っていたのに……〉、〈それが、よりにもよって、あんなとんでもない者の手に落ちておしまいになるなんて……〉と思い思いして、ひたすらため息ばかりついている。

そんなふうに蔑まれているとは思いもかけず、監のほうでは、〈俺もこれで、人からは一目も二目も置かれる男だからなあ〉などと自惚れていて、一人前にしゃらくさい懸想文など書いてよこす。

見れば、いちおう手跡なども、さまでひどからず、唐渡りの上等な色紙を、良い香りのする薫香でよくよく焚きしめ、すばらしく書きおおせたと、自分では思っているのだが、いかんせんその文面の言葉遣いが、ひどく訛っているのであった。

そうして、いよいよそのご本人が、次郎に手引きをさせて、二人で連れ立ってどしどしとやってきた。

大夫の監という男は、歳は三十ばかりで、背は高く、筋骨太く堂々として、一見してはさまで見苦しからぬ風貌ながら、やはり思いなしか品のない感じがして、乱暴な立ち居振舞いの様など、見るも忌まわしい感じがする。が、テカテカとした顔色などいかにも精力絶倫という様子で、声はがらがらと嗄れ、なにを言うやら聞き分かぬほどの田舎言葉を囀りちらしている。

そもそも懸想人というものは、夜に隠れて通ってくるのが当たり前で、だからこそ「夜這い」ともいうのだが、かかる春の夕暮れにやってくるとは、まことに異なることであった。古歌には「いつとても恋しからずはあらねども秋の夕はあやしかりけり（いつだって恋しくないなんて時とてもないけれど、ただ秋の夕べは、自分でも訳の分からぬほどに恋しいのであったなあ……）」とあるが、まったく、秋の夕べならぬ春の夕べも「あやしかりけり」……おかしなものだったなあと思われる。

ここで、監のご機嫌を損じるようなことがあってはいけないので、母乳母が出て、これに対面する。

「故少弐どのには、まっこと風雅のたしなみ深く、まぶしいようなお方でござったれば、それがしも、なんとぞしてお近づきになりたいと存じとりました。したれども、そげな思いをお見知りおき願う折とてもございませなんだうちに、えらく悲しいことに、お隠れになってしまいましたがなあ。が、その代わりに、かの姫君には、ただひたむきにお仕え申すべく、心を励まして、今日は、甚だひたすらなることながら、来にくいところを強いて参上いたしましたる次第。この、こちらにおいででございましょう姫君は、承りますれば、お血筋も格別なるお方とや……いやその、まっこともったいなきこと、されば、よくよく心得まして、ただただそれがしどもの『わが君』と思い申すことにいたし、そりゃもう、この頭(こうべ)の上に高く戴(いただ)かしていただく所存。祖母(おとど)上どのには、なにやら渋々のお気持ちでおわすげに承っておりますのは、おそらく、それがしが良からぬ女どもを数多(あまた)かかえておりますのを、お聞き及びのゆえ、さようにお疎(うと)みになるのでもござろうか。いやいや、されば、さ、あやつどもと姫君とを、どうして等(ひと)し並(な)みにするようなことがござりましょうぞ。『わが君』のほうは、さよう、帝(みかど)の后(きさき)もかくやというほど、下にも置かずもてなしましょうものを」

などなど、大夫の監は、調子の良いことばかり喋り散らす。

「渋々などとは、めっそうもないことにて……。このようにかたじけなく仰せくださいますこと、はなはだ幸いなことと存じておりますが、せっかくのお申し入れながら、この姫と申します者は、よほどに前世からの因縁が悪かったものでもございましょうか、人様にお目にかけることを遠慮すべき差し障りがございまして……。されば、なんとしてさようにご立派な殿にご覧いただくことなどできましょうと、姫は独り密かに思い嘆いているようでございますれば、わたくしどもも、ただ胸を痛めておりますようなわけでございます」

乳母は、そういってはぐらかす。が、監は諦めない。

「なんの。さようなこと、さらさらご遠慮めさるな。万が一、目がぶっつぶれ、足がへし折れておりましょうとも、それがしがお仕えする上は、なんとしてもお治し申すことでござろう。なにぶん、この肥後の国のうちの仏も神も、ことごとくそれがしに靡いておりますほどになあ」

などなど、監は大言壮語する。そうして、善は急げ、婚礼はいついつに、などと監は急せ

かせるので、乳母は、困じはて、
「三月は、春の果ての月でございますれば、季の果ては祝言を忌むと、この辺りには言い伝えてございましょうほどに、今しばらくのご猶予を……」
などと、田舎らしい言い伝えを楯に、なんとかかんとかその場を逃れる。
監は、仕方なく、ひとまず引き上げていく。その帰りしなに、階を降りざま、洒落た歌でも詠もうと思ったのであろう、ずいぶんながいこと、うんうん言って考えていたが、その果てに、
「君にもし心たがはば松浦なる
鏡の神をかけて誓はむ
姫君に、もし私が心変わりなどすることがあったら、松浦にある鏡の神に、どんな神罰を蒙っても構わないと、そうお誓いもうすことにしましょうぞ
この和歌なるもの、さてもさても、上出来に詠めたと存じますでなあ」
かかる埒もない歌を詠んで、にっと笑った様子は、なんともはや、恋のイロハも知らぬ朴念仁というべき者であったろうか。

こんな歌を詠みかけられて、乳母は困惑のあまり呆然自失、とっさにはなかなか返歌までは思いつかない。せめては娘どもに詠ませようと、勧めてみるが、娘たちもまた、

「わたしは、もっと無理。なにがなんだか、ぼーっとしてしまって」

と言って、ぼんやりしている。そのまま、あまり長いこと黙っているのも具合が悪いので、ままよ、心にふと浮かんだままに、乳母が歌を返す。

年を経て祈る心のたがひなば
鏡の神をつらしとや見む

もう何年来と、お祈りしてまいりましたのに、その心が聞き届けられないなら、鏡の神を、ひどい神様だと見ることでございましょう

と、声をわななかせて言い返したのを、監は聞き咎める。

「あいや、待たれよ。祈りが聞き届けられないとは、なんという仰せか」

どうもかちんときたらしく、監はにわかに迫ってくる。これには、みな脅えて真っさおになった。

娘たちが、こんどはさすがに、心を強く持って笑顔をつくり、

「その姫君が、差し障りのある体でいらっしゃるのを、せっかくそれでも良いとおっしゃってくださったことが、かけ違って駄目になってしまったら、なんと辛いことと思うでしょう、というつもりなので……」

「ええ、それをもう年のせいですっかり惚けておりますから、見当違いに鏡の神様を引き合いに出して、申しそこなったものと見えますこと……」

などなど、うまいこと言いくるめる。

「さようか、さようか」

監は、なんども頷いて、また言う。

「なるほど、そう聞いてみれば、なかなか結構な詠み口でござりまするな。それがしとて、田舎びていると評判かもしれぬが、じつは、それほど取るに足りぬ下民というわけではござらんぞ。都の人だからとて、何ほどの者ぞや。それがしも官人の端くれ、都人のことなど、たいてい心得てござる。そうそう思い侮りなさるなよ」

と、こんなことを言いながら、もう一首詠もうと思っている様子であったが、どうやらうまく思いつかなかったらしい。そのまま去っていくようであった。

豊後の介、京へ逃れることを決心す

次郎がこの監にすっかり言いくるめられてしまっているのも、乳母にとっては、ただもう恐ろしく不安で、一刻も早く上京の手だてを考えるよう、長男の豊後の介をせっつく。

〈そうはいってもなあ、さてどうしたものであろう。この際、相談に乗ってもらって助けてくれるような人もいないし。……数少ない弟たちは、二人ともあの監めの手先となって、この俺が監に同心しないからといって、今では険悪な仲だし。なにせ、あの監を敵に回しては、この辺りではちょっと動くのさえ、窮屈なことになるであろう。それどころか、生半可なことをしては、どんなひどい目にあうかわからぬ〉

など、とつおいつ思い煩っている。

しかし、姫君が人知れず苦悩している様子を見るにつけても胸が痛み、もうこんなことでは生きているのがいやになった、と思い沈んでいるらしい姫君の気持ちも、もっともなことと思えるので、豊後の介は、よしっとばかり一大決心をしてこの里から出立（しゅったつ）することにした。妹たちも、もう何年と連れ添っている夫を捨てて、この姫のお供をして行く。

子供時分には貴君と言っていた下の娘は、今は兵部の君と呼ばれているのだが、こちらのほうは、夜分に夫のもとから逃れ出てきて、姫といっしょに船に乗った。

大夫の監は、いったん肥後の国に帰り、四月二十日に吉日を卜して、結婚のためにまた来るということになっていたので、このように急いで逃げたのである。

姉娘のほうは、夫との間に何人も子供が生まれていたこともあって、結局家を出てくることができなかった。

〈これでもう二度と、姉さまとは会えないかもしれない。……ここで何年も暮らしたとは言っても、どうしても見捨てがたいというほどの所でもないけれど……〉と妹は思う。けれども、あの松浦の鏡の宮の前の渚と、姉さんに別れるのだけは、何度も何度も、振り返り振り返りするほどに名残が惜しまれるのであった。

兵部の君は歌う。

浮島を漕ぎ離れても行くかたや
いづくとまりと知らずもあるかな

心憂きことばかり多かったこの浮き島……かりそめの場所から、漕ぎ離れて行く、その行くえの、どこに船宿りするところがあるのか分からない。いつ安息の宿りに着くのかわからないこと……

姫君がこれに和する。

行く先も見えぬ波路に船出して

風にまかする身こそ浮きたれ

これから先どうなるかも分からない、この波の上に船出して、風に吹かれてさまよっていくこの身こそ、まるで波に浮き漂っているような、まことに憂きことでございます

この先、波の上に跡絶えて行方知れずになってしまうような心地がして、姫君は悲しみにうつぶせに臥してしまった。

こうして逃げたということは、いずれ露見して人づてにでもあの監が知るであろう。そうしたら、監のことだから、負けぬ気を起こして追いかけてくるだろうと思うと、みなおろおろと気が気でない。そのために、早船と呼ばれる格別に櫓を多く立てた大型船を用意したので、ただでさえ船脚が速いところへ、さらに思うままの順風に恵まれもして、恐ろし

いほどの速さで船は海上を奔り渡っていった。

こうして、難所として聞こえた播磨の響灘も無事通り過ぎた。すると、その時、

「海賊の船かもしれぬ。なんでも小さな船が、飛ぶようにやってくるぞ」

などと言う者がある。海賊のどんな荒くれ者よりも、あの大夫の監のような恐ろしい人が追っかけてきたのではないかと思うと、足が地に着かぬ思いがする。

憂きことに胸のみ騒ぐ響きには
響きの灘もさはらざりけり

恐ろしいことが起こるかもしれないと、ひたすら胸の騒ぐ、その響きの高さに比べれば、響灘の波など、なんの障りにもなりますまい

乳母は、こんな歌を詠んだ。

「川尻というところも、間もなくでござるぞ」

と船頭どもが指呼する。淀川の河口も間もなくらしい。これには一同少し生き返った心地がする。

あのだみ声で舟歌を歌っていた船頭どもが、また歌を歌う。

「韓泊より、川尻おすほどは……

あの韓泊の港から、川尻目がけて漕いで行くときゃヨォ〜〜」

この塩辛声が、いっそ荒っぽいのも、却ってしみじみと聞きなされる。

豊後の介は、船頭の歌の末を、しんみりと心うたれるような調子で、歌い継ぐ。

「いとかなしき妻子も忘れぬ

いとし女房や子供のこともとんと忘れたがヨォ〜〜」

と、こんな歌を歌って、はたと思い返せば、実際その歌さながら、妻子もなにもかも打ち捨ててきてしまったことが悔やまれる。

〈……ああ、今ごろ、あいつらはどうしているだろう。いざというとき身の助けになりそうな家来どもも、みなこうして連れてきてしまったが。……あの監のやつめが、俺を憎しと思って、罪もない妻子を所払いにでもして、さんざんな目にあわせているかもしれぬ、……なんと分別もなく、妻子を省みることもせずに出てきてしまったものよなあ〉と、今こうして、すこし心静かに考える余裕ができてはじめて、呆れ果てたことをしたものだと、それからそれへ思われて心も弱りはて、堪えきれず声を上げて泣いた。

豊後の介は、

「胡の地の妻児をば虚しく棄て捐てつ

胡の地に囚われている間に、あの地で娶った妻や、儲けた子を、こうして虚しく棄て去ってきてしまった」

とて、ふと胸中に浮かび来たった『白氏文集』の一句を朗誦する。

これを聞いて、妹の兵部の君も、また平気ではいられない。

〈ほんに、とんでもないことをしてしまった。もう何年と仲良く暮らしてきた夫の心を、にわかに裏切って、こうして逃げ出して来てしまったが、あの人は今ごろどう思っているだろうか……〉と、物思いは尽きない。〈これから帰っていく都といったところで、私たちにとって、帰るべき故郷の家があるわけでなし、こんなときに知り合いとして頼み寄るべき人も考えつかぬし、……ただ姫君おひとかたのために、長い年月住み馴れた筑紫の里を棄てて、まるで海に浮かび風に任せて漂っていくようなこの先、どうしたらいいのか思いもつかぬ。それに、この姫君のことだって、これからどうして差し上げようというのか、はてさて……〉と、呆然たる思いであったけれど、ままよ、どうにでもなれとばかり、急ぎ京に入った。

一行は九条に仮寓、石清水八幡宮に詣でる

さて、かの夕顔が隠れ住んでいた五条あたりの家、あの家の主は乳母の娘だったが、二十年あまりも昔のこととて、今は行方もしれぬ。辛うじて、九条あたりの場末も場末に、昔知りあいだった人が生き残っているのを探し出して、まず雨風を凌ぐ家だけは確保したけれど、さて、その九条などいうところは、一応都の内には違いないが、まともな人の住んでいるところではない。ただ、市の物売り女やら、商人やら、いずれろくでもない者どもの住んでいる辺りゆえ、むさくるしくも世の中を思い煩いながら、季節は移って秋七月になった。

秋風の立つころになれば、来し方行く末が思われて、いちだんと悲しいことばかり多い。頼みにしていた豊後の介も、こうなっては、水鳥が陸に上がってうろうろしているようなもので、ただ所在ない日々、慣れぬ都の暮らしはこれといって生活の手段も得られぬま

まに、……といって今さら筑紫へ帰るのも決まりが悪いし、〈なんとまあ、前後の見境もなく国を出奔してきてしまったものだ〉と思うばかりであった。豊後の介のこんな頼りないていたらくに、付き従ってきた家来どもも、一人また二人と係累をたどっては暇を取って逃げ去り、みな肥前の国へ帰っていった。

こんな様子では、この先都に住み着く方策も思いつかないのを、母親の乳母は、明け暮れ嘆いては、豊後の介にもかわいそうなことをした、とこぼす。そんな母親に、豊後の介は、けなげにもこう言い慰めるのであった。

「なんの、我が身の上などはなんでもありませぬ。ただ、姫君お一人のおためになるなら、この身の一つや二つ、いかようにも引き換えにいたしましょうほどに、こうして私がいずこへなりと行方知れずになったとて、そんなことはなんでもありませぬ。が、しかし、あのままあの里にいて私が大した威勢を得ましょうとも、それと引き換えに、万一にも姫君をあのような田舎者のなかに放り出すようなことになっては、いったいどんな心地がいたしましょうぞ」

豊後の介は、こう言って、また一つの提案をする。

「こういうときは、やはり神や仏にお願いするのが一番です。さすれば、しかるべき運が開けるように神仏がお導きくださるでしょう。そういえば、この近くに、八幡の宮という神社がありますが、それは筑紫のほうでも、姫君がいつも参詣しては祈っておられた松浦の宮、そして筥崎の宮と、ご神体を同じくする社です。あの肥前を発って来るときも、松浦や筥崎の宮に、多くの願立てをなさっておいでであったし。されば、いま無事都に帰ってきた以上、『こうしてご霊験を得て上京することができました』と、お礼参りをなさるがよろしかろうと思います」

そういって、介は姫君を石清水八幡宮に詣でさせたのであった。

八幡詣でに際しては、その辺りをよく知る人に尋ねて、いくつもあった八幡社の別当寺の五師と称する人々の中に、昔亡父が懇意にしていた高徳の僧が生き残っていたのを呼び出して、姫君を八幡に詣でさせたのであった。

次に、長谷寺に参詣

次に豊後の介は、こうも言い聞かせた。

「それからまた、仏のなかでは、なんと申しましても初瀬でございましょう。この日の本のうちに、初瀬の観音さまこそは、まことにあらたかなるご霊験をお示しになると、かの唐土までも鳴り響いていると申します。ましてや、いかに遠い西国の果てとは申しながら、日本の内にずっとおいでになったのですから、初瀬の観音さまが、姫君にお恵みを垂れ給うことは間違いありますまい」

と、こういって、長谷寺へ姫を参詣させることになった。

初瀬詣でについては、安易に乗り物になど乗るのでなく、苦しい道を足で歩いて詣でるほうが、よりご利益が大きかろうというので、ことさらに徒歩でお参りすることにさせた。姫君は、遠道を歩くなど、まったく慣れぬことゆえ、たいそう辛く苦しい思いをしたけれど、ただ、介の慫慂するままに、無我夢中で歩いていった。

〈いったいどんな罪深い身に生まれついて、わたくしは、このようにさすらいの世を送らなくてはならないのでしょう。母上さまが、たとえもうこの世にいらっしゃらないとしても、もしわたくしを憐れと思し召すなら、どうか今おわします浄土とやらへ、わたくしも誘ってくださいませ。もしまた、まだこの世におわしますなら、どうぞ、お顔を見せてくださいませ……〉と、一心に仏を念じながら、辛い旅路を歩いていった。

母といっても、どんな顔だったかさえ覚えていない。ただ、もし母親がここにいてくれたらと、母のいない悲しさを、今までもひたすら嘆き続けてきたのだが、こうして今さし当たっての旅路の身の辛さに、昔からの悲しみをまた思い出して行くままに、やっとの思いで椿市(つばいち)というところに到着する。京を発って四日目の巳(み)の時(朝の十時頃)、生きた空(そら)もない心地で、這う這う(ほうほう)にたどり着いたのである。

この市(いち)に着いてからは、もはや歩くなどという様子ではなく、あれこれ手当てをしてはみるけれど、もう足じゅうが血豆になって一歩も動くことができぬ。姫は、すっかり悲観的になってしまって、しかたなくしばらく休息することにした。

一行は、まずこの頼りにしている豊後の介、それから弓矢を持っている家来が二人、その下仕え(しもづか)の者や童(わらわ)などが三、四人、女たちは、姫と乳母と兵部の君、都合三人、みな壺装束(つぼそうぞく)とて、旅装用に裾(すそ)を短く着付けている。さらには、厠(かわや)の壺洗い(つぼあらい)などの用を弁ずる女、昔から仕えている下働きの女二人ばかり、とそんな顔ぶれ、いわばほんとうにお忍びの少人数でやってきたのだ。

椿市では、仏様に供えるお灯明(とうみょう)などを調達しなどしているうちに日が暮れてきた。

やがて、一軒の宿に入っていくと、出てきた宿主の法師が迷惑顔で言う。

「きょうはもう他のお約束がありますでな。いったいどちらさんですかな。ええい、考えもない女中どもが勝手なことをしおって」

これはまた失礼な言い草よと思っていると、なるほど先約らしい旅人がやってきた。

夕顔の乳母子右近と偶然の再会

この人たちも、どうやら歩いてきたと見える。人品卑しからぬ女が二人、それに下人どもも付き従って、男女あわせて相当の大人数である。

さらに、荷馬も四、五頭牽かせて、服装こそいかにもお忍びという風情だが、清潔な感じの男どもも何人か随従している。

宿主の法師は、このあとから到着した一行を、なんとかして約束通り泊めたいと思って、右往左往しながら、しきりと頭を掻き掻き部屋割りなど斡旋して歩いている。豊後の介としては、自分たちが無理に押しかけたためにこの騒ぎで、まことに気の毒に思うけれど、といって、今さら別の宿に移るというのも体裁が悪く、だいいち面倒だ、と思うゆえ、豊後の介や家来は奥に入り、下人どもはどこか物陰に隠し、乳母たちは部屋の片側に身を寄せるなどして、その相客との間に仕切り幕など立てると、そのなかに姫君を休ませた。

しかし、この後からやってきた女衆も、どうやらこちらが恥ずかしくなるような相手でもないと見えた。たがいに、たいそうひっそりとして、お互いにせいぜい迷惑にならぬよう気配りをして過ごしている。

じつは、この後から来た女客とは、誰あろう、時世を経てもなお夕顔を恋い慕って泣く、乳母子の右近その人であった。右近は、今や紫上付きとなって六条院に住んでいるが、年月の経過とともに、身分不相応な御殿仕えが、いかにも身に添わぬ感じになってゆくのが悩ましくて、この長谷寺に、たびたびお参りしていたのであった。

徒歩でお参りするのはいつもの習いゆえ、軽便な身ごしらえではあったが、それでも足弱な女に初瀬までの歩行は堪えがたい苦痛で、右近は疲労困憊、物に寄り掛かって休んでいた。

聞くともなく、仕切り幕の向こうの声が聞こえてくる。

「これは、姫君の御前に差し上げますように。旅先の不自由、お膳などしかるべく調え得ませんで、まことに恐縮なることながら……」

などと言っているのは、豊後の介が、幕の側まで寄ってきて、食事らしい折敷（角盆）を差し入れるところなのであった。

右近は、〈なんとまあ、ご丁寧な。あの言葉遣いからして、幕の内の方は、きっと自分たちと等し並みの身分の人ではないのだろうな〉と思って、物の隙間から覗いて見た。

〈……はて、あれはどこかで見たような男だが……〉と右近は思ったが、それが誰であったかまではどうしても思い出せない。じっさい、右近が豊後の介に会ったことがあるのは、まだ介が若かりしころであったし、その後すっかり中年太りはする、日には焼ける、着ているものは粗服とあって、はるか昔の記憶しかない目には、すぐにそれとは見分けることができないのであった。

また男が言う。

「これこれ、三条、姫さまがお召しじゃ」

そういって、呼び立てられた三条という女召使いを見れば、これも見たことがある人のようである。じつは、この三条という婢は、亡き夕顔の御方に、ごく身分は低かったけれど、長く仕えていた者であった。〈……あの者は、あの隠れてお住まいであった五条の家にも、ずっと付き従っていた者に違いない……〉。

右近は、そう見てとった。まさか、まさか、まるで夢のようなことであった。

その主の姫君という人は誰であろう、なんとしても確かめたいが、仕切り幕の奥にひしと隠されて、どうにも垣間見ることができぬ。

〈こうなったら仕方ない……〉右近は思った。〈あの三条という女に尋ねてみよう。そうだ、もしや、あの男は、昔兵藤太と言っていた人ではないかしら。……となると、ひょっとして、あの中に一粒種の姫君がいらっしゃるのでは……〉とそう思いつくと、矢も楯もたまらず、その仕切り幕のなかにいる三条を呼ばせたけれど、何やらお下がりの食い物に夢中にでもなっていると見えて、すぐにはやって来ない。

右近は、〈なんてまあ憎たらしい〉と思ったが、それはいかにも勝手な思いようというものではなかろうか。

しばらくして、やっと三条がやってくる。

「なんでございましょう。お呼びいただくなど、わたくしには身に覚えなきことでございますが。なにぶん、筑紫の国に、もう二十年ばかりも過ごしております下様の者でございますが、そのわたくしをご存じと仰せの京の人とは、さて、お人違いではございませぬか」

など言いながら右近のほうへ寄ってきた。見れば、田舎臭い薄紅色（うすべに）の絹の小袖（こそで）に、なにやら上着を羽織っている。そして昔とは打って変わってすっかり太りかえっている。

右近は、その二十年という年月が自分の身の上にも経過したことを思って、あまり露骨に顔など曝（さら）したくはなかったが、思い切って言ってみる。

「遠慮せずと、こちらにずいと顔をお見せ。どうじゃ、私の顔を見知っているのではないかの」

と言いざま、自分から顔を差し出した。

女は、横手（よこで）を打って、

「あれまあ、あなた様でいらっしゃいましたか。ああ、嬉（うれ）しい上にも嬉しゅうございます。して、いずこからご参詣あそばしましたぞ。上（うえ）さま（夕顔）はお元気で……」

そう言いながら、もはや顔をぐしゃぐしゃにして泣いている。この三条が、まだ若い時分に見慣れていた頃のことを思い出すと、まさに今昔の感があって、もうそんなに長い年月が経ってしまったのかと、胸がいっぱいになる。

「なにはともあれ、乳母（おとど）はおいでか。また、姫君はいかがなさいましたぞ。おお、それから、あの貴君（あてき）とやらは」

右近は、急き込むように尋ねたが、敢て夕顔の消息は口にしない。

「ええ、ええ、皆様お元気でこちらにいらっしゃいます。姫君も、もうすっかり大人におなりでいらっしゃいます。まずまず、乳母にこのことを申し上げなくちゃ」

そう言いながら三条は奥へ入っていった。

これを聞いて、みな驚いた。

「なんてまあ、夢のようにも思えますのう」

「が、右近どのは、ほんとうにひどいお人じゃ。あのように突然、女君とともに消えてしまったきり、なんの音沙汰もくださらなかったこと、言いようもないほど恨めしく思っておった、あの右近どのに、こうして対面が叶うとは……」

そんなことを言い言いしながら、みな仕切り幕のところまで近寄ってきた。そうして、あなたとこなたをよそよそしく隔てていた屛風めいた衝立もろとも、すっかり押し開けて対面する。

なにも言葉にはならず、ただただ、たがいに泣き交わすばかりであった。

やがて老いた乳母が口を開いた。

「して、わが女君は、どうおなりあそばしましたぞや。もうここ何年来、夢でもいいから女君のいらっしゃる所を見たいものと大願を立ててお祈りしておりましたが、なにぶん、遥か遠い田舎におりましては、風の便りにもお身の上のことを聞くことができませなんだ。それは、まことに悲しいと思いますほどに、かかる老いさらばえた我が身ばかりは、虚しく生き残っておりますのも、たいそう辛い思いがいたします。が、さて、あの折に母君がうち捨てていかれた姫君が、なんとしてもいじらしくまたいたわしい様子でいらっしゃいましたので、それが往生の障りともなりまして、いまだにかろうじて瞬きなどしつつ露命を繋いでいるような訳でございます」

こんなふうに言われて、右近は困惑する。昔、あの夕顔の急死したときに、なんとも事実の報告もしようがなかったことに比べて、今のこの状況のほうが、よほど返事のしようがむずかしく、面倒だなと思うけれど、隠してもおかれまい。

「なんともはや、申し上げてもどうなるものでもございませぬ。御方は、もうとっくに亡くなられました」

それを聞いて、乳母をはじめ、女たち二、三人はみな涙に咽び、そこから先は、さてさてどうしたものかくれ惑い、ただ涙を堰きかねている。

「すっかり日が暮れちまったぞ」

豊後の介は、そういって一同を急(せ)き立てる。お灯明のことやらあれこれすっかり仕度が済んで、また先を急ぐことになったので、右近一行ともここで別れてゆく。なまじ、こんなところで思いがけぬ人に巡り合ったりしたので、なにやら浮き足立つ思いで立ち別れる。

「この先ごいっしょに参りましょうか」

右近は、そういって勧めてみた。が、こんなところでにわかに見ず知らずの人と道連れというのも、双方お供の衆が怪しむやもしれぬ。そう思って、乳母は、この一件は介にも詳しいことはなにも話さない。こうして分かってみれば、たがいに旧知の仲で、今さらに相手を恥ずかしがるということもないから、皆ひとときに宿を出た。

右近は、ひそかに目をつけて観察してみる。すると、なかに一人、いかにもかわいらしい様子の後ろ影が、しかし、たいそう窶(やつ)したお忍び姿で、四月(うづき)の更衣(ころもがえ)のころに着るような単衣(ひとえごろも)めいたものを頭からかぶっている。その薄絹を通して透けて見える黒髪の、こんな姿にはもったいないほどに美しいのを、右近は目にして、胸の痛むような悲しみを覚えた。

かねてすこしは足慣れている右近は、豊後の介一行より、早く御堂に着いた。介の一行は、もう歩くことがほとんどできなくなっている姫君に難渋しながら、宵の頃、初夜の勤行が始まったころに、ようやく御堂に上ることができた。

御堂には雲霞のごとく参詣の人々が蝟集して、たいへんな喧騒になっている。

右近の局は、東向きの本尊の右の御手に近い柱のあたりに作り設けてある。しかし、豊後の介一行の依頼した祈禱の法師はまだ修行のほどが浅かったためであろうか、局は同じく本尊右手側ながら、その背面方向ずっと西に下がった遠くのあたりにあった。お互いに、どこに座を占めているのかを探しあって、それと分かると、右近は、

「どうぞ、このご本尊近きところへお移りあそばしませ」

と申し入れる。そこで、乳母たちは介と相談して、男の家来衆はもとの遠い局に残し置き、姫君は右近の局に移した。

右近は、ほっとする思いがした。

「わたくしなどは、このようにつまらぬ身の上のものですが、幸いに、ただ今の太政大臣源氏さまのお邸にお仕えしておりますので、このように忍びの物参りにも、不本意な扱い

をされるということはございますまい、と君のご威光を頼りにしているのでございます。とかくこういう場所では、田舎からおいでの人とみれば、よからぬ半端者(はんぱもの)どもが、侮って無礼を働くことがございます。万一にもそんなことがあったら、姫君にはまことに恐れ多いことでございますゆえ……」

こんなことを語り聞かせながら、右近は、もっといろいろな物語をしたいと思ったけれど、周囲はわんわんいうような人だかりで、しかもみな大声をあげて勤行をしているのであってみれば、なかなか話もできず、かえってその喧騒に引き込まれて、一心に仏を拝むのであった。

右近は、心のうちに、こう祈っていた。

「この姫をなんとしてお探し申そうかと、かねて祈誓(きせい)をかけお願いを致してまいりましたが、かろうじてこうして再会を果たすことができました。源氏の大臣(おとど)も、以前からずっとこの姫君をお探ししたいというお気持ちを強くお持ちのようでございますゆえ、このことをご報告いたしましょう。今は、祈念の通り、どうぞ姫君に幸いをお授けくださりませ」

すると、かの下仕えの三条も、なにやら祈願をかける様子である。このお寺には、あちこちの国々から田舎人も多くお参りしてきている。さるなかに、この大和の国の守(かみ)の北の方も、ちょうど来合わせていた。大和の国は、国々のなかでも大国にして、その守は従五位上相当の官ゆえ、北の方の参詣もたいそうな威勢を張っている。それを羨ましく思って、三条はこんな願いを口にしている。

「大悲大慈の観音様、もう他にはなにもお願い申しません。ただ我が姫君に、大宰の大弐の北の方か、さもなくば、当国大和の守の北の方になっていただけますように、この三条も、身の程相応にがんばってお礼物など差し上げましょうほどに、どうぞ願いを叶えてくだされませ」

と、額のところで合掌して祈っている。右近はこれを聞いて、〈受領の妻だなど、なんという縁起でもないことを申すものじゃ〉と思って、つい窘める。

「その願いはまた、たいそうひどく田舎びたことじゃな。姫君の父君は昔中将でいらした時分にだって、帝のお覚え世の声望がどれほどご立派なことでありましたろう。まして今は、中将どころでない。内大臣にお栄え遊ばして天下をお心のままになさろうかというお方。それだけでもどれほどご立派な、拝みたいほどの親子の御仲でございましょう。それなのに、その姫君を、よりにもよって受領ごときの妻などの身分にお定めするなど……」

が、三条も負けていない。

「なんとまあ、よけいなことを。お黙りなされませ。その大臣うんぬんも、ただいまはまずお置きなされ。あの大宰の大弐さまの北の方さまが、清水の観世音寺（注、大宰府の東にあった大寺）にお参りなされました折のすばらしいご威勢、あれはもう、帝の御幸にだって勝るとも劣らぬものでございましたに。それをやいのやいのと貶めなさるなんて、なんという恐ろしいことを」

こう、言い募っては、いっこうに手を額から放さず拝み続けるのであった。

筑紫の一行は、三日間のお籠りをというつもりであった。これに対して右近は、それほどの予定でもなかったが、せっかくこんなついでなので、ゆるゆる積もる話もしたいと思って、予定を変えて同じく三日間参籠すべきことを、世話役の高僧を呼んで申し入れた。お灯明を奉納するにあたり、その願いの筋を書き表した願文の内容については、すでにすっかり心得ている僧ゆえ、右近は細かなことをくだくだしくも言わない。

「いつもどおり、藤原の瑠璃君という姫君の御ために、お灯明を奉ります。どうぞよく祈ってたもれ。その瑠璃君をば、つい最近やっと見つけだしたことゆえ、その願立て叶った礼物のほうもかならずお果たし致しましょうほどに」

ざっとこんなことを、右近が言っているのを、筑紫の乳母たちは、わきで聞いていて、感極まった思いがする。

法師がおもむろに言った。

「さようでござるか。それはそれはまことにありがたいことでございますな。拙僧がたゆみなくお祈り申しおりました靈験(れいげん)でございましょうぞ」

こんなふうにして、たいそう騒がしく、夜通し勤行は続くのであった。

右近、乳母と姫君（玉鬘）のことを語りあう

一夜が明けると、姫君一行は、右近がかねて昵懇(じっこん)にしている高僧の坊舎(ぼうしゃ)に下りてきた。あのような喧騒な御堂では話もろくにできぬことゆえ、この坊舎で、誰に妨げられることもなく、こころゆくまで来(こ)し方行く末の物語をしようという心積もりであったろう。

見れば、姫君は、ずいぶん質素に窶(やつ)した旅姿で、都住まいの右近に見られるのを恥ずかしく思っているらしい。その恥じらう様子がいかにも好もしく見える。

「わたくしも、思いがけず上(うえ)つ方(かた)の交(ま)じらいをいたし、おかげさまでずいぶん多くの方々

を拝見させていただいたことでございます。されば、源氏さまの北の方、紫上さまのお美しいことは、まずこれほどのお方は世に二人とはおわすまいと、年来存じておりましたが、なんともうお一方、紫上さまのお膝元にご成長あそばします、明石の姫君のご容貌も、源氏の大臣のお血筋ゆえ当然とは存じますが、まことにすばらしいお美しさでございます。それゆえまた、大臣が、この姫君をたいせつにたいせつにお育てあそばすこと、世にたぐいないほどでございましたが……、さてまた、ここにもうお一方、かくもお窶しになっておられますご様子ながら、この姫君のご容姿は、紫上さまにも、また明石の姫君さまにも、どうしてどうして、劣るまじきところと拝見いたします。それはもう、まことに希有のお姿にて……。源氏さまは、父帝の御時よりこのかた、多くの女御がた、またお后がたを始めとして、それ以下のご身分の方々にいたるまで、世に残るところなく、美しい方々をあまねく見尽くしておいでございますが、その御目でご覧になって、今上陛下の御母宮藤壺のお后さまと、いま申します明石の姫君と、『この二所のご容貌、それこそは美しいなかにも美しい人と申すのであろうと思うぞ』など、折々仰せになることがございます。わたくしなどが拝見いたしますところでは、藤壺さまは直接にお目にかかったこともございませぬが、明石の姫君は、たしかにお美しくていらっしゃいます。さりながら、いかんせんまだ幼くて、これからご成人の後には、どれほどのお姿になられようかと、末頼もしい感じがいたします。紫上さまのご容貌の美しさも、やはりどなたが肩をお並べになることであろうかと、そのように拝見いたしております。現に、源氏さまも、『すばらしいな』とご覧になっておられるようでございます。けれども、上さまはなにぶんとも北の方さまでございますから、そうそうはっきりと言葉に出して、美人の一人に数え上げあそばすこともございませんけれどね……。それで、折々には、『そなたは、妻として私と肩を並べている、それこそ、身の程に過ぎた幸いだよ』などと、お戯れに仰せになることがございます。いえね、わたくしなどが脇から拝見いたしておりましても、それはもう見るだけで寿命の延びるようなすばらしいご夫妻の美しさ、いったい世の中に、これほどの方々がいらっしゃるものだろうかと思ってしまうほどでございますけれど、でも、こちらの姫君さまのお美しさは、その上さまにだって勝るとも劣らないところかと……。さはさりながら、ものには限度というものがございますから、いかになんでも、あの仏様のおつむの上から御光が輝き出るようなわけにはまいりませんけれどね。それでも、上さまや、こちらの姫君のようなお方をさして、これぞ縹緻が優れていると申し上げるべきであろうと思えます」

と、右近はにっこり微笑んだ。これには、年老いた乳母も、うれしくてならぬ。

「これほどお美しい姫さまを、すんでのところで、訳の分からない所に埋もれさせてしまうところでございました。わたくしは、そのことが惜しくて悲しくて、住み馴れた家も棄て、頼りにすべき息子や娘らにも別れ、いまではもう却って異国のような思いがいたします都に戻ってまいりました。そこもとさま、どうぞ、できるだけ早う、よい方向に姫君さまをお導きくださいませ。伺いますれば、上つ方にお仕えの由、そうした御身ゆえ、おのずからいろいろとご親交のある縁の方々に、きっと頼りになるお方などもおいででしょう。かくなる上は、父内大臣さまのお耳に達して、お子たちの数の内に入れていただけますよう、なんとかお計らいを願うばかりでございます。どうぞ、よしなにお考えくださりませ」

乳母と右近がこんなことをあからさまに話しあうのを聞いて、姫君は恥ずかしく思い、ふと後ろを向いてしまった。

しかし右近は構わず話し続ける。

「いえいえ、わたくしなどは、まったく取るに足りない身の上ながら、源氏さまも御前近く召し使ってくださっておりますす関係で、なにかの折々ごとに、『あの姫君は、あれからどうなさっておいでなのでしょう』と申し上げることがあります。すると、源氏さまは、そのことをずっと胸に刻んでおられましてね、『私がなんとかして探してあげようと思うのだよ。だから何でも手がかりになりそうなことを聞いたら教えておくれ』など、いつも仰せになりますよ」

「そのことでございますが、源氏の大臣は、たしかにすばらしいお方でございますけれど、そういうご立派な奥方さまたちがいらっしゃいましょう。それゆえ、まずはまことのお父上、内大臣さまにお知らせいただきたいのでございます」

こんなやりとりがきっかけとなって、右近はついつい昔語りをするのであった。

「この姫君の母上さまのことを、源氏さまは、なんとしても忘れ難く悲しいこととお思いになられまして、『もしあの姫を見つけたら、亡き母の身代わりとしてお世話することにしよう。私には、子というものが少なくて寂しいのだからね。もしそういうことになったら、その時は、我が子を探し出したのだと世間には披露しておくことにしよう』などと、以前には仰せになったこともございました。……なにぶん、その時分には、わたくしなどもまったく思いの至らぬことのみで、なにかにつけてあちこち遠慮ばかりしておりましたものですから、……西の京あたりに居られるとは存じていながら、なかなかお訪ねして事の次第をお話しするところまでは気が回りませんでした。そうこうするうちに、ご主人さまが大宰の少弐におなりのことは、みなそのようにお名を呼ぶようになったことで承知いたしましたような次第でございます。その節、筑紫へお下りの前に、お暇のご挨拶に源氏さまのお邸までおこしになられました折には、ちらりとお姿を拝見したことでございましたが、結局、御方さまご逝去のこともなにも申し上げるに及ばず、そのままになってしまいました。さりながら、皆さまが筑紫に下られた後も、姫君だけはあの夕べに夕顔の咲いていた五条のお家に残して行かれたものとばかり思っておりましたほどに……。ああ、ああ、とんでもない。姫君がすんでのところで田舎人になっておしまいになるところだったとは」

などなど、心を許して語らいながら、その日一日、昔の物語やら仏様にお祈りするやらで過ごした。その坊舎は、いささか高台にあって、長谷寺参詣の人々が参道を歩み行くのが一望される場所であった。その坊舎の前を流れて下っているのは、初瀬川という川である。

右近の唇に歌が詠まれる。

「ふたもとの杉のたちどを尋ねずは
　古川の辺に君をみましや
　　あの名高い二本杉の立っているあたりを尋ねなかったら
　　この古川のほとりにてあなたさまと会い見ることができたでしょうか

あの『うれしき瀬にも』という気持ちにて……」

かの「初瀬川古川の辺に二本ある杉、年を経てまたもあひ見む二本ある杉（初瀬川、また古川のほとりに二本立っている杉よ、何年か経ったらまた再び相見えることにしようよ、二本の杉よ）」という古い旋頭歌に詠まれた名高い初瀬川、この古い川のほとりで、ずっと祈っていた姫に相見えることができた嬉しさを、右近はこんなふうに歌に託したのである。乳母らは、右近の歌を聞き、また『うれしき瀬にも』というのを聞いて、「祈りつつ頼みぞ渡る初瀬川うれしき瀬にも流れ合ふやと（逢いたい逢いたいと祈りながら、初瀬の観音さまを頼みにして初瀬川を渡る、やがて、逢瀬という嬉しい瀬にも流れ合うことがあるだろうかと）」という古歌を心に思い浮かべ、なるほど、ほんに嬉しい瀬にも逢うたことだと涙ぐむ。

すぐに姫君が歌を返す。

初瀬川はやくのことは知らねども
今日の逢ふ瀬に身さへ流れぬ

この初瀬川の流れのはやさ、でもそんなはやい時代のことは知りませんが
今、きょうのこの逢ふ瀬という瀬に、うれし涙が川の瀬のように流れて
私の身まで、その瀬に流れてしまいます

こんな歌を口に上せながら、さめざめと泣く様子は、まことに美しい絵のようであった。

〈ああ、こんなにご立派でお美しくていらっしゃるのに、この姫君が、田舎臭く無教養なお方であったら、なんとまあ玉に瑕だったことでしょう。……まことにまことに、よくぞ、このようにご立派にご成人なさったこと……〉と、右近は、姫君を見事に育て上げた乳母の養育のほどを嬉しく思うのであった。

〈思えば、この姫の母君、あの亡くなった御方さまは、ただ、とても若々しくて、おっとりとして、……そしてやわやわとした、たおやかなお人柄でいらっしゃったけれど、この姫君は、ずっとお心の位高く、お振舞いのありさまも貴やかで、こちらが恥ずかしくなる

ほど……まことにどういう高貴のお生まれなのだろうと思わせてくださる……〉

右近は、これほど気品高き姫を育てた筑紫という国の場所柄を、いかにも奥床しい所かと強いて思おうとするけれど、それにしては、以前から見知っていた者などは、皆田舎臭く成り果てていたがと、どうも合点が行かぬ思いがした。

やがて日が暮れると、再び御堂に参籠して、姫君は、翌日もまたずっと勤行三昧(ごんぎょうざんまい)で暮らした。

秋風が、谷のほうからはるばると吹き上ってきて、もう肌寒い感じがする。

今こうして深い思いに動かされている乳母たちの心ごころには、ここに至るまでのなにもかもが思い続けられる。右近に邂逅(かいこう)する以前には、もう人並みの暮らしをすることだけだってとてもあり得ないような気がして落ち込んでいたのに、今この右近の物語を聞いていると、どうやら、姫君の父大臣(ちちおとど)のありさまは、あちこちの腹々に多くの子供があって、そのどうということのない子供らまで、みなひとかどの者として引き立てられているという。姫君は、〈それなら、私のような日陰の草にも光が当たるかもしれない〉と、行く末の頼もしい気がしてくるのだった。

やがて、それぞれの家に帰っていく時になって、互いの住所を問い交わしたが、それでも、もしやその住所に訪ねていっても行方知れずなどということが、またありはせぬかと、いずれもおぼつかない不安を感じた。

右近の家は、源氏の六条院に近いあたりであったので、乳母らの住む九条の巷ともそんなには遠くないとあって、これならば、今後はなにかと語り合う便宜も出来てきたという心地が、お互いにしてきたのであった。

右近、源氏に姫君（玉鬘）のことを打ちあける

右近は、源氏の六条院に参上した。あの姫君のことを仄かにお耳に入れるついでもありはせぬかと思うて、伺候を急いだのである。

女車を、六条院の門に引き入れると、あたりは広々とした壮麗な構えで、そこここに、出る車入る車が錯綜して、たいそうにぎやかである。右近は、そういう空気のなかに、物の数でもないような身分でありながら出仕するというのも、なんだかまぶしいような居心地の悪さを感じずにはいられない、綺羅綺羅しい御殿なのであった。

その夜は源氏の御前にも参らず、物思いに耽りながら己の局でうち臥していた。
翌日、昨夜里方から帰参した上臈や、年若い女房たちのなかで、取り立てて、右近を、という紫上からのお召しが伝えられる。右近は、特に自分を召されたことで、大いに面目の立った思いがし、晴れがましい気持ちで御前に上がった。

それからしばらくして、源氏からも別に召されて、右近はそちらにも参上した。

「そのほうは、ずいぶん里下がりの日数が長かったようだが、どうかしたのか。世の中には、なにやら寡婦も若返るというようななにもあるにちがいない。されば、さぞ良い事でもあったのであろう、どうだ」

源氏は、例のごとく、答えに窮するような戯れ言を言う。

「お邸を罷りいでましてから、七日を過ぎてございますけれど、仰せのような良い事など、なかなかわたくしのような身にはございませぬことで。ただ、初瀬のお山のほうへ足踏みを致しました御利益にて、なつかしい人を見つけましてございます」

「なに、それは、誰かな」

源氏にそう問われて、右近は、ぐっと言葉につまった。

〈さて、こまった。ここですぐに話してしまったら、紫上さまの知らないところで、源氏の殿にだけ打明けたということになり、そんなことが後に露見すれば、紫上さまが、自分に隔てを置いてのけ者にしたとおぼしめすであろう。いや、まずいまずい……〉と、右近はそう思って、困惑しながら、

「それは、後ほど申し上げることにいたしましょう」

とだけ答えた。やがて、人々がやってきたので、源氏もそれ以上は聞きそびれた。

やがて暗くなり、灯明が点された。その油火の明りのなかで、源氏と紫上がゆったりとくつろいだ姿で並んでいるありさまは、これこそ見る甲斐のある美しい絵柄というべきであった。女君は、二十七、八にはなっていることであろうが、なお女盛り、清らかな美貌は少しも衰えず、それどころか臈長けた美しさに輝くばかりであった。右近は、しばらくお暇を頂戴していた関係で、やや間を置いて見る目には、そのあいだにますます色香が加わってきたように見えた。

あの初瀬では、筑紫の姫君をまことに美しい、美しいことはこの紫上にも劣らぬと見たのだったが、こうしていま紫上を目の当たりに見ると、思いなしか、こちらのほうがいっそう美しさが際立っていると思える。〈やはり、御身に幸いの添うておいでの方と、そう

でない方とは、どうしても違いがあるもの……〉と、そんなふうに右近は心の中で二人を見比べるのであった。

寝所(しんじょ)に入るという段になって、源氏は、足を揉(も)むようにとて、右近を呼びつけた。

「こういう役目は、とかく若い女房どもは、辛(つら)がってやりたがらぬものだね。こういうときは、なんといっても、我ら年寄りどうしこそ、心が通いあって仲良くするのによろしいな」

源氏がこんな戯れ言を言いかけると、女房たちは、忍び笑いをする。

「なにを仰せになりますやら。わたくしどもの誰がいったい、お御足(みあし)を揉ませていただくなど親しくお召し使いになられますのを嫌がりましょうぞ」

「ただ、すぐにそういういけないお戯(たわむ)れを仰せになりますから、困りますわ」

源氏も、

「いや、紫上(あれ)もな、私ら年寄どうしが仲良くし過ぎると、またまたご機嫌が悪くなろうな。そんなふうには見えないところが、さて危ない危ない」

などと右近の耳元に囁き入れては、笑い交わす。こういう時の源氏の様子は、たいそう愛嬌(あいきょう)があって、可笑(おか)しみの添うたところもこの頃は見受けられる。

太政大臣という身分に昇った今では、毎日内裏に出勤して政務多端というような身でもないので、世の中をのんびり眺めて暮らすほどに、ただちょっとした冗談などを口にしては、面白おかしく女たちの心を試みたりする、その冗談が過ぎて、ついつい、右近のような老い人にまでも、こんな戯れを言いかけたりするのである。

そして源氏は悪い冗談を言う。

「ところで、さきほど言っていた、あの『なつかしい人』というのは、どういう人なのかね。その山のほうへ足踏みをして、腕利きの山伏とでも懇ろになって連れてきたとでもいうところか」

「なんとまあ、外聞の悪いことを。……では、申し上げます。あの『はかなく消えておしまいになった夕顔の露の、そのゆかりのお方』を、発見いたしましたのでございますよ」

「なにっ、それはそれは、まことになつかしい……。で、この長い年月、いったいどこにいたのか」

源氏のこの問いに対して、あからさまには答えにくくて、右近は口ごもる。

「いえ、その、さる辺鄙の山里に、でございます。姫君には、昔ながらの女房などもいくらかはお仕えしておりましたので、あの時分の物語などかれこれ致しまして、それはもう堪えがたく哀しいことでございました」

右近が、こんなことを源氏の耳に入れていると、源氏はその話の腰を折った。

「もうよい。かの一件のことはご存じない御方がおられるゆえな……」

こんな隠し立てのようなことを言うのを、いやがおうでも紫上は耳にしてしまう。

「おおいやいや、そんな煩わしいことばかり。わたくしはもう眠いので、そんなことは耳にも入りませぬものを」

そういって、紫上は、袖で耳を塞いでしまった。

源氏は、なお尋ねる。

「で、その姫は、顔立ちなど、あの亡き夕顔の人に劣らなかったかね」

「きっと、あれほどのご器量ではございますまいと存じておりましたが、どうしてどうして、夕顔の御方様よりも、また一段と美しくご成長と拝見いたしてございます」

右近は、こう答えた。

「おお、それは良いな。して、その美しさは、どなたと同じほどと思ったかね。たとえば、この君と比べては……」

「めっそうもございません。とてもとても紫上さまには、及びもなきこと」

「ふふふ、紫上（こなた）には及ばぬ、となo それでも実は比べてみたいほどの縹緻（きりょう）だと申すのであろう。さてもずいぶんと得意らしく思っておるようだな。……美しいといって、私に良く似ているというのであれば、なにかと心丈夫に違いないから、な」

源氏は、紫上が聞いていることを計算して、この姫を自分の娘であるかのように、わざと父親めいて言い聞かせるのであった。

姫君（玉鬘）をめぐる源氏の野心

この筑紫の姫のことを聞いてからというもの、源氏は、右近を紫上からは引き離して、ひそかに呼びつける。

「それでは、その筑紫の姫を、こちらの邸あたりへ引き取ることにしよう。もう長年にわたって、あの撫子（なでしこ）の姫がどこへ行ったとも知れずにいるのを、ことあるごとに残念なことと思い出していたのだからね。それが、いまこうして消息を聞き出しながら、今日（きょう）に至るもなお対面することもなく過ごしているのは、まったく見付けた甲斐もないというものだ。……いや、父親の内大臣には、このことは知られないままにしておくがいい。なにぶん、内大臣のところは、腹々(はらばら)にたくさんのお子たちがいて、大騒ぎをして育てているようだから、そのような取るに足りぬ生い立ちの姫が、今さらながら、あの大臣の子供たちの間に立ち交じるとあっては、かえって辛いことばかり多いにちがいあるまい。それに比べれば、私は、このように子も少なく寂しい暮らしぶりなのだから……、そうさな、ひょっと意外なところから探し出した娘だ、とでも披露しておくことにしようか。そして私の邸で立派に育ててな、あちこちの色好みたちに、七転八倒(しちてんばっとう)の恋慕の苦悩でも味わわせてやることにしようほどに、まず重々大切に世話をすることにいたそう」

右近は、源氏がこんなことを語らいかけてくるのを、とにもかくにもたいそう嬉しいことに思って答える。

「どうか、御意(ぎょい)のままにあそばしまして。内大臣さまにお知らせ申し上げるとなれば、源氏さまのほかにだれがいったい、それとなくお耳に入れることができましょう。……されば、あの、空しくも先立たれました御方様のお身代わりとして、なんとしてもあの姫さまのお身の立つように引き立てお助けくださいますこと、それこそが、罪滅ぼしでございましょう」

こう切り込まれて、源氏は、にっこり微笑む。

「これはまた、ずいぶんはっきりと言いにくいことを言うのだね」

そうして、微笑みながらも、ふと涙ぐむのであった。

「ああ、あの夕顔の君とは、いかにも儚い契りであったなあ……そう思って、もうずっと過ごしてきたのだよ。いまこの六条の邸に何人も集えて住まわせている方々のなかにもね、あの君と過ごしたときのように恋しさの深かった人はいない。それでも、あの方々はみな、ちゃんと命長く生きていて、こうして私の心がいつまでも変わらずにいるということを、こんな形で見届ける人ばかりだ。それなのに、あの君だけは、言う甲斐もないくらいあっという間に空しくなってしまって、今こうして、右近、そなただけを形見として見ている、それはまったく残念でならぬ。私の心の中に、あの君のことは一瞬たりとも忘れたことがない。だから、その形見の姫君が、この邸に居てくれたら、それこそは私の宿願の叶う思いがするというものだよ」

こんなことを述懐しながら、源氏は、その姫君に一通の文を送った。

なにぶんとも、あの末摘花をかきくどいてみたら、お話にならないようなありさまであったという一件を思い出すと、くだんの姫君も、筑紫くんだりの田舎に沈淪して育ったというわけだから、どんな人柄であるか、まったく心もとないと思って、源氏は、まずは手始めに手紙を送ってみての返事を知りたいものだと思ったのである。

ともあれ、その手紙はいかにも真面目くさって、この場合に相応しいようなことをせいぜい書き綴り、その奥には、こうあった。

「このように申し上げるのを……

知らずとも尋ねて知らむ三島江に
生ふる三稜の筋は絶えじを

今はご存じなくとも、いずれ人にお尋ねになって知ることができましょう。あの淀川口の三島の岸に繁っている三稜草に筋が繁くありますように、私たちのご縁の筋はきっとつながっておりましょうから」

源氏はこの文を右近に直接託した。右近は、退出して姫君に自ら手渡し、そのついでに、源氏の口ぶりなど、懇ろに語り置く。源氏からは、姫君の装束を始めとしてお付きの女房たちの衣料まで、色とりどりの美しい衣装が遣わされた。おそらくは、この姫君のことを、紫上にもよく相談しての上で、用意されたものであったろう。これらの衣装は、六条院の御匣殿（衣類調進所）に、かねて用意の素材などを各種取り寄せて、色合いを考え合わせ、仕立てに念を入れて、格別の衣装を調えるようにと選ばせたものであったから、かの田舎臭いものばかり見慣れていた乳母たちの目には、まして、この世の外のものかと思うくらいにまばゆく見えたことであろう。

ただ、姫君自身は、手放しで喜ぶ気にもなれない。

〈でも、ほんの申し訳程度のことであっても、これがほんとうの父君からのご消息だったら嬉しいけれど……源氏さまの……まだ見も知らぬ方のお邸に立ち交わるなんて、そんなことがどうしてできましょう〉と、そんなふうに思い巡らしては、心中に苦悩するのであったが、しかし、姫君の身としてこれからいかに生きていくべきなのかを、右近は懇ろに教え諭して、乳母たちもまた、

「そうでございますよ。源氏さまのお世話になって、ご立派におなりあそばしたら、きっと父君内大臣さまも、ご消息をお聞きつけになりますでしょうし……」

「ええ、ええ、親子のご縁と申しますものは、決して切れてしまうということはないものでございますからね」

「それに、そもそも右近が、とるに足りぬ身ながら、なんとぞして姫さまのお目にとまりますようにと願っておりましたのだって、思えば、仏様神様のお導きだったのではござい

ませぬか。ましてや、内大臣さま、姫さま、ともどもにお元気でさえおられましたなら、きっと再会の機会はございますよ」

などなど、交々姫君を慰めるのであった。

そして、「まずはお返事を」と強いて姫君に筆をとらせる。

姫君は、〈でも、私など、こんなに田舎びた者ですのに〉と、恥ずかしく思う。そこで、乳母たちが、唐渡りの紙の、たいそう良い香りを焚きしめたものを取り出して、そこに書かせた。

　数ならぬ三稜や何の筋なれば
　うきにしもかく根をとどめけむ

三稜草の筋とやら仰せですが、わけもない身分のわたくしに、いったいどんな筋があって、あの泥沼（うき）に三稜草が根をとどめるように、この憂き世にこんなふうに根生いしたというわけなのでございましょう

と、この返歌ばかりを、ほんのりとした薄墨で書いてある。筆跡は、その墨色のように儚げで、よろついているけれど、それでも貴やかで、けっして悪くはない。源氏は、あの

末摘花のばかげた返歌などを思い合わせて、ひとまずほっと胸をなで下ろした。

　そこで、あの姫をどこに住まわせようかと、源氏は考える。

〈さてと、紫上や明石の姫君の住む東南（たつみ）の町は、自分も常に居るところではあり、これといった空き部屋もなく、みな華やかににぎやかに住み満ちているので、そこに置くのは、人目にも立ちやすくてよろしからぬ。さてさて……梅壺の中宮がおいでの西南（ひつじさる）の町は、姫のような若い者が住むのにはよろしかろうし、一応閑静ではあるけれど、しかし、なにぶんにも中宮のお住まいとあっては、姫がその女房どもの一人と噂されたりする恐れもあろうな。となると、いかにも地味で目立たぬけれど、東北（うしとら）の町の西の対、あそこに書物庫（ふみくら）として使っている部屋が一つある。あれを他の所に移してと……〉など、姫の居所（きょしょ）に当たりをつける。

〈それに、あそこだったら、あの花散里という人は、いかにも控え目で、なんといっても人柄が良い。だから、なにかと相談相手にもなって仲良く暮らしていけるであろうな〉

と、源氏の考えはそこに落ち着く。

源氏、紫上に夕顔のことを語る

紫上にも、今になって、あのありし昔の夕顔とのめぐり逢い、そして死別のことなど、はじめて打明けることになった。

すると、なにも自分には言わずに、長い年月源氏が心に秘めていたそんな事実があったということを、紫上は恨めしく思ってつい不満を口にする。源氏は眉を顰めた。

「またそういう訳の分からぬことを言う。いいかね、その人はとっくに亡くなってしまっているんだよ。それなのに、なにかこの世にある人のことのように……しかも、聞かれもしないのに問わず語りに話すようなことかね。だけれどね、黙っていてはすまないと思えばこそ、こうして姫君の発見の機会にわざわざ正直に話して聞かせるんじゃないか。それこそは、そなたのことを特別大事に思っていればこそなんだから、それを解ってくれなくては立つ瀬がない」

こんなことを言って諫めながら、源氏は内心に、あの従順可憐だった夕顔のことを思い出していた。

「私も、今まで他人の行跡（ぎょうせき）についてはいろいろと見聞きもしてきた。そういうなかには、それほど深く愛し合っていたというわけでもないのに、女というものはとかく愛執（あいしゅう）の深いものだという例をたくさん見聞したことだった。だから、自分自身としては、いたずらな色好みの心はさらさら起こさぬようにしておこうと自戒もしてきたつもりだが、いや、それでもね、どうしても関わりを持つべきでない女とも縁を結んでしまったということがある。そういう女たちのなかで、心の底から、ただもうひたすらにかわいがってやりたいと思うような人は、あの夕顔の女ただ一人であったなあ……と、そんなふうに思い出される。あれがもしまだこの世に生きていたら、あの北の町に住まわせることになっている人（明石の君）と同じくらいの待遇には、きっとしてやったことだろう。……思えば、今までに見知っている女たちの心柄（こころがら）は、ほんとうにとりどりだったけれど、あの夕顔の君は、とくに才気煥発（さいきかんぱつ）というのでもなかったし、風雅な筋のことなどもとくに人に勝（まさ）るとはいえなかったが、ただね、ほんとうに貴（あて）やかで、いや、なにより面倒をみてやらずにはおられないようなかわいらしさがあったのだよ」

源氏がおめおめとこんなことを語り聞かせると、紫上は、きっとなって言い返す。

「そんなことをおっしゃいましても、北の町の……あの明石の御方と同じほどの特別なおもてなしに……そんなことはきっとなかったことでございましょうに」

紫上は、あの北の御殿に入るという明石の御方が、分不相応に厚遇されるのは、やはり不愉快だと思っているのである。

しかし、明石の姫君はたいそうかわいらしげな様子で、無邪気にこのやりとりを聞いている。それを見ると、いかにも抱きしめたくなるほど可憐で、これほどかわいい姫を儲けたのでは、明石の御方に源氏が心惹（こころひ）かれるのも、たしかに道理というものかもしれない、と紫上は思い返しもする。

十月、姫君（玉鬘）は六条院に入る

ここまでの話は、九月（ながづき）のできごとであった。

筑紫の姫が、六条院へ引き移ってくるということは、そうそうすらすらと運ぶものではなかった。まず、姫のお世話をする良い女（め）の童（わらわ）や、若い女房などを探さなくてはならぬ。源氏はさっそくその手配を命じた。

そもそも、筑紫にいた時分、姫の身の回りにはそれなりの教養ある女房たちを置かなくてはいけないというので、京からさすらい流れてきたというような人たちを、人の伝手をたどって呼び集めるなど、いろいろ苦心して仕えさせていたのであったけれど、それも、あの夜逃げ同然に飛び出してきた紛れに、みな国に置き去りにしてしまったから、今ではこれという人もいないのであった。

しかし、さすがに京は天下の都城ゆえ、所も広ければ人も多い。そこで市の物売り女などが、よくよく探し求めて人を連れてくる。それについてはこの姫が誰の子供かなどということは伏せてあるのであった。

まず、手始めに、右近の実家の五条に、秘密裏に姫を移し、そこで女房衆を選び調え、また装束なども立派に揃えて、その後、十月になってから、姫はやっと六条院に引き移ってきた。

ついては、源氏から、東の御方、すなわち花散里に、この姫の世話方をくれぐれも頼み置く。

「もう昔のことなのだが、私が思いを懸けていた人があった……、その人はしかし、思うようにならぬ日々に心疲れてしまったのであろう、どこぞわけのわからない山里に隠れてしまっていたのだが、その人との間には、幼い子があってな。その子はどうしたことだろうかと、ここ何年とずっと密かに探させていたのだ。それでも、なかなか見つからないままに、もうすっかり一人前の女になるまで年月が経ってしまった。ところが、このほど、思いもかけぬあたりから、その姫のことが耳に入った、……そう聞いたからには、今からでもなんとかしてやりたいと思って、こちらの邸に引き移らせることにしたのだよ」

花散里は静かに頷いている。

「この子の母親は、もう亡くなった。そなたには、あの大学を出て中将になった息子の養育を頼んでおいたが、それはそれはよくやってくれている。されば、こたびは、この姫もよろしく世話してもらいたいのだ。なにぶん山家育ちで、がさつな生い立ちゆえ、とかく田舎臭いところがあろう。そこを、しかるべく、なにかにつけてよくよく教えてやって欲しいのだ」

こんなふうに、細やかに源氏は頼み込む。

「さようでございますか。まことに、そのような方がいらっしゃったとは、なにも存じませんでした。もとより、姫君はお一方きりで、いささかお寂しゅうございましたところゆえ、ちょうどよいことでございますね」

と、花散里は、おっとりとした口調で引き受ける。

「その姫の親だった人は、心柄が良くってね、それはほんとうにああいう人はめったといるものではないと思えたものだった。そなたも、不安なく信頼できるお人柄ゆえ、安心しているからね」

などと源氏は言ってみる。

「姫君に相応しくお世話を申し上げるなどと申しましても、さほど大層なことでもございません。いずれ、わたくしなどは所在なくいたしておりますゆえ、そうしたお役目を頂戴いたしますことは、嬉しいことに存じますので……」

花散里はこんなことで、ごく穏やかに受け入れてくれたのだが、御殿に仕えている女房たちは、こたび引き受けることになった姫が源氏の娘分に当たるのだとも知らず、

「それはまた、どういう人であろうの。どこから探し出しておいでたのやら」

「いずれいつもの、こと面倒な、古物めいた女でも引き取って来るのではあるまいか」

などなど、勝手なことを評定している。

やがて、女車が三台ほど到着する。なかには、しかるべき姿の女房たちが乗っていて、右近の差配下に、田舎臭いこともなく、万端立派に仕立ててある。すると、源氏のほうから、綾織物やら何やら、多くのお仕度ものが届けられる。

その夜、すぐに源氏はこの御殿にやってきた。

昔から、光源氏という名前ばかりは、常々耳にしてきたが、ずっと長いこと田舎暮らしで都とは無縁であったので、姫は、さまですばらしいとも思わずにいた。しかし、今、ほんのりと点された灯明台の明りに、几帳の垂絹の合わせ目からちらりと覗いてみると、姫の目には、その美しさが、美しいというのを通り越してなにやら恐ろしいほどにさえ感じられる。

源氏が歩み寄った戸口の錠を開いたのは、ほかならぬ右近であった。

「おお、右近。この戸口に忍び入るべき男は、そなたにとっては格別の人かね。ふふふ」

源氏は、そっと錠を引き抜く右近の、いかにも秘ごとらしい様子を見て、ついこんな戯れ言を言いかける。そうして、廂にしつらえた御座に、するりと座ると、また戯れらしく言葉をかける。

「この薄暗い明りは、どうも恋に忍んできたところのような気がするぞ。いずれ懸想ずくでもなし、もとより親の顔は見たいものだと申す、そうではないか」

など言いながら、源氏は、間を隔てる几帳を、すこし横へ押しやった。

急にそんな無体なことをされて、姫君としては、わけもなく恥ずかしくてならぬゆえ、つい横を向いた。その様子がまた、いかにも好ましく見える。源氏は嬉しくなった。

「今すこし、光を明るくしてくれぬか。こんな明りではあまりにも思わせぶりすぎる」

右近は、さっそく灯明台の灯の灯芯を掻き上げてから、すこし近いところへ引き寄せる。

「おいおい、そなたも無遠慮な人だね、そう急に明るくするとは」

そう言いながら源氏はにっこりと笑った。こうして明るくした灯で見てみれば、なるほど右近の言っていたとおりの目元の美しさ、見ているほうが恥ずかしくなるほどであった。

いま初めて対面するというのに、源氏は、他人行儀な態度はさらさら見せず、さながらほんとうの親めいた口調でおっとりと語りかける。

「ずっともう行方知れずでいたが、私は一瞬たりともそなたのことを心にかけぬ時とてなく、ひたすら嘆いていたのだ。……が、こうしていま顔を見ることができたについても、まるで夢かと思われて、過ぎてしまった日々のことが、それやこれやと心に浮かんでくる。ああ、とても我慢ができぬ。こうしてなにか言おうと思っても、胸が一杯で話すこともままならぬ」

そういって、源氏は目を押し拭う。真実、源氏の心には、昔のことが悲しく思い出されている。あれからいったい何年が経ったのであろうかと、源氏は指折り数えてみる。

「親子の仲でありながら、こんなに長い年月会うこともなく過ごしてしまったのは、世にたぐいないことであろうな。それこそ、前世からの約束であったとは申せ、なんと辛い約束だったものだ。そなたも今は、世慣れぬ若い人のように恥じらうほどの年齢でもないと思うのだが、……この長い年月、離れていた間のことも、よもやまお話をしたいと思うのに、なぜにそのように、はっきりしない態度をとっているのかね」

そんなことを、恨みごとのように源氏は言う。姫君はしかし、そう言われても自分のほうから源氏に話すべきなにごとも思いつかないので、ただ俯いて恥ずかしそうにしている。しばらくして、小さな小さな声で言った。

「かの『脚立たず』に流されました蛭子のように、幼き日に父母に別れまして後は、ただ片里に身を沈め、生きているか死んでいるかもわからぬような日々でございました」

こんなことを言う姫君、その声や口調はまったく今は亡き夕顔にそっくりで、ただ、おおらかな子供らしい感じがするのであった。

「父母はあはれと見ずや蛭の児は三歳になりぬ脚立たずして（あの骨無しで流された蛭子の

父母イザナキ・イザナミの神々は、この子をかわいそうだと思わぬのでしょうか。脚の立たぬままに三歳になったこの子を)」、源氏は、そんなことを歌った古歌を想起しながら、なかなかゆかしいことを言うものだと、ますますこの姫を見直して、にっこりと微笑んだ。

「遠い片里に沈んでおられた、母亡きそなたにとっては、ただ一人残った父親のこの私以外に、誰がいったい、今かわいそうにと思うことだろうかね」

姫の蛭子の歌にかけてさえ、源氏は、自分こそが実の父親であるかのような素振りを見せて、新しく来た女房たちに、そう思わせようとしている。

そんなことをやりとりしたあと、源氏は、この邸でのしきたりだの、必要なことあれこれを右近に申し付けて、そのまま引き上げていった。

源氏、姫君(玉鬘)について紫上に語る

ひとまず、姫が思ったよりは感じがよいのを嬉しく思って、源氏は、そのことを紫上にも話して聞かせる。

「いや、あの姫のことだが、あんな田舎人たちに立ち交じって長く過ごしたのだから、ど

んなにうんざりするような人かと思い侮っていたんだけれど、どうしてどうして、実際には、なかなかりっぱな人で、こちらのほうが却って気恥ずかしくなるほどに見えたよ。かくなる上は、こういう姫がここにいるということを、なんとかして人に知らせて、弟の兵部卿(ひょうぶきょう)の宮などが気付くようにし向けて……あの宮はこの邸のたたずまいが好ましいとやら言って、しょっちゅう出入りしているようだが、その風流ぶった心を恋心で乱してやりたいものだね。いや、宮に限らず、世の色好み連中が、変に真面目くさってここらあたりに顔出ししているのも、おもえば、こういう色めいた話の種になるような姫が、この邸にはいないからなのだ。だからこそ、私はあの姫をひしと心込めて世話してやりたいのだ。顔のほうは真面目らしくしていても、心は千々(ちぢ)に乱れて、とうてい平気ではいられなくなる男たちのどたばたぶりなどを、たくさん見物してやろう」

　源氏の口ぶりは、どこまでも諧謔(かいぎゃく)めいている。

「それはまたなんと訳の分からない父親ぶりですこと。なによりも優先して、男の方々の心を燃え上がらせるようなことを真っ先に考えるなんて……。けしからぬお考えですよ」

　紫上は呆(あき)れたような表情で言い返した。

「いや、今言ったような考えだったら、そなたを連れて来た時分に、そのそなたをこそ今のあの姫のような立場に置いて、男達の心を乱してやるんだったが……惜しいことをした。考えもなく、さっさと妻にしてしまったのは、はっはっは、とんだ浅慮であったな……」

これには紫上の面に朱がさした。その様子は、たいそう若々しく魅力に満ちている。

やがて硯を引き寄せると、源氏は手習いのように、

「恋ひわたる身はそれなれど玉かづら
いかなる筋を尋ね来つらむ

あの夕顔の君を恋しく思い続けている我が身は昔のままだけれど、珠玉のごとく美しい鬘のように、絶えずにつながっているあの人との一筋の縁、そなたはどんな筋をたどって、その絶えぬ縁を尋ねて来たのであろう」

と、一首の歌ばかりをさらさらと書いた。そうして、

「ああ……」

などと、ひとり呟いている。それを聞くと、紫上は、〈きっと、その深く思いを懸けていた人とやらの忘れがたみなのでしょうね〉と思うのであった。

この歌のゆえに、これよりは、この姫君を玉鬘と呼ぶことにしよう。

子息中将（夕霧）にも披露

今は中将になっている源氏の子息、かつての大学の君にも、源氏は敢て申し送った。

「このたび、そなたにとっては姉弟に当たる姫を探し求めて邸に引き取ったので、こちらのほうに来て、そのつもりで仲良くするがよいぞ」

中将はさっそくやってくると、

「わたくしは、いまだ人の数のうちにも入らぬ若輩ですが、こういう血を分けた者がいるということを見知りおかれて、まずまっさきにお呼びつけいただきたかったと思います。こちらのお邸に引き移られた際にも、知らぬこととは申せ、駆けつけてお力になれなかったことが残念です」

と、ごくごく真面目な口調で挨拶をする。

玉鬘の近侍の女房たちのなかには、昔から仕えていて、事実を知っているものも乳母をはじめとして何人かあった。そういう女房たちは、この真面目くさった中将の挨拶を脇で聞いていて、なにやら居心地の悪い思いに呵まれる。

玉鬘の六条院での暮らし

乳母や兵部の君、あるいは三条などの女たちは、かつて筑紫にいた時分には、あれはあれで思いを尽くして立派に拵えた住まいだと思っていたものだったが、今思えばそれは、びっくりするほど田舎臭いものであったと合点せざるを得ない。

〈……あれとこれを比べたら、それはもう喩えようもないほどの違いであったなあ〉

〈……調度からなにから、どれもこれも、ここでは華やかな美しさに満ちて、しかも気品があって……〉〈それに、姫様がこちらのお邸で親兄弟として睦まじくされる方々ときたら、そのご容貌といい、お振舞いといい、まぶしいばかりにすばらしい方々ばかり……〉

などなど、心ごころに思い続けている。

さしも大宰大弐びいきの三条も、今となってはさすがに現実に目覚めて、あんな大宰大弐程度は、大したものではなかったのだと、軽く見るようになった。

ましてや、あの大夫の監のごとき、乱暴な息遣いやら下賤な様子、どれをとっても思い出すさえ縁起でもない奴であったと、呆れ果てている。

そうして、豊後の介の忠義な心がけを、世にも珍しい者であったと、今では玉鬘も思い知って、右近もまた、しきりにそれを思いもし口に出して言いもするのであった。

源氏は、なにごともなおざりにしていては、事足りぬことも出来しようからとて、玉鬘お付きの家来たちを任命して、その者たちに、しかるべきことをきちんと命じおいた。

豊後の介も、この際、玉鬘付きの家来の一人に任命された。介は、長年田舎暮らしに落ちぶれて情無い思いをしていたのだが、いまその名残もないほどに立派な身分となって、一生のあいだ仮にも出入りなどする術もないと思っていた六条院のうちへ、朝に夕に出入りし慣れ、あまつさえ人を従え、指図する身分となったのは、たいそうな誉れと思っている。それについても、源氏の大臣の行き届いた配慮の細やかなること、世にたぐいのないほどであったことは、まことに恐れ多くかたじけないことであった。

年の暮、源氏、正月用の衣装を御方々に贈る

年の暮れになった。

玉鬘の部屋の調度のこと、また女房衆の装束のこと、みな高貴の女君と同列に思って用意をしておいたものを、源氏は玉鬘のもとへ運ばせる。また、姫はこのように美しいけれど、それでもやはり育ちが育ちだけに田舎びたところもあるかもしれないから、いくらか趣味の賤しいところがありはせぬかと侮る気持ちが、源氏にはあって、わざわざ自らの手元で調製した玉鬘の正月用晴れ着なども、同時に届けさせる。すると、そのついでに、邸内に抱えの職人たちが、我も我もとそれぞれの技巧を凝らして織ってきた織物、それで作った細長（衽の無い細い表着）や小袿などなど、色もとりどり、織り方もさまざまなものが調進されてくる。

源氏はこれを見て、

「おお、これはまたずいぶんとたくさんに作ったものだね。これではあちこちの女君がたに平等に分けて、羨みあったりすることがないようにしないといけないな」

と微笑みながら紫上に語りかける。

この際だからと、源氏は、邸内御匣殿で調製した衣装も、紫上の膝元で女房たちに縫わせたものも、みな取り出させてみる。紫上という人は、こういう染め物などの方面にも、なみなみならぬ手腕があって、世にも珍しいほど美しい色合いの、しかも見事な艶のある色を染めることができた。源氏は、そのこともまた、世にも稀な才能を持った人だと紫上を尊ぶ気持ちがある。

また邸内のここかしこに設けた擣殿において、砧で擣って艶を出した絹物を見比べては、濃紫のやら、赤いのやら、さまざまな色合いの絹物を選び、衣を収める櫃や箱に畳んで入れ、それを年長け経験豊かな女房たちが選びあって、これはこちら、それはそちらと、取り揃えて収めていく。

紫上も、この様子を見ていて、

「いずれもいずれも、劣り勝りも見分けがつかぬほど立派なものばかりとみえます。さればば、それぞれ、お召しになる人のご容貌によく似合うものを見定めて、差し上げてくださいませな。どんなに立派なお召し物でも、お姿に似合わぬものは、見良いものではありませんから」

など言う。源氏はこれを聞いて、ふっと笑う。

「ははあ、そんなことを言いながら、選んだ衣装の色合い柄ゆきなどから、着る女君の顔立ちや姿を推量しようというおつもりだね。ははは。では、どの衣がそういう自分に似合うとお思いか」

そんなことを紫上の耳元に囁くと、

「そんなこと……鏡で見ただけではどれがいいとも……あなたさまがお見立てくださらなくては……」

紫上もさすがに恥ずかしそうにしている。

こうして、正月のお召し料が次々と決まっていく。

紅梅の模様を織り出した海老茶色の小袿、濃い紅梅色のたいそうくっきりとした袿は紫上のお召し料、桜襲（表白、裏紫）の細長に、艶やかな薄紅色の柔らかな練り絹の袿を添えたのは、明石の姫君の御料、また、薄い縹色の海の幸の柄を織り出した織物、これはなかなか上品な柄ゆきではあるが、華やかなところがないので、色の深い紅の練り絹を添えて、夏の御殿花散里の御方に、曇りのない真っ赤な袿に、山吹襲（表薄朽葉、裏黄）の細長、これはくだんの西の対の姫君玉鬘にと、それぞれに分けて取らせるのを、紫上は、見て見ぬふりをしつつ、その色と着る人の容姿とを思い合わせている。

そうして、内心に思っていることは、〈あの姫の父君内大臣は、華やかなうえに、とても清らかな感じに見えるのに、どこか初々しいところが足りない。さては、あの姫も、そういう趣が足りないところが、父大臣に似ているのであろうか〉と思って、なるほどなるほどと、お召し料からその人の容貌を推量しているのだが、そんなことは色にも出さない。それでも、そっと源氏が盗み見てみると、その衣装を見つめている表情がただ事ではない。

「おやおや、こんなふうに装束からその主の容貌を当て推量するなどということは、推量された当人にとっては、腹立たしいことかもしれないから、ほどほどにな……。どんなにきれいな衣装だとしても、しょせん物の色には限りがある。が、人の容貌は、そうでないぞ。それほどの縹緻でないとしたって、またそこにはそれなりの深い味わいがある場合もあるからね」

と、源氏はこんなことを言い立てて紫上の心中を牽制する。

ふと見ると、あの末摘花のお召し料として、柳織（縦糸萌葱、横糸白）の織物で、一風情ある唐草文を見事に織り出したもので、いくらなんでもすっきりと明るい衣装を、あの古風で陰気な末摘花にと思うと、源氏はひそかに憫笑せずにはおられない。

また、梅の折枝に蝶や鳥の飛び交っている文を織り出した、唐風の白い小袿に、濃紫の艶やかな袿を添えて、これは明石の御方に……。これを見て、〈……想像してみるとどうやら、あの明石の御方という人は、そうとうに上品なところがあるらしい……〉と、紫上は見て取って、どうしても不愉快に思ってしまう。

空蝉の尼君には、青鈍の織物で、たいそう奥床しい趣味のものを源氏は見付けて、自分の衣料の中から梔子色（黄色）の衣、それに濃い紅梅色の衣を添えて、いずれの御方々にも、正月元旦の同じ日に、みなこれらの装束を纏って出るように、という旨の廻らし文を遣わした。こんなやりかたで、すべての女君が、ぴったりと似合った晴れ着で正月を迎えるのを見たいという源氏の心積もりなのであった。

末摘花またも唐衣の歌を返す

この源氏からの贈り物に対して、女君たちからのお礼の返事も、これまた並々でない。衣装を持参した使者に対するご褒美も、それぞれ思い思いに遣わされたなかに、かの末摘花は、二条の東院に住んでいたのだから、他の女君とは事変わり、もう少し馴れ馴れしからず、優雅な趣向があってしかるべきところであったが、なにしろこの人は四角四面な人柄で、万事は定め通りきちんとしないと気が済まないというわけで、山吹襲の袿を使者へのご褒美に賜ったのはいいけれど、いかんせん、その袖口はひどく汚れていて、しかもただ一着、下に別の衣を重ねる趣向もなく、うちつけに使者の肩に掛けてよこした。その礼状には、たいそう濃厚に香を焚きしめたバサバサした陸奥紙(みちのくにがみ)に、しかもその紙ときたらずいぶん古びて黄ばんでさえいる、そこに、例の呆れ返ったような歌が詠みつけてあった。

「いえいえ、衣を頂戴いたしましたのは、かえって中途半端に心が動いて……

　きてみればうらみられけり唐衣(からころも)
　返しやりてむ袖を濡(ぬ)らして

　着てみますと、裏見(うらみ)られますように、恨みに思えます、この唐衣は……、恋しい人に夢で逢いたいときは袖を返すと申しますが、いえいえいっそ、あなたさまに返してしまいましょうか、私の涙で袖を濡らして」

こんな歌が、またあの古風な上にも古風な、真四角な字で書き連ねてある。源氏は、顔をくしゃくしゃにして笑いを堪(こら)えながら、すぐにもその手紙を下に置かない。紫上は、いったい何事であろうかと、源氏の異常な様子を見やっている。しかも、その使者へのご褒美のものも、まったくどうにもならないような情無いもので、みっともないことこの上ない。見るに見かねる思いがして、源氏は憮然(ぶぜん)としている。使者は、首を縮めてそっと退出していった。

この様子を一部始終眺めていた女房たちは、さすがに、どうにも我慢がならず、たがいになにやら囁きあいながら、忍び笑いをしている。

源氏としてみれば、あの末摘花が、わきまえもなく古めかしいやりかたで、とても見るに見かねるようなところのある利口ぶったやり方には、まったくもって閉口して、どうにもならぬ、と思う。そして、いかにもきまりが悪いという目つきをしている。

源氏の批評、歌の論

「ははは、この古代なる歌詠み人は、いついかなるときでも、唐衣、袂(たもと)濡るる、とかそういう発想から離れられないと見えるな。ま、私だって、その一類だろうけれどね。とはいえ、いっそ古代らしい一筋に一貫して、なまじいに今風のしゃらくさい歌い回しに浮気心を出さぬところは、まあ、立派といえば立派かもしれぬな。言ってみれば、人々が寄り集まっていることを、なにかの折節、たとえば帝の御前などの折には、しかるべき歌詠みどもはみなこれを『円居(まとい)』などという決まり文句で言うことに決まっているわけでね。それから、昔の恋文の洒落たふうな歌のやり取りのなかでは、かならず『あだ人』なんて語を、上の句の末あたりに置いて、それでなんとなく言葉の続き具合がよろしいようなつもりでいたりする。まあ、いってみればそんなことかもしれぬな、はっはっは」

などと言って、源氏は声を立てて笑った。そしてまた言い募る。

「あれこれの草子、また歌枕、などなど万事よく知り尽くして、そのうちの言葉を取り出して詠むというのが癖になっているわけだから、いつも詠みつけている癖というものは、どうあってもなかなか変えることが難しい。かの常陸宮(ひたちのみや)の書写して遺された紙屋紙(こうやがみ)の草子をね、あの末摘花が、私に見よといってよこしたことがある。それには、歌の学問の『髄脳(ずいのう)』とやらがキチキチと書いてあって、ああしてはいけない、こうしてはいけないと、歌の病(やまい)を避けるべきところがたくさん書いてあった。そうなると、私などはもともと、和歌の得意なほうではなし、中途半端に学問などしては、ますます窮屈になって身動きもできぬようになろうかと思われた。それで、面倒になって、さっさと突き返してしまったのだよ。あの常陸宮の姫なんだから、よほどその学問に通じた人と見えるけれど、それにしては、あまりにもありきたりの紋切り型なる歌だねえ」

と、そう言って末摘花の歌を笑うべきものに思っているらしいのは、まことにお気の毒

な次第であった。紫上は、真面目らしい顔をして、

「どうしてその歌学びの草子をお返しになってしまわれたの。書き留めて、明石の姫君にでもお見せすればよかったのではございませんかしら。わたくしの手元にも、どこかの中にしまってございましたけれど、みなひどく虫に食われてしまって……。わたくしなどは、そんなわけで歌学びの草子など読んでもおりませせぬゆえ、そういう学問をされたかたとは格別遠いところにおりますものを」

と言う。源氏は、

「いやいや、姫君のご学問には、まるで役にも立ちますまい。すべて女は、これぞ得意技だと言い立てて特に好むことに夢中になるというのは、あまり見良いものではありませぬぞ。といって、なにごともまったく身についていないようでは困りものだ。だから、そう夢中になるのでなくて、ただこうしようという心の持ちようだけをしっかりと持って、表面上はなにごともないように落ち着いているというのが、まず見た目もよろしいというものでしょうね」

などと言って、末摘花への返歌のことなどは、思いもかけない様子であった。

そこで、紫上は、

「さりながら、あちらからのお歌に『返してしまいましょう』などとあるようですから、こちらからも押し返しなさらないのは、へそ曲がりというものでございますよ」

と、こんな戯れを言って、返歌をするようにと源氏に勧めるのであった。源氏は、しかたなく、人情を捨てない殊勝なる心がけによって、返歌を書いた。いずれ戯れゆえ、ごく気楽に書き流す。それには、

「返さむと言ふにつけても片敷(かたしき)の
夜の衣を思ひこそやれ

あなたは『返そう』と言う。それにつけては、かの『いとせめて恋しき時はむばたまの夜の衣を返してぞ着る（ほんとうに恋しいときは、せめて夢で逢いたいと思うから、夜の衣の袖のあたりを折り返して着ることです）』という古歌を思い出しました。それで、一人寂しく衣の袖を返しつつ片敷いて寝ておいでのあなたのお心を、わたくしは思いやることでございます

仰せごもっともにて」
なんぞと書いてあるようであった。

初音(はつね)

源氏三十六歳

六条院の春

あらたまの年立ちかへる朝(あした)より待たるるものは鶯(うぐひす)の声

古い年が終わって、新しい年がまた立ち返ってくる、その朝から、心待ちにされるものは、うぐいすの初音(はつね)よと、古歌にそう歌われた元朝(がんちょう)の空の気配の、すみずみまで雲一つなく晴れ渡ったうららかさに、そこらの者の家の垣根にも、雪間に草が若々しく色づいてくる。昔の人が「野辺見れば若菜摘みけりむべしこそ垣根の草も春めきにけれ（野のあたりを見やると、若菜を摘んでいる人がいる。ああ、どうりで、わがつまらぬ家の垣根の草までも春めいてきたものよ）」と詠みおいたとおり、春の訪れはいつかいつかと待ち設けて、早くも立った春霞(はるがすみ)に、野山の木々の芽は萌(も)え出(いで)て、一面にぼうっと煙りわたるや、おのずから人々の心ものどかに見える。

ましてここは六条院、そこらの家とは格別、珠玉(たま)を敷き詰めたような源氏の邸(やしき)の御前(おまえ)には、庭をはじめとして見どころが多いところへ、ますます磨き立てた女君がたの住まいのありさまともなれば、筆にも言葉にも、とても描き尽くせるものではない。

春の御殿にて、源氏、紫上と歌を詠み交わす

春の御殿、紫上の住まいの前庭には、とりわけ季節柄とて、梅の香りの春風は御簾のうちまで吹き来たって、焚きしめた薫香の匂いと渾然一体、まさに、目の当たりに極楽浄土を見る心地がする。とはいえ、紫上その人は、かほどすばらしい御殿にも、北の方らしくのどかな気持ちで、心安く住みなしている。また、仕えている女房たちのなかでも、とくに若々しく美しい人々は明石の姫君付きにと選抜して世話させている関係で、紫上の近侍には、すこし年長の者ばかりが残り、それがかえって臈長けた雰囲気を醸し出しつつ、装束も趣うるわしく、振舞いも気品に満ちて、いかにも見栄えよく、ここかしこにうち群れている。

年の初めの歯固めの祝いとて、鏡餅までも取り寄せては、女房たちが、盛大に長寿を祈っている。そうして、かの「万代を松にぞ君を祝ひつる千年の蔭に住まむと思へば（永劫の齢を、あの千年の命を保つという松にかけて祝いました……祝いつる、鶴（つる）は千年と申しま

すゆえ、その鶴も千年の松の蔭に住もうと思うのですから)」という古歌を引きあいに出しなどしつつ、鏡餅に千年の面影を映さんばかりのめでたさで、なにやかやと、どうかこの殿のお蔭を蒙ってずっと命永らえたいものなどと、朗らかに風雅に戯れあっていると、そこに源氏が、突然に姿を見せた。女房たちは、仲間同士すっかり気を許して、寒さしのぎに懐手などして、いささかしどけなくしていたのを、はっと居住まいを正しながら、

「まあ、なんてきまりの悪いこと」

など、口々にぼやきあう。

「おお、ずいぶんとごたいそうに、自分らのための祝いごとをするものだな。さようにお蔭を蒙って生き長らえようなどと言うについては、各自にさぞ願いの筋などあるであろう。すこし聞かせよ。私がその願いの成就するよう、言祝いでやろうほどにな」

源氏は、こんな軽口をたたきながら、からからと笑った。しかし、その堂々たる風姿を見るにつけても、女房たちは、年の初めにこんなお姿を拝見できて、今年は縁起が良いことだと、嬉しがっている。

女房たちのなかで、昔から長らく源氏の寵愛を得て、今では紫上に仕えている、中将の君という上臈が、さっそく源氏の戯れを受けて立つ。中将の君は、源氏との関係といい、

紫上の側近であることといい、我こそがここの女房どもの代表格だと自負しているのである。

「あの『かねてぞ見ゆる』という古歌さながらに、君の千年を、この鏡餅の鏡に宿る神の影にお祈りいたしたことでございました。それに比べては、わたくしごとの願いなどは、どうということもございませぬ」

　これを聞いて源氏は、

〈……ほほぉ、「近江のや鏡の山をたてたればかねてぞ見ゆる君が千年は（わが近江には、あの鏡の山というものを立ててございますゆえ、今からはっきりと見えるのでございます、君の齢の千年と長からんことも）」とは、なかなかしゃらくさいことを申すものだ。ふふふ〉

　と思って、中将の君へ微笑みかけた。

　朝のうちは、年頭の御慶申しに参上する人々で、六条院も立て込んでいたが、それも一段落した夕方になって、源氏は、各御殿の女君たちに挨拶をしようというので、まずは、ことのほか念入りに装束を整え、また中将の君の言い草ではないが、「鏡」に向かって化粧をしている。その鏡に映った影こそ、なんとしても見る甲斐があるように思われるすばらしさであった。

さて、そうして準備万端整えてから、源氏は、まず紫上のところへ顔を見せる。

「今朝、このあたりの女房たちが、鏡餅など運ばせて、ずいぶん愉快そうに戯れていたのは、まことに羨ましく思えたことだが、そなたには、私がじきじきに鏡餅などお見せすることにしようかね」

などと言って、鏡餅を見せながら、いろいろと新年の祝いごとを口にするのだが、そのついでに、年頭の嘉例にて、男女和合豊年満作、ここには書きにくいような艶めいた戯言なども混ぜては、紫上と二人、笑いさざめくのであった。

源氏がまず歌いかける。

うす氷とけぬる池の鏡には
世にたぐひなきかげぞならべる

春が来て、薄い氷も融けたあの池の鏡には
世にまたとないほど幸せで美しい影が並んでいるのが見えるね

そう歌うのも道理、まことに称賛すべき源氏夫妻の仲らいである。

紫上の返し。

くもりなき池の鏡によろづ代を
すむべきかげぞしるく見えける

この曇りない池の鏡には、これから万代の長きにわたってここに住むはずの、わたくしどものきよらかに澄む影が、はっきりと見えることでございます

源氏と紫上は、なにごとにつけても、こうして将来まで末長い契りを言い交わす、それはまことに夫婦の理想ともいうべき姿であった。

そう言えば、今年は元日が年の初めの子(ね)の日に当たっていた。子の日には、千年の齢を保つという小松の根を引いて、その長きを以て長寿を祝うきまりであったから、なるほど、これから千年の春をかけて祝うには、もっとも適切な日なのである。

明石の姫君のもとへ

源氏は、次に明石の姫君のところへやってくる。女(め)の童(わらわ)、下仕(しもづか)えの女など、みな打ち交

じって、庭の築山に生えている小松の根を引き抜いて遊んでいる。これを邸の中から見ている若い女房たちは、この春の遊びに浮き立って、そわそわせずにはいられないようである。北の町に住む明石の御方から、この佳き日のために特別に調えた竹籠や曲げ物に、あれこれの祝いの食べ物を詰めて贈ってくる。それらのお祝いの品のなかに、筆舌に尽くしがたく素晴らしい、五葉の松に鶯の飛び移るところを象った細工物があって、その枝に文が付けてあったのには、さぞかし心中思うところがあるのであったろう。

「年月をまつにひかれて経る人に
　けふ鶯の初音聞かせよ

もう長いこと待つばかりで年月を経（ふ）るうちに、すっかり古人（ふるびと）となってしまったわたくしですが、きょうは松（まつ）の根（ね）を引く子（ね）の日、さればその松の枝に飛んで来る鶯の初音（はつね）を聞かせるように、この初子（はつね）の日に私にも音信を聞かせてくださいませ

『音せぬ里』のほうへも、どうぞ」

文にはそう書いてあった。なるほど、かの「今日だにも初音聞かせよ鶯の音せぬ里はあ

るかひもなし（せめてこの初子（はつね）の日だけでも、初音（はつね）を聞かせよ鶯よ、その声の聞こえぬ里などは、存在する甲斐とてもないのだから）」という歌の心か……せめて文など通わせてほしいという思いなのだなと、源氏は、悲しい母の心をはるかに思いやった。すると、元旦早々の涙など、まったく忌むべきところだけれど、目頭の熱くなるのを禁じえない。

「このお返事は、自分でお書きなされよ。そなたからの初音を出し惜しみするべき人ではないからね」

源氏は、そういって明石の姫君に勧めながら、硯を持ってこさせて、姫に返書をしたためさせた。その相貌はとてもかわいらしく、明け暮れ見慣れている女房衆でも、なお見ても見飽きない美しさというのはこれであった。

あの幼い日の母との別れ以来四年という年月が経っている。そんなに長い月日を、いままで様子を見知ることすらなく過ごさせてしまったのを、源氏は、罪作りなことであったといたわしく思った。

姫君の返し。

ひきわかれ年は経れども鶯の

巣立ちし松の根を忘れめや

松の根引きをするように、あの日、引き別れてから何年も経ちましたが、鶯は巣立ってきた松の、その根を忘れることなどないように、わたくしも生みの母を忘れることなど、けっしてありません

まだ子どもらしい心で、思ったまま詠んだので、なにやらくどくどと理屈めいた歌であったが……。

源氏、花散里のもとへ

次に、夏の御殿、すなわち花散里の御方を源氏は訪ねる。すると、今は春、夏の御殿では季節外れのせいか、たいそう静かに見えて、わざとらしく風流めいたことを作り設けるでもなく、ただ貴(あて)やかに住みなしている様子が見て取れる。

花散里とは、もう長い仲らいで互いになんのわだかまりもなく、しんみりと情(なさけ)の通いあう間柄であった。そうして、今となっては、もはや強いて肌近い閨(ねや)のことなどは思わずに

過ごすというもてなしになっている。けれども、心ばかりは睦まじく通いあわせて、世にたぐいないほど、夫婦としての世々かけた契りを深く言い交わしているのである。

二人の間は几帳が隔てている。しかし、源氏は、せっかくの新春の挨拶ゆえ、几帳ごしにでなく、我が目でじきじきに花散里の姿を見たいと思って、その几帳を少しばかり押しやった。その隙間から、花散里の姿が見える。だからといって、恥ずかしがるでもなく、近寄るでもなく、ただあるがまま静かにしている花散里であった。

源氏は、じっとその姿を凝視する。身に纏っている縹色の衣は、なるほど彩りの鮮やかさには欠ける色合い、いかにも地味な風姿である。髪の毛なども、はなはだ盛りを過ぎてしまっている。色といい艶といい、また毛の量といい、今はもう見る影もない。恥ずかしさに身も細るばかりというほどでもないが、せめて髢でも添えて整えたら良さそうなものだが、〈……あれでは、ほかの男だったら、一目で興を冷ましてしまいそうなものだな。が、私もあの人を見捨てなかったし、あの人もまたずっと私を頼りにしてきた。それでこうして今も昔に変わりなく睦まじくしているのは、私にとっても嬉しいし、心に適った思いがする。思えば、心の浅はかな女たちと同じように、私に背くようなことが、もしあったとしたら、とてもこういうことにはなっていなかっただろう……〉などと思うにつけて、源氏は、二人がこうして対面する折々は、まず自分の心が長い年月ずっと変わらないことも、また花散里の心がしっかりと落ち着いて見識のあることも、嬉しく、これこそは夫婦としてあらまほしい姿だと思いもするのであった。

かくて、源氏は、心細やかに、昨年このかたのよもやまの話などを、心を許して語りあいなどした後、西の対の玉鬘のところへ渡っていった。

源氏、玉鬘のもとへ

西の対では、玉鬘が、まだそれほどこの邸に住み馴れたというほどでもないのに、すっかり風情豊かに住みなしていて、美しい女の童たちの姿も初々しく、若い女房たちの人影もたくさん見え隠れし、部屋のしつらいは、とりあえず必要最低限というところで、まだそれ以上のこまごまとした調度品はくまなく調っているとはいえない。にもかかわらず、それなりに清らかな感じに上手に住みなしているのであった。

見るなり〈ああ、美しいな……〉と思われて、しかも、山吹襲（表薄朽葉、裏黄）の鮮やかな色合いがよく映ってまさに山吹の花盛りにも喩うべき玉鬘の姿形、いかにも花々として、どこといって美しさの曇りとても見当たらない。まことに、すみずみまでその美しさは輝くばかり、これならば日がな一日、いやいや、いつまでもずっと見ていたいという思いがする。が、筑紫脱出以来散々に嘗めた辛酸のゆえか、髪の裾あたりが少し痩せて、はらはらと衣にかかっている、その様子さえも、まことに清らかな感じで、なにからなにまで、あざやかに目に立つ美しさなのを見て、源氏は、〈よかった、よかった、もしこのようにわが邸に迎えることがなかったら、それこそ残念至極なことであったろうな〉と思う。

……しかし、源氏がそう感じたとあっては、この親子という関係のままで無事済まされるとはとうてい思えないが、さてどうだろうか。

いっぽう、源氏ほどの人と、このようになんの隔てもなく、親子のように対面しているけれど、それでも、玉鬘としては〈でも、考えてみると、やはり、どこか心の隔てがあって、納得できない思いがする……こんなふうに源氏さまのお邸に住んでいるということだって、やはり現実とは思えない、なんだか夢ではないかしら〉と思うゆえ、どこかよそよそしい。が、それも、かえって魅力的に源氏には見えた。

「ご縁がつながって以来、もう何年も経ったという気がして、私としては、こうして対面するのもまことに肩の凝らない感じがする。かねての願いが叶ったというわけなのだから、どうか、いっさいの遠慮などは無用のこととして、紫上の住む春の御殿のほうへも渡っていらっしゃい。あちらには、まだ幼くて琴の初歩を習っている子などもいるようだから、まず一緒に習ったらいい。誰といって案じられるような軽薄な心をもっている人もいないところだし……」

源氏がこういざなうと、玉鬘は、

「仰せのままにいたしましょう」

と答える。まず、妥当な返事というべきであったろう。

源氏、明石の御方のもとへ、そして宿る

暮れ方になるころ、明石の御方のもとを訪れる。西北の御殿の近くにある渡殿の戸を押しあけるとたんに、御殿の御簾のうちから通って来る風に、えもいわれぬ薫物の芳香が混じって奥ゆかしく、それだけでも他の場所よりも気品の勝る思いが源氏にはする。が、明石の御方本人は姿が見えない。いったいどうしたのかと、源氏が、あたりを見回してみると、硯のあたりに人のいた気配があって、なにかの草子が取り散らしてある。源

氏は、その一冊一冊、手に取って見てみる。

唐渡り(からわた)のきらびやかな錦織(にしきおり)を縁(へり)に縫わせた敷物に、また一くせある細工の琴(きん)をざっと置き、意匠(いしょう)を凝らした火桶(ひおけ)(丸火鉢)に、「侍従(じじゅう)」という薫香を燻(くゆ)らして、あれこれの物に焚きしめてあるところに、それとはまた別の「裛衣香(えびこう)」をも交えているのは、たいそう華やいだ空気がある。

そこに取り散らしてある手習いの紙を見てみると、どうやら思うさま自由自在に書いたらしいのだが、それが、なかなか風変わりな手跡(しゅせき)で、そうとうに由緒ありげな書き振りである。とは言っても、これ見よがしに万葉仮名の草体崩(そうたいくず)しなどを多用して才気走ったところを見せるわけではなく、ごく当たり前の用字で見やすく書いてある。どうやら、明石の姫君からの返歌を見て、珍しいことと感動するままに、心に響く古歌などをあれこれと書き散らしていたらしい。そこには、

「めづらしや花のねぐらに木(こ)づたひて
　谷の古巣をとへる鶯

なんて珍しいことでしょう、花のような御殿に住んで、すっかり古び忘れられていると思って

いたこの谷のねぐらに、木から木へと飛び伝って、鶯が訪れてくれたのですね

待ちわびていた一声がやっと……」

と、こんなことも書いてあったし、また、「梅の花さける岡辺に家しあれば乏しくもあらず鶯の声（梅の花の咲いている岡のあたりに、私の家はあるのだから、この家に鶯が来て鳴くことはそう乏しいこともありませぬ）」という古歌なども書きすさんである。おそらく、珍しい娘からの文を喜んだあとで、また思い返して、そのかわいい娘に会うことのできない屈託を、こんな歌を書くことで自ら慰める心でもあったろう。源氏はこれを見て、ほんのりと微笑んだが、その姿は見ているほうが恥ずかしくなるほど優艶であった。

源氏は、自らも筆を執って墨に穂先を濡らし、あれこれと余白に書きすさんでいると、そこへ明石の御方が膝行して出てきた。これほど気高い邸内の雰囲気ながら、御方自身の風姿、またもてなしぶりは、礼に適ったいかにも見苦しからぬ作法であったので、〈ほほお、なるほどこの人は、やはり他の人とは一段違っている〉と源氏は感心して見た。

御方は、源氏から贈られた白い小袿をまとい、そこに目も鮮やかにか黒い髪がかかっているのだが、その裾あたりは、すこしはらはらと薄らぎながら衣にかかって、たいそう清

婉な美しさが添うているのも、また心惹かれるのであった。

〈ああ、こんなことをしては、また新年早々から、紫上にあれこれうるさいことを言われるかもしれぬが……〉と、なにやら憚られる思いもしたが、結局、この御方の魅力には抗しえず、そのまま源氏はこの御方のもとに泊まってしまった。こういうことゆえ、〈あの明石の人だけは特別なご寵愛なのだわ〉と、六条院のうちに住まいする女君がたは、皆々どうしても愉快な気持ちではいられないのだ。

ましてや、東南の御殿、すなわち紫上のもとに仕えている女房たちともなれば、どうしたってこの明石の御方を指して目もさめるほど不愉快だと思う人々があってもしかたのないところであった。

一夜を明石の御方の閨に過ごした源氏は、夜もしらじら明けになろうかという時分に、紫上のもとへ戻ってきた。

明石の御方は、もう少しゆっくりと源氏を引きとどめたい。〈……めったとない折なのだから、なにもまだこんなに暗いうちから急いで帰って行かなくてもよさそうなものなのに……〉と思うと、その心身に消えのこる名残惜しさもただならぬものがあって、心は乱れに乱れる。

いっぽうまた、その朝帰りを迎え待つ紫上が、いいかげん〈いやな感じ……〉と思っているであろうその心中を推量すると、源氏としては、おっかなびっくりに、こんな言い訳をする。

「いや、思いがけずうたた寝をしてしまってね、若いものじゃあるまいし、ついつい寝(い)穢く(ぎたなく)寝込んでしまったのに……誰も私を起こしてくれなかったんだよ」

一生懸命に紫上のご機嫌を取る源氏の様子、いささか笑うべきところがある。

紫上は、むっとして返事すらしない。

源氏は、〈おっと、これは面倒なことになった〉と思って空寝入り(そらねいり)などしながら、ずいぶん日が高くなった頃になって、やっと起き出してくる。

六条院に訪れる様々の客

正月二日。

今日は、臨時の来客にことよせて、源氏は、できるだけ紫上と顔を合わせないようにしている。上達部(かんだちめ)やら、親王がたやら、例年どおり、誰(だれ)も彼(かれ)も残りなく年始の挨拶にやってくる。そこで源氏は、管弦の御遊びなどを催しつつ、引き出物やら、褒美の品やら、無二無双の立派さで用意させておいた。
……しかし、これほどたくさんの貴公子がたが集まっていて、しかも、どなたも我こそは人に劣らじと着飾り、また振舞っているというのに、わが源氏の君にちょっとでも並び立てるほどの人というものは、どこにもいないものだ……。その貴公子がただって、一人一人別々に案じわけてみれば、よろずの道々に通暁した人たちも少なくなかったのだが、それでも、源氏の君の御前に出れば、ぐうの音も出ないという感じがする。まことにがっかりする次第である。

人数のうちにも入らないような下仕えの者どもでさえ、この六条院に参上するとあれば、格別の心用意をしてやってくるというわけだから、ましてや、若々しい上達部などともなると、源氏がこのほど見つけ出して住まわせるようになったと噂の姫君に、ひそかな下心を抱いては、むやみと気を入れて出入りするなど、例年の正月とはいささか様子が違っている。

花の香りを誘い出すような夕風が、ふと、のどかに吹いてくると、庭前の梅も一輪また一輪とほころんでくる。おりしも黄昏薄暮の時分、邸内そこここから楽の音が聞こえて趣深く、なかにも、催馬楽の『この殿は』を謡うとて、拍子を打ち出す音が、はなやかに聞こえてきた。

この殿は　宜も　宜も富みけり
三枝の　あはれ　三枝の　はれ
三枝の　三つば四つばの中に　殿づくりせりや　殿づくりせりや

この御殿は　なるほど　なるほど豊かな御殿だ
福草の　ああ、福草の　はあ
福草の　三つ棟四つ棟と　殿造りしてある、殿造りしてあるよ

源氏も時々はいっしょになって声を添えている、この「三枝の……」の末のところは、じわりと心惹かれる調べに聞こえる。かくのごとく、なにごとも源氏が声を添えることでその光に栄やされて、花の色も楽の音も俄然その美を増すのであってみれば、他の人との断然たる違いが分かるのである。

源氏、末摘花のもとへ

同じ六条院に住まいながら、この東南の町に車馬の響き囂しきを、遥か離れて聞くばかりの女君たちは、さしずめ、あの九品の浄土の内にあって、下品下生の者は、おそろしく長い年月、未だ開かぬ蓮華のなかに閉じこめられて、仏を見ず、説法を聞かず、仏を供養することもできぬという、そういう気分もかくのごときものであろうかと想像され、いずれも心に屈折するところがあるように見える。

ましてや、六条院には入れられず、二条の東院に離れて住まわされている女君たちは、年月が経つにつれて、ますますなすこともない日々のみまさっていく。けれども、そういう心憂き暮らしを、敢て「世の憂きめ見えぬ山路へ入らむには思ふ人こそほだしなりけれ（俗世の辛い目を見ずにすむ、仏道修行の山路へ入ろうとする時は、愛しく思う人こそが、もっとも手かせ足かせの妨げになるであろう）」というありがたい古歌の心を服膺して、冷淡な源氏の心を、どうして咎めだてなどするはずもない。源氏の訪れがないということは確かに辛いけれど、そのほかのことではなにもかも充足して、生活上の不如意だとかまた寂しさだとか、そういうことはいっさいないのであってみれば、空蟬の尼のごとく、仏道修行専一の人は、世俗の雑事に心を乱されることなく、勤行（ごんぎょう）に専念して不足なく暮らしていたし、また、かの末摘花の君のごとき、仮名書きの古風なる歌学などにもっぱら心を砕いている御方は、まずもってその崇高なる願いのままに暮らし、いずれにしても、まともな暮らしを確実にできるだけの、源氏の計らいのありがたさで、ただただ心の願いのままになにの苦悩もなく暮らせる住まいなのであった。

源氏は、正月早々の、なにかと多事多端な日々が過ぎたころになって、ようやく二条の東院のほうへも足を運んでくる。

常陸宮の姫君、末摘花の御方は、なにぶん宮家の姫というご身分がご身分ゆえ、源氏としてもいささかお気の毒に思って、恋めいたことはさておいて、少なくとも人目に立つような飾りだけは、至らぬ隈無（くまな）く立派に調えてあった。

かつては、ただそこだけは美点として特筆すべきであった、あの若々しい黒髪も、年月を経（ふ）るままに衰えてゆき、今ではまして、滝の白糸も顔色なからしめるほど真っ白な髪となっているので、傍らで一瞥（いちべつ）するだけでも心痛むような状態、とても面（めん）と向かって話などする気にもなれない。

あの派手派手しい柳織唐草文の衣装は、思っていたとおり、ぞっとするようなあんばいであったが、それとて衣装が悪いのではなくて、着る人のせいであったに違いない。しかも、艶もなく黒ずむほど濃い紅の練り絹の衣で、しかもサカサカと音の立つほど強く織られた一襲の上に、くだんの柳織の袿を着ているわけで、なんともはや寒々しく、見るもお気の毒というほかはない。本来ならば、この袿や襲の下に、幾枚かの袿を重ねて着るべきものであろうに、いったいそれらはどこへやってしまったのであろうか、うそ寒くも、襲と袿だけをゴワゴワとした感じに着ているのであった。そして、例の鼻の色ばかりは、霞にも紛れようのないほど、華やかに赤く輝いている。これを目にしては、さすがの源氏も、そんな態度をしてはかわいそうだとは思いながら、ついつい大きなため息が出て、きっちりと几帳を閉じ合わせて中が見えぬようにしてしまった。

が、女君のほうでは、源氏のこういう思いなどは気付かずにいると見えて、かえって今は、〈このようにいつまでも優しくお情をおかけくださる、お変わりのないご厚情……〉などと思って、すっかり安心し、そのような気分で源氏に心を許し、また頼りにもしている様子、まことに健気なものであった。

この君は、顔形ばかりでなく、こうした暮らしのありさまなども人並みならぬところがあって、源氏はそのことを、まことにお気の毒で悲しい様子だと思う。それならば、せめて自分だけは、心を込めてなにかと注意してあげなくてはならぬと思っているのも、これまたなかなか世に稀なる心がけだと言わねばならぬ。

この寒いのに、とんでもない薄着でいるせいか、末摘花の話すのを聞けば、ワナワナと声が震えている。見るに見かねて、源氏は、お付きの者を呼びつけた。

「誰か、この君のお召し物など、気をつけて差し上げる者はいないのか。こういう心を許したお住まいゆえ、ただただゆったりとくつろいでいただくのがよいのだから、お召し物などはこんなゴワゴワしたものでなくて、しなやかにふっくらとした物が良いのだぞ。こんなうわべばかりを繕ったような装いは、まるで似つかわしくないじゃないか」

そんなふうに、痒いところに手の届くような指示をする。すると末摘花は、なにやら不自然な笑みを浮かべつつ、言い訳のようなことを言う。

「あの醍醐寺の阿闍梨をしております兄のお世話を申さねばなりませぬことながら、なにぶん衣を縫うこともできませせず、あの黒貂の皮衣も兄に進呈してしまいました後は、寒いことでございます」

さても、この阿闍梨というのは、同じように真っ赤な鼻を持った兄であった。

いかに子供のように濁りなき心のさまとはいいながら、皮衣の始末まであけすけに申し立てるとは、あまりにも心の許しすぎだと源氏は思う。とはいいながら、その源氏自身とて、ここでは、なにぶんとも子供のようにまっすぐな女君が相手ゆえ、はなはだくそ真面目で生一本なる人に変身してしまっている。

「皮衣、それはもうよろしいことにいたしましょう。山伏（やまぶし）の蓑代（みのが）わりの衣としてお譲りになってしまったらよろしいのです。そのうえで、先日進じました白妙（しろたえ）の衣などは、ごく惜しげもないものですから、七重（ななえ）なりとも八重（やえ）なりとも重ねてお召しになったらよろしい。もしこういうご不便などありますときは、どうぞご遠慮なくお申し付けになって、ついうっかり忘れなどしておりますわたくしどもの目を覚まさせていただきますように。もとよりぼんやりして、気の利かぬ人間ゆえ……それに、あちらこちらの方々へもさまざまご用の多きに取り紛れまして、すっかり失念しておりました……」

こんなことを大真面目で言うと、源氏は、すぐさま道向こうの二条の邸の倉を開けさせて、絹、綾（あや）織物など、あれこれと進上する。

二条の東院は、べつに荒れた様子もないけれど、源氏が住みつかないところとて、閑（かん）

寂な気配に閉ざされて、ただ庭前の木立ばかりはたいそう趣豊かに、折しも紅梅が咲き出した色のたたずまいなど、せっかくの景物を賞翫すべき人もないのを、源氏は惜しみつつ見わたした。

ふるさとの春の梢にたづね来て
世の常ならぬ花を見るかな

古き住み処の春の、この紅梅の梢を訪ねて来て
世にも尋常ならず濃い花の色……鼻の色……を見ることよ

かかるけしからぬ歌を、源氏は独りごちたが、肝心の女君自身は、聞いてもいっこうにお分かりがなかったのであろう、さてさて。

空蟬の尼君のもとへ

空蟬の尼君にも、青鈍の尼衣を贈ってあったのを、源氏はちらりと覗きにいった。
尼は、いまこういう身分になっても、別段に我が物顔に振舞うという様子もなく、ひっ

そりと物陰に隠れて住むような局に住みなしている。そうして、局のほとんどは仏様に譲ってしまって、ひたすら勤行三昧の暮らしをしているのは、まことに心深いことに思われる。経典、仏具、さりげない作りの閼伽棚の道具、いずれも質素ながら、それなりに趣味豊かに清雅なたたずまいで、さすがにこの人は心豊かな人だと思わせる気配がある。

青鈍の几帳にも、やはり豊かな風情があって、その几帳の陰に尼君自身はひしと身を隠しているのだが、それでも、袖口あたりだけをちらりと覗かせているのを見れば、源氏の贈った青鈍の上着の下に、梔子色や濃い紅梅色の袿を重ねて着ているのが、いかにも奥床しく心惹かれる思いがする。源氏は、ふと涙ぐむ。

「かの『松が浦島』の海士（あま）ならぬ、心床しい尼（あま）君のこととあれば、はるかに思いながら諦めなくてはならないさだめでした……思えば、昔から、辛いばかりの契りでした。それでも、こうしてわたくしの邸のうちにお住まいくださって、稀々にお目にかかるほどの睦まじさは、なお絶えることはないのでしたね……」

源氏は、かつて藤壺に歌いかけた名高い古歌「音に聞く松が浦島今日ぞ見るむべも心ある尼は住みけり（「松が浦島」と呼ばれて名高いお后さまの御所を今日初めて拝見しました。その風景が美しいのも道理、なるほどここには、賤しい海士（あま）ではなくて風雅なお心の尼（あま）

が住んでおられましたものを〉」を引きごとにしながら、積もる思いの丈をせめて訴えたのであった。

空蝉とて、これにはやはりしみじみとした思い無しとしない。

「かつて世俗におりました頃に比べましても、いまこうして仏道に帰依して、一介の尼として、ここで暮らしの立つようにしていただいておりますと、かえってご縁のほどが浅からぬもののように存じまいらせますことでございます」

「かつては、わたくしなどにも、重ね重ねつれないお仕打ちをなさって、わたくしもずいぶん懊悩したことでしたが、そのころ重ねられた罪の報いなどを、尼君も仏様に畏まり懺悔申し上げたことでしょうか。それこそ、まことに胸痛むことながら、しかし……よろしいですか、世の中の男と申しますものは、わたくしのように、素直に諦めるというようなことはないものだなあと、よくよく思い合わせることなども、きっとおありであったろうと思います」

源氏は、さりげなく、こんなことを口にした。それを聞くと、空蝉の尼は、はっと胸を衝かれ、〈……さては、源氏の君は、あの伊予の介の死後、継子の紀伊の守が、嫌らしく口説きかかってきたことなどを耳にして、今も覚えておいでなのか……〉と、ひたすら恥ずかしく思う。

「罪の報いとの仰せながら、今、こうして尼に成り果てたぶざまな姿を、すっかりお目にかけてしまったというほどの辛い報いは、ほかには絶えてございますまい」

そういって、空蟬の尼は、さめざめと泣いた。

その様子を見ながら、源氏は、心密(ひそ)かに思う。

〈この人は、もともと奥床しいところのある立派な人であったが、今は、あの頃よりも、さらにそういうところが勝(まさ)っている。それなのに、こんなふうに別世界に行ってしまわれた……〉と、そう思うにつけても、やはり未練があってすっきりとは諦め切れぬ思いがする。しかし、いかになんでも、相手が出家の身とあっては、それ以上わけもない懸想(けそう)じみたことを言いかけるわけにもいかず、ただ、昔のこと、今のこと、一通りの世間話などをして、〈……それにしても、あの末摘花の君も、せめてこれくらいの話相手にする甲斐があればいいのだが、いかになんでも、あれではなあ……〉と、源氏は、また末摘花の住むあたりを見やるのであった。

この程度であっても、源氏のお蔭を被(こうむ)って暮らしている女君たちがまだまだたくさんあ

った。その女君たちの許（もと）を一通り覗いて回っては、

「なかなか逢うことの思うに任せない日数（ひかず）ばかり積もるけれど、心のうちでは、決してないがしろにしているわけではない。ただ、命ばかりは限りある道ゆえ、いつ生死を分けることになるのか、それだけが気掛かりなのだ。あの『命ぞしらぬ』ということだよ」

と、しみじみ心惹かれるような口調で語り聞かせる。かくて、「ながらへむ命ぞ知らぬ忘れじと思ふ心は身に添はりつつ（命をどれだけ永らえることができるか、それは分からない。生きている限りは、愛する人を忘れまいと思う心がずっと我が身を離れることはないのだけれど……）」という古歌の心を我が心として言い聞かせる源氏なのであった。

　そういう女君たちのどの御方にも、それぞれ相応に源氏は思いをかけている。もとより源氏は、我こそはと高飛車に構えていてもよさそうな高貴の身分なのではあるが、けっしてそのように傲慢（ごうまん）にあしらうというようなことはなかった。ただ、住んでいる所柄によって、また相手の女の身の程に応じて、分け隔てなく親しみ深くもてなすので、そればかりの情宜（じょうぎ）に縋（すが）って、多くの女君たちは、年月（としつき）を送っているのであった。

六条院の男踏歌

今年は、男踏歌の催される年に当たっていた。宮中清涼殿のお庭で、歌を謡い、足拍子を踏んで祝福を尽くした歌舞の一団は、それから朱雀院に参り、その次にこの六条院に下ってきた。三条の朱雀院から、六条も京極に位置する六条院までは、相当に道のり遠く、男踏歌の一団がやってきたのは、もう夜も明けがたになっていた。

月には一片の雲の影もなく、光は皓々と澄みわたっている。折から、薄雪が少しばかり降り積もっている庭の景色は、えも言われず美しく、そこへ渡ってきた楽人たちは、それぞれの道の上手が揃っている時代であったから、笛の音もたいそう趣深く吹き立てて、しかも源氏の御前ともなれば、一段と心を込めて演奏をする。各御殿の御方々へは、東南の御殿、すなわち源氏の常の住まいのほうへ、男踏歌見物に来るようにと誘いがあったので、みなこぞってやってきている。左右の対、また渡殿などにまで局を特設して女君たちは控えている。

東北の町の西の対の姫君玉鬘は、寝殿の南の、第一等の席へ渡ってきて、そこでこの御殿の明石の姫君と対面する。そこには紫上も同席したので、几帳一重のみを隔てて挨拶を交わしあう。

なにぶん、朱雀院では、母君の弘徽殿大后の庭のほうへも回っていた関係で、踏歌が六条院へやってきたのが、そもそも夜もようやく明けようというころであった。踏歌の楽人たちをもてなすのに、湯漬けに酒ばかりの簡略な方式とするのが例であったのだが、源氏は、敢て例のとおりのやりかたに添えて、あれもこれもと特別な趣向をさし加えて、それはそれは大げさに饗応させる。

折しも、月影も冷え冷えとした暁に、雪はしだいに降り積もる、そこへ松風が梢のあたりから吹き下ろして、さすがの男踏歌ももはや荒涼とした趣に感じられるほどの時分、楽人どもは、青色（萌葱色）の袍のすっかり糊気も失われたその下には、夏服めいた白い衣を重ねて、何の飾り気もない。冠に挿した綿の造花にも彩りがない。こんな殺風景な寒々しい装束の舞人たちも、さすがに六条院の素晴らしい景色のなかにあっては、どことなく面白い風情が感じられ、見ている者の心も満たされ、寿命が延びようかというほどであった。

源氏の子息の中将の君や、内大臣の子息がたの公達は、数多の公卿衆のなかにも勝れて目に立つ華やかな美しさであった。

ほのぼのと夜の明けてくるほどに、雪はちらりちらりと舞い落ちてそぞろ寒いのだが、その凜然たる寒気のなか、催馬楽の『竹河』が歌い舞われる。

竹河の　橋のつめなるや　橋のつめなるや
花園に　はれ　花園に　我をば放てや
我をば放てや　少女伴へて

竹河の　橋のたもとなる　あの橋のたもとなる
斎宮の花園に　はあ　花園に　我を自由に遊ばせよ
我を自由に遊ばせよ　額髪を切りそろえた童女と立ち連れて

歌に合わせて寄りつ離れつ舞い遊ぶ舞人たちの姿も、また心惹かれる美声も、いずれも絵には描き留めることができないのが残念であった。

見物の女君たちは、誰も誰もいずれ劣らぬ美しい色合いの袖口を、御簾の下から押し出して見せている、そのこぼれ出た色合いのうるさいまでの華々しさ、またその色の取り合わせなども、折からの曙の空に、春の錦が裁ち出されて、立ち出た霞のうちかと思うような景色である。まことに不可思議に心の満たされるような見ものであった。

とは言いながら、舞人たちの冠の後ろにひときわ高く突き出た巾子（髻を納める部分）の、見慣れない世離れた姿といい、彼らが口早に言い立てる言祝ぎの言葉の怪しげな色めかしさといい、見るほどにばからしいようなことで、そんなことを曰くありげに言い立てるというのも、かれこれ却って何が面白いのかというようなもの、とくに掬すべき味わいの拍子なども聞こえない。そんな調子で、曲が終わると、例のとおり、階のもとへ進み出て、舞人たちには、褒美の綿が遣わされて、一同退出していった。

源氏、中将（夕霧）を評す

すっかり夜が明けてしまうと、見物の女君たちも、みなそれぞれの御殿へ帰っていった。

源氏は、そのころになってやっと少しばかり仮眠を取って、日が高くなった時分に起き出した。

「うちの中将の声は、内大臣のところの弁の少将（次郎の君）に、おさおさ劣らぬ美声のように思えるが、すなわち今やそういう道々の優れ者が輩出するという時代なのでもあろうかな。昔の人は、まことにしかるべき学問の道などでは、優れた人材も多かったかもしれぬが、こうした風雅の道ともなれば、近ごろの人にくらべて、さほど勝っていたとも思えないな。あの中将などを、私はごくまっすぐな官僚に仕上げたいと、そう思っていたのだ。というのは、私自身の、いささか戯け（たわ）の過ぎたところになんとか似ないでもらいたいと思ったからなのだがね。しかし、そうは言っても、まったくの朴念仁（ぼくねんじん）というのでなくて、真面目な生き方の下に、どこかほんのりと風流心も残っていてほしいというものではないか。まるで真面目くさって、まっすぐな表向きだけでは、人間としてつきあいにくいのではあるまいかな」

こんなふうに息子の中将を評定（ひょうじょう）するところを見ると、源氏は、この息子をたいそうかわいいと思っているのであろう。

源氏は、

「万春楽（ばんすらく）　万春楽（ばんすらく）　我皇（がくわう）　延祚（えんそ）億千齢（おくせんれい）　万春楽（ばんすらく）……

万年の春、万年の春、我が君は千年億年の齢長く、天が下知ろしめせよ、万年の春……」

と、ほんの口ずさみのような気楽な調子で、『万春楽』を謡うと、

「そうだ、女君たちがこの邸にお集いになったのを良いついでとして、なにか、面白い合奏でもしてみたいものだね。せっかく踏歌が到来したものを、その後(あと)に、私的な後(のち)の宴(うたげ)をしようじゃないか」

などと言って、琴(きん)、箏(そう)、和琴(わごん)、琵琶(びわ)などの弦楽器ども、それも一級の楽器を美々(びび)しい錦(にしき)の袋に納めて秘蔵していたものを、袋から引き出して、丁寧に塵(ちり)を押し拭(のご)い、緩んだ緒(お)を調律させなどする。

このなりゆきには、女君の御方々(おんかたがた)、みなみな気を使うことただならず、さぞかし緊張しきっていたことであろう。

胡蝶（こちょう）

源氏三十六歳

春の御殿の遊楽

三月二十日過ぎのころ、春の御殿の庭前のありさまは、常にもまして今を盛りと咲き匂う花々の色や、鳥たちの声、いずれも他の御殿の御方たちには、自分たちの住む里ではもう春は老いてしまったのに、春の御殿ではまだ春の盛りは去らないのかしら……めずらしくもすばらしいことよと、花の色は見え、鳥の声も聞こえるのであった。

さりながら、その春の御殿でさえ、築山の木立や、池の中島のあたりに深々と色を増してきた苔の景色など、若い女房たちは、心ゆくまで見たいと思うけれど、なにぶん遠くにしか見えないので、どうやらそれが不満らしく見える。そこで、源氏は、唐様の船二隻を造らせた。いわゆる龍頭・鷁首一対の船である。

これを、工匠どもに命じて艤装を急がせ、池に進水させた日には、わざわざ雅楽寮から楽人どもを召して、船上に音楽を奏でさせた。この見ものには、親王がた、あるいは上達部なども、たくさんつめかける。

秋好む中宮の女房たちを招く

あの秋を好む中宮（もとの斎宮の女御）は、この頃、もとの里邸、すなわちこの西南の御殿に下がってきている。

思い返せば、去年の秋、中宮から、

心から春まつ園はわがやどの
紅葉を風のつてにだに見よ

秋より春をお好みのお心から、今この秋の美しさには目もくれずに、ただ春ばかりをお待ちになっておられるお庭の辺りには、どうぞわたくしの住まいの紅葉を、折しも吹いてまいりました秋風の便りばかりに、ご覧くださいませ

と、あえて挑みかかるような調子で詠み贈ってこられた歌に、真っ向から切り返すべきは、今の季節かと紫上も思い、また源氏も、

「なんとかして、この花の季節に、中宮さまにご覧いただきたいものだが」

と思いもし口にもする。

しかし、さすがに、中宮という立場からして、さしたるついでもないのに、気軽にこちらへやってきて花を観賞するというわけにもいかぬことゆえ、中宮お付きの若い女房たちで、特に感受性豊かな、こんなことを喜びそうな者を選び、船で招き寄せることになった。秋の御殿の南の池は、春の御殿の池に通じるように作ってあって、なかを隔てる関のように築山が設けてあったのだが、その築山の岬のように突き出たところを漕ぎ巡って船はやってくる。それに対して、東のかた、春の御殿では東の釣殿に、こちらはこちらでまた、若い女房たちを集めてこれを待った。

龍頭の船、鷁首の船、それぞれ唐風の装飾に大げさなまでのしつらいを施し、舵取りの棹を差す童たちは、皆みずらの形に髪を結って、唐風の装いをさせている。こんな調子で、どこもかしこも唐めかしつつ、まるで海のように広く感じられる大池のさなかに漕ぎ出してきたので、その船に乗せられた女房たちは、さながら真実の外国にやってきたような夢心地に、ためいきの出るほどすばらしい、とこんな風景を見たこともない心に思うのであった。

中島の入り江の岩蔭に船をさし寄せて、見れば、ちょっとした石のたたずまいなども、まるで唐土の絵に描いてあるような美景であった。

しかも、遠く近くぼおっと霞み渡っている梢のありさまは、さながら錦を引き渡したように色あでやかに、また、池を隔てた御殿の、紫上のいるあたりがはるばると見はるかされるのを見れば、青める柳は色を増して枝を垂れ、遅咲きの桜も、得も言われず見事な花を粲々と散らしている。他の御殿ではもう盛りを過ぎた桜も、この御殿では今を盛りと咲み誇り、渡殿のあたりを繞って咲く藤の花は、色も濃やかに、この時まさに開いてゆく気色、それはさながら、唐土の白楽天が「高堂虚にして且迴なり、坐臥に南山を見る、廊を繞る紫藤の架、砌を夾める紅薬の欄（棟高い御殿はがらんとしていて、またはるばると奥深い。そうして坐臥常住に終南山を見る。廊下の繞りには、藤の棚が設けてあって、石畳を挟むようにして芍薬の花壇の柵がある）」と歌うたところを彷彿とさせる景物である。まして、岸辺の山吹は、混じり気のない黄色の花を池の水に映し、なおほろほろと水面に散りこぼれて、今こそ盛りのなかの盛りと見える。

池には、水鳥どもが、雌雄つがいを離れず睦まじく遊弋し、また口々に細い枝をくわえて飛び交っているものも見える。鴛鴦は、まるで綾織の「波に鴛鴦」の文様さながら、これらの美景を、装束などの絵柄にするためにも描き写しておきたいほど、いや、まことに時の経つのを忘ずるとは、このことであったろう。かの唐土に、昔、王質という者が、木を伐りに石室山に到り、数人の童子が囲碁に興じているのを見物するうち、夢中になって時の過ぐるのを忘れ果て、ふと気付くと持っていた斧の柄が腐るほどの長い時間が経っていたという、名高い故事が思い寄せられるほど、すばらしいすばらしい春の日を、みな呆然と暮らしたのであった。

中宮付きの女房たちは、たまらず歌を詠んだ。

風吹けば波の花さへ色見えて
こや名に立てる山吹の崎

風が吹くと立つ波の、その波の花さえも鮮やかな山吹色に染まって、さてはここが名高い近江の歌枕の山吹の崎なのでしょうか

春の池や井手の川瀬にかよふらむ
岸の山吹そこもにほへり

この春のお池は、名高い山吹の名所、山城の井手の川瀬に水が通っているのでしょうか。この岸の山吹は、水底までも咲き満ちて色鮮やかに見えています

亀の上(うへ)の山もたづねじ船のうちに
老いせぬ名をばここに残さむ

亀の背に乗っているという蓬萊山(ほうらいさん)まで、不老不死の薬を求めに行くにも及びますまい。かの唐土の人は、昔、不老不死の薬を求めに蓬萊島(ほうらいじま)を探してさまよったあげく船のうちにみな老いてしまったと伝えておりますけれど、この御殿のうちこそ、かの蓬萊の山さながらにて、みな若い盛りの花盛り、されば唐土の人とは格別、まさに不老の里がここにあるという評判を残すことでしょうから

春の日のうららにさしてゆく船は
棹(さを)のしづくも花ぞ散りける

春の日の光がうららと射すなかを、棹差してゆく船は、
棹のしずくもまるで散る花のようです

などといったような、とるにたりないような歌のあれこれを、心のままに言い交わしながら、仙境に遊んで道の遠近(えんきん)を忘れたといういにしえの唐土人(もろこしびと)さながら、これから行く先のことも、帰るべき里のことも、すっかり忘れてしまいそうになるほど、若い女房たちが

思いを映しては、心を移してしまうのも、むべなるかなと思われる、華やかな池の水面の景色であった。

暮れかかってきた時分、御殿の中からは、『皇麞』という唐の音楽が、いかにも洒落て聞こえてくる。船に乗っていた女房たちは、陶然としてものに酔うたごとく、やがて釣殿に船が差し寄せられると、一同そこに降りる。

この釣殿のしつらいは、たいそう飾り気のないさっぱりとしたさまで、清廉な風情がある。紫上方の女房たちも、中宮方の女房たちも、みなみな若々しく、我劣らじと綺羅を尽くした装束を纏い、容貌また美しいゆえ、そのありさまは、かの「見渡せば柳桜をこきまぜて都ぞ春の錦なりける（こうして見渡してみれば、柳は緑、花は白くまた紅に、美しくかきまぜたようで、ああ都は春の錦であったなあ）」という古歌を彷彿とさせる。

今日はこういう特別の機会ゆえ、日ごろはめったと演奏しないような、誰もが目慣れない珍しい曲が演奏される。すなわち、源氏が、舞人・楽人などを厳選して、見物の人が心ゆくまで味わえるようにあらゆる方便を尽くしたのである。

夜に入ってもなお、もうこれで満足という気がしない。まだまだ飽き足りない思いにかられて、御前(おまえ)の庭に篝火(かがりび)を焚(た)き、階(きざはし)のもとの苔むしたあたりに楽人を召して、上達部や親王(みこ)がたも、みなおのおの得意の弦楽器やら管楽器やら、とりどりに手に執って演奏する。雅楽寮(うたづかさ)から呼び寄せた音楽の師匠たちは、いずれもとりわけてすぐれた名手ばかりで、春の調べの双調(そうぢよう)の曲を階下で吹きすさび、殿上では、貴公子たちが弦楽器を弾いてこれに和する。その調べはまことに華やかで、やがて催馬楽(さいばら)の『安名尊(あなたふと)』の合奏に至る。

あな尊(たふ)と　今日(けふ)の尊(たふと)さ　や
昔(いにしへ)も　はれ　昔も
斯(か)くやありけむ　や
今日(けふ)の尊(たふと)さ　あはれ
そこよしや　今日(けふ)の尊(たふと)さ

ああ、尊い、今日の尊さ　やあ
いにしえも、はあ、いにしえも
こんなふうであったろうか　やあ
今日の尊さよ、ああ

それよいよい　今日の尊さ

こんな歌声が朗々と響くのを聞けば、ああ、この世に生まれて、ここに生きている甲斐があったと、皆そう思う。ものの道理などなにも弁えないような、賤しい民の男どもも、門のあたりにぎっしりと立ててある馬車の溜まりに集まっては、この楽の音、また歌声が聞こえてくるのを、こぼれるような笑顔で聞いているのであった。

空の色もおぼろおぼろとして、そこに音楽の美しい音色が響き、今日のこの調べといい響きといい、ふつうの音楽とはまったく別格に優れているというその違いが、人々の耳にもはっきり聞き分けられたことであろう。

かくして、その夜は夜もすがら、楽の調べのなかに過ぎていく。

やがて夜明け近くなると、宴もいよいよ終わり近く、それまで唐楽の格調を持していた曲も尽くして、一転、砕けた世俗の曲、『喜春楽』が演奏される。

源氏の異母弟、兵部卿の宮が、催馬楽『青柳』を、繰り返し繰り返し、美しい声で歌った。

青柳を　片糸によりて　や　おけや　鶯の　おけや

鶯の　縫ふといふ笠は　おけや　梅の花笠や

青柳のほそい枝をば　さながら糸によって　やあ　おけやあ　鶯が　おけやあ
鶯が　縫うという笠は　おけやあ　梅の花笠よ

源氏も、この歌声に、折々唱和して歌いなどする。

男たち、玉鬘に恋慕す

夜が明けた。

ほんのりと明け白んできた時分、鳥のさえずりを、中宮は、築山などを隔てた向こう側の御殿で、羨ましく聞いていた。本心を言えば、自分もあの春の御殿のにぎわいに参加したかったという思いがある。

紫上の住む東南の町は、いつも春の光のうららかな温かさのなかにあるような御殿であったけれど、思いを寄せ心を尽くすような姫君がいないことだけは、やはり大切ななにかが欠けているような……そういう憾みを抱く男たちもあったのだが、幸いに、こたび東北の町の西の対に迎えとった姫君玉鬘は、一点非の打ち所がない美人で、源氏も取り立てて大切に思いもし、また世話もしようという様子、そのことは今や世に隠れもなく、源氏の思惑どおり、この姫君に心を動かされている男たちもきっと大勢いると見える。

なかんずく、我こそはこの姫君に相応しい身分と思い上がっている人々は、とかくの縁辺を辿って思いの丈を色にも顕わし、また懸想の文などをよこす人もあったが、さようにあらわな野心を顕わし得ない公達のなかにも、密かな思いを焦がす若者などがあることであろう。……じつは、そうした若い公達のなかに、内大臣の嫡子の中将なども、よほど好き心をうごめかしているものと見えた。玉鬘が、じっさいには自分の姉なのだということを知らないままに……。

兵部卿の宮、酔余の求愛

兵部卿の宮もまた、ながらく連れ添った北の方（もとの右大臣の姫君）に先立たれて、この三年ほどは、独り住みのわびしさを託っていたので、これ幸いと、今は色めきたっている。今朝も、なにやら、ひどく乱酔の体を装って、藤の花を冠にかざし、なよなよとふざけ散らしている様子など、まことに奇妙きてれつなるものであった。

　こんな調子で、玉鬘の噂が、貴族の男たちをすっかりのぼせ上がらせているのを見ると、源氏は、思った通り、してやったりと下心に思う。それでも、うわべは、まったく知らん顔で通している。そうして、源氏は、土器に一献参らせようとするが、宮は、甚だしく悪酔いをしてしまった体で、

「ああ、ちと酔いが過ぎました。……これで……胸の内に思うところが……ございませんでしたら、このままご免を蒙ることでございましょう。ああ、とても苦しくてたまりませぬ」

　と、こんなことを言い言い、源氏からの一献を辞退し、一首の歌を献じた。

　　紫のゆゑに心をしめたれば
　　淵に身投げむ名やは惜しけき

ご覧ください、わが冠のこの紫の藤（ふぢ）の花を。この紫の御方にゆかりの、一本の花のような人に心を奪われておりますから、その故に恋の淵（ふち）に……この藤（ふぢ）のために、身を投げてしまおうとも、そして浮き名が立とうとも、そんなことがなんの惜しいものでしょうか

宮は、「紫の一本ゆゑに武蔵野の草はみながらあはれとぞ見る（あの美しい紫草が一本あるがゆえに、殺風景な武蔵野の草が、みな趣豊かに眺められることです）」という古歌の心を以て、この御殿にあたかも一本の紫草のように美しくにおい立つ姫に、自分は心を奪われているのだと、臆面もなく告白してのけたのである。そうして、なお、杯に添えて一房の藤の花を持って進み出ると、姫の父親だとばかり信じている源氏に、これを手渡した。

源氏は、かねてこの兵部卿の宮あたりを、玉鬘への恋慕に惑乱させてやりたいと思っていたので、してやったりとばかり、満面の笑みを浮かべて、歌を返した。

淵に身を投げつべしやとこの春は
花のあたりを立ち去らで見よ

なんと淵（ふち）に身を投げると言われるか。はたしてそんなことでよろしいかどうか、この春ばかりは、どうかその藤（ふぢ）の花のあたりを立ち去ることなく、とっくとご覧になったらいかがでありましょうか

源氏が、こんな戯れ言のような、切実なような歌を歌って、しきりに宮を引きとどめたので、さすがの宮も無下に立ち去ることもできなくなり、今朝の管弦の御遊びも、夜前に

増してますます面白くなった。

中宮の春の御読経(みどきょう)　紫上との春秋くらべ

しかるに、この日は、ちょうど中宮の春の御読経(みどきょう)四日間の初日に当たっていた。六条院に集(つど)うていた公達は、朝まで遊んでいるうちに、ついに帰る機会を失い、そのまま六条院に暫時(しばし)休息の御座(おまし)を設けて、そこで、夜の出で立ちから、昼の装束に着替えなどする人も多かった。が、それではなにかと差し障りのある向きは、いそぎ自邸へ退出していくのであった。

まさに正午時分、皆、中宮のお住まいである西南(ひつじさる)の御殿のほうへ移動していった。源氏をはじめ、一同、中宮の御殿に到着すると、ただちに着座し、殿上人なども残らず参上してくる。その多くは、源氏の威勢に押されてしかたなく参ったものであったが、ともあれ、法会(ほうえ)は多くの参列者を得て、崇高に荘厳(しょうごん)に執り行なわれたのである。

紫上からのご供養として、仏に花を奉る。

鳥の装束、蝶の装束を纏(まと)った童(わらわ)たちを、それぞれ四人ずつ、しかもみな姿かたちの美しい子ばかり揃えて、鳥組の子たちには、銀の花瓶に桜の花を、蝶組の子たちには、金の花瓶に山吹の花を挿させて、それぞれまた、とびきりに見事な花房を選び出して、世にもたぐいなき色合いのものが用意されている。

南の御殿の前の築山の際から船を漕ぎ出し、悠々と池を漕ぎ渡ってちょうど中宮の御前あたりにさしかかるころに、風が吹き出すと、瓶の桜が少しばかり花びらを散らして風のまにまにはらはらと吹き紛う。空はたいそううららかに晴れて、春霞の間から、鳥や蝶の童子たちが立ち現われたのは、まことにしみじみと初々しい美しさに見える。

こたびは、わざわざ楽屋のための幔幕なども張り渡さず、中宮の御殿へと通じる中門の廊下を楽屋代わりにしつらえて、そこに、とりあえず楽人用の椅子などを用意させてあった。やがて童たちは、階のもとに寄ってきて、手にした花を中宮に奉る。これを御殿の上にいる取り次ぎの殿上人たちが受け取って、殿上に設けられた閼伽棚へさし加える。

紫上は、源氏の子息中将の君を伝奏役として、一首の歌を中宮に奉った。

花園の胡蝶をさへや下草に
秋まつむしはうとく見るらむ

この百花繚乱(りょうらん)の花園を舞う胡蝶をさえ、下草に隠れて秋を待つ、松虫は自分には関係のないものと見るのでしょうか

中宮は、〈これは、いつぞや紅葉の歌を贈ったことへの、お返し歌でしょうね〉と、微笑んで見る。昨日、あの春の遊宴に招かれた若くて感じやすい女房たちも、

「まことに、あちらの御殿の春の色は、どなたがご覧になっても貶(おとし)めがたい美しさでございましたこと……」

とて、あの花の見事さに我(が)を折っては、口々にその美しさ楽しさを喋々(ちょうちょう)するのであった。

鶯のうらうらとした歌声に、『迦陵頻(かりょうびん)』とて鳥の舞楽の音(ね)が華やかに聞こえてきて、池の水鳥もこれにつられていずこともなく囀(さえず)りわたり、舞楽が急の舞に至るころなどともなれば、ああ間もなくこの遊宴も終わるかと思うと、まことに飽き足りない思いに名残が惜しまれる。蝶組の舞楽は、鳥のそれよりもさらにふわりふわりと飛び立つごとく、山吹の生け垣のあたり、その花の咲きこぼれた花陰に舞い入る。

中宮職(ちゅうぐうしき)の次官をはじめとして、錚々(そうそう)たる殿上人どもが、次々にご褒美の品を頂き継(つ)いで

舞の童たちに賜る。鳥組には桜襲（表白、裏紫）の、蝶組には山吹襲（表薄朽葉、裏黄）の細長を、ずっと以前から、この日のために用意してあったかのようであった。

楽人たちは、白い袿一襲を肩に頂き、絹布は腰に巻いて頂戴するなど、それぞれの身の程に応じてご褒美を賜った。

中将の君には、藤襲（表薄紫、裏萌葱）の細長を添えて、女の装束一揃えを肩に授けられる。紫上よりの文への、中宮からのお返し文には、

「昨日は、そちらへ伺いたくて、声を上げて泣きそうになりました。

胡蝶にもさそはれなまし心ありて
八重山吹を隔てざりせば

胡蝶の舞が、「来てふ」と誘っているようで、もしほんとうにそうお誘いくださったら、私は喜んで誘われていきたかったこと。もし、お情があって、中を隔てる八重の山の、その八重山吹が私たちを隔てていなかったとしたら……」

と、そんなふうに書いてあった。

紫上も中宮も、かようの方面にはじゅうじゅう年功を積んだ方々ながら、春秋の優劣競

べというようなことに限っては荷が重すぎたのであろうか、どうやら思ったほど優れた詠みぶりとも思えぬように見える。

さてさてところで、昨日、春の御殿のほうへ見物に招かれた女房たちには、紫上から、それぞれに素敵な贈り物を下さったのだが、そういうことは、いちいち詳細に書き連ねていては面倒ゆえ、ここには省く。

ともあれ、明け暮れにつけて、こういう肩肘張らないような御遊がしばしば行なわれて、双方ともゆったりとした心で過ごしているので、お仕えする女房たちも、おのずから憂鬱なことはなにもないという心地がして、紫上と中宮は、互いに折々文なども交わしあうようになった。

男たち、玉鬘にいよいよ恋着す

西の対の御方玉鬘は、あの男踏歌の折に紫上と初対面を果たして以来は、紫上のほうへも消息などを通わせるようになった。この姫君は、こうした殿中での深い配慮のしかたというような面では、なにぶん長く不如意な境涯にあったことゆえ、なお至らぬところもあるかもしれない。けれども、実際には、身に帯びた風情など、たいそう功を積んだ感じがあって、なお人懐こい優しい性格と見え、誰もが気を許してしまう人徳がある。それゆえ、いずれの女君がたも、この姫には等しく好意を寄せているのであった。

また、男たちのなかには、この姫君に懸想文(けそうぶみ)など送ってくる人が、それはそれは大勢いたものであった。が、源氏は、そうそう安易に玉鬘の縁付き先を定めることもできず、あるいは自身の心のなかに、まっすぐ親らしいままでいることは難しいと思う気持ちもあるのであろうか、〈もう親ぶるのはやめて、いっそ内大臣にかくかくと知らせて、その上で自分のところへもらい受けようかな……〉などという都合のいいことを思い寄せる折々もある。

一方、源氏の子息中将は玉鬘を実の姉とばかり思っているので、いくらか気安く近づいては、御簾の際(きわ)まで寄って、直接に言葉を交わしたりする。そんなことは、玉鬘としては、どうも気恥ずかしい思いがするのだが、事実を知らされていない女房たちも、姉弟ならばそうあって当たり前と決め込んでいるゆえ、なにしろ真面目で生一本の中将は、まさか姉弟ではないことなど、思いつきもしない。

また内大臣の子息たちは、この中将の君といっしょにやってきて、なにくれとなく恋慕の色を顕わしてはため息などつきつつ、玉鬘の近くをうろつき回るのだが、現実に自分が源氏の娘ではなくて、内大臣の娘だと知っている玉鬘にとっては、実の兄弟である内大臣の子息がたには、色恋の気持ちなど抱きようもなく、この状況にはただ胸が痛むばかりであった。

〈……このうえは、ほんとうの父親の内大臣に、この現実を知ってもらいたいものだけれど……〉と、人知れず懊悩し続けているのだが、といって、そんな内心を源氏に打明けることなどは、決してしない。ただただ、養女という立場で、気を許して源氏を頼りにしていこうとする心配りなど、まことにいたいけなかわいらしさがあって初々しい。

玉鬘の顔立ちそのものは、さまで母夕顔に似ているというわけでもなかったが、ただこの「いたいけなかわいらしさ」や「初々しさ」という身に纏った空気は、たしかによく似ている。しかし、違っている点は、この姫には、母親にはなかったような才走ったところがあるということであった。

更衣の頃、源氏、玉鬘への恋文を点検

四月、更衣の季節になって、よろずに華やかな装いに改まったころ、空の気配などまでが、不思議にどこかしら趣がある。

源氏は、特に忙しい公務などもなく、のんびりとなにやかにや催しごとなどして過ごしている。

どうやら、西の対の玉鬘のところへは、あちこちの男たちからの懸想文がしきりに到来するようになってきたのを、〈ふふふ、思ったとおりだ〉と源氏は思う。そうして、なにかにつけて、この西の対へやってきては、その恋文のあれこれを検閲して、しかるべき立場の男君に対しては、まず失礼のないように返事だけは書くようにと、諭し聞かせなどする。そういういちいちのことを、玉鬘は、なんだか気の許せない憂鬱なことと思うのであった。

そういうなかに、かの兵部卿の宮の懸想文もあった。見れば、文を通わせるようになっ

てからまだ日も浅いというのに、早くも思いの叶わぬじれったさを染め染めと書き連ねている。源氏は、これを見付けて一瞥すると、にんまりと濃密な笑みを浮かべる。

「あの宮は、若いころから、数多い親王がたのなかでも、互いにもっとも隔心なく仲良くしてきた君なのだけれど、ただ、こっちの方面ばかりは、ひどく秘密主義を押し通されてね、ははは、……しかし、この歳になって、こう色好みなる心のほどを見るのは、なんというか、可笑しくもあるが、そのお気持ちも痛いほどわかる。ま、ともかく一応はお返事など申し上げるように。すこしでもたしなみある女としては、あの宮などは、他の誰にもまして、こうした歌のやり取りなどをするのにふさわしい方だからね。たいそう面白いお人柄だよ、あの宮は」

などなど、若い女房たちだったら、素敵だと思ってしまいそうな口ぶりで言い聞かせるのであったが、玉鬘ご本人は、ただただ恥ずかしい思いがして黙っている。

また近衛の右大将は、どうみても真面目くさった感じで、とりわけ立場が重々しい風采の男だったが、例の「恋の山には孔子さまも行き倒れ」という諺のとおり、身も世もあらぬさまに恋慕の思いを訴えている、これはこれでまた、じつに面白い、と源氏はかれこれの恋文を見比べている。

その中に、唐渡り(からわた)の縹色(はなだいろ)の紙で、じんわりと心惹(こころひ)かれるように薫香(くんこう)を焚きしめてある、そういう紙に書いて、小さく小さく畳み結んだ文がある。

「ほほぉ、これはまたずいぶん小さく固く結んであるな。なにかよほど思いが鬱結(うつけつ)してでもいるのであろうかな」

といいながら、ぐいっと引き開けて見た。

すると、これがまことに見事な筆である。

思ふとも君は知らじなわきかへり
岩漏る水に色し見えねば

思っても思っても、あなたはわたくしのこの思いなどご存じないのでしょうね。心のうちにふつふつと沸きかえっている思いも、あなたには見えないのに違いない、あの岩間の清水がどんなに湧きかえっていても、色がないためにはっきりとは見えないように……


その書風はいかにも華やかでひとくせある。

「これは、どういう文かね」

と源氏は問いただすけれど、玉鬘は、なかなか口ごもって答えられない。

源氏、恋文のやりとりについて諭す

源氏は、右近を呼び出して、懇ろに諭しおく。

「よいか、このように文などをよこす男には、よくよく相手の人柄を見定めて、然るべき人には適切に返事をさせるようにしなくてはいけない。誰彼かまわず返事すればいいというものではないのだ。まず、よほど浮気者で戯けをつくしているような今どき気質の男が、ろくでもないことをしでかすについては、必ずしも男が悪いとばかりは言えぬところがあるぞ。自分自身の既往を振り返ってみても、女からの返事のいかんによって、男心はどのようにでも変わるものだと思い当たる。たとえば、男の文に対して、あまりに無情なる返事をよこしたりすると、男としては、なんという冷酷な女か、恨めしいやつだと、その当座は腹が立つ。こういう女は、きっと情を解せぬ唐変木かと思ってみたり、あるいはその女がこちらより明らかに身分が低い場合などは、なんという身の程知らずな女め、こいつどこかおかしいのではないか、などとまで思いもする。といって、花やら蝶やらの時節柄のことどもに事寄せての手紙など送ってみたときに、小癪にも黙殺したりする女があったりすれば、それはそれで却って心惹かれるようなこともある。そういうような時に、男が、それっきりこの女のことを忘れてしまったとしても、それはしかたない。べつに女が悪いというわけでもなくて、しょせんそれだけの縁に過ぎなかったということなのだ。反対に、時節柄の消息がてら、ちょいちょいと書いてやった手紙に、得たりや応と即座の返事をよこしたりする、それまたいかがなものであろう。女はそんなことはせずともよいというものだ。さような賢しらぶったことをすると、それこそ後に災難を招くもととなる。すべて、女が心の慎みなく、思うままに、人情の機微を知り尽くしたような顔をして、酸いも甘いも嚙み分けたような積もりでいると、その果てには、とんだしくじりを招くもととなろう。

……が、あの兵部卿の宮や、近衛の右大将のごとき人々は、見境もなくいい加減なことを言ってくるような危なっかしいことをするわけもない。されば、そういう人たちに対してはまた、然るべくお返事をしなくてはならぬことゆえ、あまりにものの情を弁えないような冷淡なあしらいをするというのは、やはり姫君のご身分がらにそぐわぬしかたといわねばなるまい。まずまずしかし、それ以下の分際の男たちの消息に対しては、相手の熱意やら態度やらに応じて、どの程度の思い入れなのかをよく案じ分け、熱意のほども十分に斟酌してやらなくてはなるまいな」

などと仔細に教え聞かせる。玉鬘は、面を背けて聞いているようだったが、その横顔がまたたいそう美しいのであった。

撫子襲（表紅梅、裏青）の細長に、季節柄の卯の花襲（表白、裏萌葱）の小袿を纏うているその姿は、色合いまことに親しみぶかくしかしどこか華やかで垢抜けている。そうはいっても、以前は、田舎育ちの名残か、いささか凡庸で、おっとりとしたところだけが目立ったものだったが、この邸のみやびた人々の様を見習うほどに、たいそう身のこなしも洗練されてきて、婉麗な美しさも立ち添い、化粧なども、心がけてするようになったので、今は、どこといって飽き足らぬところとてなく、明るくかわいらしい……。

〈……この姫を、他の男の妻にしてしまって、よそながら見るなどということになったら、うーむ、なんとしても口惜しいことだろうなあ……〉と、源氏は思う。

右近も、おもわず微笑みながら二人を見て、〈いかになんでも、源氏の君をこの姫の父君と披露するなんて、あまりにも若いお父様のように見える。……それよりむしろ、ご夫婦として並んでおられるほうが、よほどお似合いで素敵に違いない……〉と思っている。

「殿方からのお手紙など、お取り次ぎするようなことはいっさい致しておりません。以前よりご存じにて、さきほどもご覧になったあの三つ四つのお手紙は、お相手がお相手でございますから、突き返してばつの悪い思いをさせ申し上げるのもいかがかと存じまして、それでまずお手紙だけは受け取るだけ受け取りましたのでございますが、お返事は、さらさら申し上げておりませぬ。ただ、しいて書くようにと、源氏さまよりお申し付けのあるときだけ、お返事をと思っておりますが、それとて、姫君は気の進まないこととお思いなのでございます」

右近は、こう言い訳をするのであった。

内大臣の子息中将（柏木）の文

ひとしきり教訓を垂れたあとで、源氏は、

「……で、この初心らしく鬱結している結び文は、誰のだね。たいそう心を込めて染め染めと書いてあるようじゃないか」

など言いながら、にやりにやりと、その文を見ている。

「はあ、それは……」

右近はしかたなく答える。

「いくらお断わりいたしましても、使いのものが、どうしてもどうしてもとしつこく申して置いていったものでございます。内大臣さまのところの中将さまが、姫君にお仕えしております女の童のみるこという者を以前から見知っていらっしゃいまして、それでこの者を伝手としてお預かりした文でございます。ほかにしかるべき大人の女房などもおりませぬ折でもあったのでございましょう」

「おやおや、それはいじらしいことだねえ。いまだ軽輩とはいえ、ああした人たちに、ゆめゆめ恥などかかせてはなるまいぞ。もっと位の重い公卿と呼ばれる者たちのなかにも、この中将の声望に必ずしも肩を並べることのできない人だって多かろう。なかでも、あの中将は、まことに浮ついたところのない人だ。されば、出生をめぐる事実についてはいずれ自然と分かるときも来よう。今は、ほんとうのところは明かさずに、なんとでも言い紛らしておこうぞ。いずれにしても、なかなか見どころのある文の書きようよな」

など言い言い、すぐにはその文を下にうち置きもしない。

「こう、なにやかやとお諭しするのを、さぞ心中に面白からず思われるところがありはせぬかと、私としては悩ましいところなのだが、あの内大臣にほんとうのところを知らせて、そなたをあちらの邸へお渡しするというのは、どうも気が進まぬ。まだそなたは初々しく、私の手元を離れてしまったら、さしたる後ろ盾もない身の上であってみれば、あちらの邸へお移りになったならば、もう長いこと別々に暮らしてきたご兄弟のなかへ、にわかに差し出でて暮らしなさるということになる。果たして、それはどんなものであろうかな。私はそこを案じているのだよ。だからね、ここは、ひとつ世間の人なみに、しかるべき重々しい人の北の方にでもなってから、一人前の人間として名乗りを上げられたほうが、父大臣(ちちおとど)との晴れての対面の好機も、きっとあることだろうと思う。あの兵部卿の宮だが、あの方は、たしかに独身でおられるようではあるが、そもそものお人柄がどうも浮(うわ)ついたところがあって、なんでも、あちこちお通いになっている先がたくさんおありだと噂(うわさ)されている。また邸内にも、『召人(めしうと)』とやらいう、いかがわしい名で呼ばれている女たちが、数多くいるそうだ。……となると、夫の色好み沙汰(ざた)のようなことについて、いちいちに目に角立(かどた)てたりせず、寛大に見過ごすことができるような人であるならば、万事は穏便にすませることもできよう。が、すこしでも心に嫉妬(しっと)の癖(へき)などがある人だと、やがては夫婦不和となって、しまいに夫に飽きられてしまうということにもなりかねぬ。さようなこともおのずから出来するやもしれぬから、まずはそう心得ておかれる必要があろうな。……また、あの近衛の右大将は、長年連れ添うてきた北の方が、ちかごろはひどく老け過ぎてしまったとやらで、もう飽き飽きしたからその代わりをというので、求婚してきているらしいが、それとても、あちらの女たちは、厭わしいことだと思っているにきまっている。まず、それはもっともなこと。私も、かれこれ思い合わせてひそかに思い悩んでいるのだが、結局、いずれをお相手にとも定めかねるのだ。

こうしたことは、実の親などにも、自分の思いはかくかくしかじかだと、はきはき話すこともできにくいことだけれど、ただ、そなたももうそうそう若いというご年齢でもなし、今となっては、なにごともご自分の心のうちに独りで分別なさることができるであろう。されば、私を今は亡き母君代わりに思いなされて、なんでも相談してくださったらよい。そなたのお心に不満足に思われるようなことがあっては、私としては胸が痛むというものだからね」

などなど、ひどく真面目ぶった様子で諭し聞かせる。

そういわれても、玉鬘としては、ただただ困じ果てるばかり、なんとも返事のしようがない。

が、あまりに子供っぽく黙りこくっているというのもよろしくないと思って、玉鬘はやっと答える。

「まだなにも物心のつかぬ時分から、親などは見たこともないという境涯(きょうがい)に慣れてしまいましたので、いまさら親代わりにと仰せになられましても、どのように考えたらよいものか見当もつきませぬ」

と、こう答える玉鬘の様子は、たいそうおっとりとしている。源氏は、これをみて、なるほどそれももっともと思ったのであろう、

「それでは、世の諺(ことわざ)にも『後(のち)の親も実(じつ)の親』とやら申すとおり、私をその後の親の実の親とでも思って、疎(おろそ)かならぬ私の厚意のほども、この後(のち)なおはっきりと見届けられてはいかがであろうかな」

などと、懇(ねんご)ろに語らいかける。さすがの源氏も、内心に「私のものになりなさい」と思っていることは、面映(おもは)ゆくて口に出せない。ただし、それらしい表現をちらりちらりと交えつつかき口説いてみるけれど、玉鬘はいっこうに気付かぬ様子、源氏はいい加減ため息などつきながら、つと立って向こうのほうへ帰ってゆこうとする。

外に立って前の庭を見ると、そこには、淡竹(はちく)が、たいそう若々しく伸びて、さわさわと風に靡(なび)いている。源氏は、そのなよやかなたたずまいに心惹かれて、ふと立ち止まった。

「籬(ませ)のうちに根深くうゑし竹の子の
おのが世々にや生(お)ひわかるべき

この庭の籬(まがき)のなかに、根も深くしっかりと植えておいた竹の、その子が、あたかも竹の子の節と節の間(よ)が育つに従って離れていくように、やがてどこかの男と一緒になっておのれの人生(よ)に巣立ってゆき、私の人生(よ)とは別に生きていくのであろうか

ああ、思えば恨めしいようなことだな……」

源氏は、御簾(みす)を引き上げて、庭の竹を見やりながら、こんなことをなかにいる玉鬘に言いかけた。すると、玉鬘は、膝行(しっこう)して御簾の際まで出てくると、

「今さらにいかならむ世か若竹の
生ひはじめけむ根をばたづねむ

今さらに、どんな人生（よ）があろうとて、若竹が、ここを離れて生を受けた最初の根を尋ねていくものでしょうか……父内大臣の方へ行くなんてことはございません

なまじそんなことをすれば、却ってわたくしが困りますもの」

と、あえて源氏の歌の心をはぐらかして、こんなふうに答えた。源氏はこれを聞いて、なんとけなげなことを言うものかな、と思う。

がしかし、そうは答えたけれど、玉鬘は、内心には、こんなふうには思ってもいなかったのである。

〈いったいどんな機会に、源氏さまは、父内大臣にわたくしのことを、お打明けなさろうというのかしら……〉と、玉鬘は、なんだか気掛かりな思いに駆られるけれど、とはいえ、この源氏の大臣（おとど）の自分に対する行き届いた優しさが世にもたぐいないものであることはよく分かっている。〈……内大臣さまは、実の父には違いないけれど、こうやって子供時分からずっと離れていて、お側近く親しんできたわけでもないわたくしには、どう考えてもこんなに細やかなお心をかけてはくださるまい〉と玉鬘は思う。昔物語などを見るにつけても、とかく継子が継母にいじめられることなど、世の中にはいくらもあるらしい、

と思うと、実の子でもない自分に、こうまでも親切にしてくれる源氏に対する気がねも感じて、自分のほうから進んで実の父に事実を知らせるなどということは、やはりむずかしいことに思えるのであった。

紫上、源氏の本心を見破る

源氏は、この姫を、日ごとにますますいたいけでかわいいと思うようになっていく。そして紫上にも、こんなふうに語りかけるのである。

「まことに、どうも不思議でならぬほどに、この姫の人柄は人を引きつけるところがあるのだよ。あの子の亡くなった母親は、いつもなんだか沈んでいて晴れ晴れとしたところがなかったが、この姫のほうは、聡明で世間の道理などもよく見知っていそうだし、だいいち、親しみ深い人柄で、なにも心配するには及ばないように見える」

など、玉鬘を讃める。

紫上は、かねて源氏という夫が、こういう女に対して、なにもなしでは済まされまいということを心得ているゆえ、ピンと来るものがある。

「そんなにご聡明ならば、ものの道理はすべて心得ておいでのように思えますけれど、それにしては、なんの警戒もせず気を許して、あなたをお頼りなさるのですね。なんだかお気の毒なような……」

紫上は、こんなことを当てこすりのように言う。源氏は眉を曇らせて言い返す。

「なんで、私が頼もしくないことがあろうかね、まったく……」

しかし紫上も負けてはいない。

「いいえ、わたくしとて、まことに我慢しかねるような、憂鬱なことが今までに数々ございましたもの。そういうお心がけの厭わしさが思い出される折々が、いくらもございますから……」

そう言いながら、紫上はにっこりと微笑む。

〈なんとまた、察しの良いことか〉と源氏は思って、

「どんどんと悪いほうに推量していくのだね、そなたは。あの姫は賢い人だから、もし私にさような好き心があれば、ただちに見抜いてしまうだろうさ」

と言い返し、それ以上のやりとりは面倒くさくなった。まだ何か言いそうにして、ふと口を噤むと、〈紫上が、あんなふうに思うのであれば、さていったいどうしたものであろ

う〉と、源氏はまた心乱れる。その一方で、こう指摘されることで、自分の道ならぬ心がけのほどが、つくづく思い知られたりもするのであった。

源氏、玉鬘に迫る

源氏の心には、どうしてもこの玉鬘のことが思われてならぬ。それゆえ、しばしば西の対に渡っていって、なにくれと世話を焼かずにはいられない。

雨がざっと降った名残に、たいそうしんみりとした、ある夕方のことであった。

庭前(ていぜん)の若楓(わかかえで)、柏木(かしわぎ)などが若葉して、青々と繁(しげ)りあっている気持ちのよい青空を、源氏は部屋のなかから見上げながら、ふと白楽天(はくらくてん)の漢詩(からうた)を誦(ず)じている。

四月(しぐわつ)の天気(てんき)、和(わ)して且(ま)た清(きよ)し

四月の天の気は、和やかに調和して、また清々しい

こう歌いながら、源氏は、すぐにこの姫君の姿形が、匂(にお)うばかりに麗しいのを思い出して、またいつものように、そっと西の対へ渡っていく。

西の対では、玉鬘が手習いなどをして、ゆったりとくつろいでいたが、源氏の到来に、はっと身を起こすと、恥ずかしそうに顔を赤らめる、その様子がまたたいそう美しい。そうして、そのふわっとした温和な感じから、ふっと昔の夕顔のことが思い出され、源氏はとうとうこらえることができなくなった。

「初めて逢ったときは、これほどにまで母君を彷彿とさせるようにおなりになるとは思いもかけなかった。が、自分でも納得できぬほど、もうまさにここに母君がいるのではないかと思う、そんな折々があるのだよ。ああ、ほんとうにたまらぬ、たまらぬ。息子の中将などを見ていても、さっぱり母親の美しさなど伝えていない感じがするので、親子といってもそれほど似もせぬものだと思っていた。しかし、そなたはまったく違う。こんなに母君に瓜(うり)二つの人もおいでになるのだね」

そんなことを言って、源氏は、涙ぐんだ。そうして、箱の蓋(ふた)のようなもののなかに盛った果物のなかに、橘(たちばな)の実があるのを掌(たなごころ)にもてあそびながら、「五月(さつき)待つ花橘(はなたちばな)の香(か)をかげば昔の人の袖(そで)の香ぞする（五月の到来を待って咲く花橘の香を嗅ぐと、なつかしい昔の恋人の袖の香がする）」と詠じた名高い古歌を思い浮かべつつ、一首の歌を詠じて聞かせる。

「橘のかをりし袖によそふれば
かはれる身とも思ほえぬかな

かぐわしい橘の香っていた袖の、あの昔の人……そなたの母君だと思いなしてみれば、真実その橘の実（み）のようで、別の身（み）だとはとうてい思われぬことだね

どんなに月日が経っても、あの母君のことは、私の心にかかって忘れることがないゆえ、もうずっと心の慰むこともなくて過ぎてきた年月……こうして、母君そっくりのそなたを目の当たりにするとは……、ああ、これは夢ではないかと強いて思いなそうと我とわが心に言い聞かせなどするのだけれど、それでもやはり、どうしても我慢することができそうもないのだ。な、どうか、私を疎んじないでおくれ」

と、言いざま、源氏は、玉鬘の手を捉えた。今まで父のように思っていた人が、にわかに男となって迫ってくる。女は、こんなことをされたことは一度もなかったので、いやでいやでたまらない。が、それでも騒ぎ立てるでもなく、おっとりとしたさまで歌を返すのであった。

袖の香をよそふるからに橘の

みさへはかなくなりもこそすれ

袖の香に橘の匂う昔の人に、わたくしをなぞらえなさるからには、その橘の実（み）……この身（み）もまた、昔の人同様に儚く消えてしまうかもしれませぬ

とんでもないことになった、と思って玉鬘は面を伏せてしまったが、その面差しを見れば、なんともいえず心惹かれるものがあって、手つきの白くぽちゃぽちゃとしたところなど、またその体つき、肌のすべすべとしてかわいらしい様子など、なんとしても源氏の理性を麻痺させるものがある。なまじっかにこんな思いを打明けたがために、却って心の辛さがいや増しになった心地がして、源氏は、もう今日という今日は、わが思いの丈を、すこしはっきりと言い聞かせる。

女は、ただ心憂いばかり、どうしよう、どうしようとおろおろしながら、自然とわなわな震えが来て、それが衣の上まではっきりとわかるほどであった。

「どうしてだ、どうしてそんなに、私のことを疎ましく思われるか。浮き名の立つを厭われるか、いや、それなら案ずるには及ばぬ。私はよくよく秘密にして決して誰にも見咎められることのないように、重々用心をしている男だよ。だから、そなたも、さりげなく

な、さりげなく振舞って、すべてを秘中の秘にしておいてくれればよいのだ。もともと、あの心から愛していた母君の形見として、そなたにも決して浅からぬ思いを抱いていたのだが、今はもうそれだけではない。こうして新たな思い人としての恋心が重なっているのだから、もう世にたぐいもない恋しさだという心地がする。それなのに、この兵部卿の宮やら、近衛の右大将やら、懸想文をよこす程度の人々よりも軽くお考えになるということがあってよいものか。これほどに深い深い恋心のある男など、この世にめったとおりますまい。されば、あのような男たちの手にそなたを託すなど、とてもとても心配でならぬ……」

源氏は、こんなことを口説き続けた。

いやはや、このように要らぬ心配までするとは、とんでもない親心というべきでありましたろう。

雨がやんで、風がさやさやと竹の葉を鳴らして吹きすぎる頃、きらびやかにさし出てきた月影……、まことに詩情豊かな夜の景色に、なお雨の名残か、空気も湿りを帯びて……、こういうしっとりとした夜ゆえ、女房たちも、情愛濃(こま)やかな親子の語らいを邪魔してはいけないと思って、二人の近くに侍ることを遠慮している。

親子という建前ゆえ、日ごろから几帳なども隔てずに直接対面している仲ながら、きょうまで、こんな好機もなかった。しかし、ついにここまで言葉に出してしまったことでもあり、もはや心の抑制が効かなくなったのであろうか、するするとやさしい衣擦れの音も、巧みに風音に紛らしなどして衣を脱ぐと、玉鬘の閨に入り、ぴったりと寄り添って臥した。

玉鬘は、もうひたすら辛いばかり、〈こんなことを女房たちが知ったら、なんと思うだろう、さぞかし常軌を逸したことだと思うにちがいない〉と、痛切に悲しくなった。〈もしほんとうの父君のお側に暮らしているなら、どんなに疎かに見放されていようとも、こんな嫌なことは、ぜったいにあるはずがない……〉、そう思うと、悲しみに涙がこぼれ、たいそう痛々しい玉鬘の様子であった。

「こんなふうにひどく疎んじられるのは、ほんとうにつらいよ。赤の他人どうしだって、男と女というものは、当たり前のこととして、皆肌を許すことだと思うのに、こんなに長いあいだ親しくしているよしみに、ほんのこれしき睦みあおうとするのを、なんでそのように疎ましく思うことがあろうぞ。……もうよい、これ以上、無理なことをしようとは決して思うまい。ただ並々ならぬ我慢をして堪えに堪えていた私の思いを、なんとか慰めたいと思っただけなのだよ」

などなど、源氏は、いかにも心を込めたらしい口調で、いとしげにあれこれ言葉を尽くすのであった。

こうして肌を触れぬばかりになってみると、ますますその気配は夕顔を彷彿とさせて、かつてあの人と閨を共にした懐かしい日々のことが思い出され、源氏の胸は張り裂けそうであった。

〈しかし、唐突といえば唐突、軽薄といえば軽薄なことであった……〉と、さすがに源氏も、そこはよく分かっているので、ここでよくよく自省自重、この先、朝近くまでこの閨に留まったのでは女房たちもさぞかし怪しむことであろうと思って、さまで夜も更けぬうちに引き上げることにした。

「そなたが、これで私を疎ましく思うようなことがあれば、それはほんとうに辛い。しかしね、もしこれが他の人だったら、とてもこうすぼんやりと生ぬるいやりかたではすまさないのだよ。そなたのことを、それこそ限りなく底知れぬほど愛しているからこそ、万が一にも人が変に思うようなことはしないのだ。ただね、そなたといると、あの亡き母君のことが思い出されて、恋しくてな。……その思いを慰めるために、せめては、とりとめのないことでもお話ししようか。それならばいいだろう、ね、だからそういうつもりでせめてお返事くらいはしておくれ」

と、細やかな心配りをしつつ話しかける。が、玉鬘は、呆然自失のていで、どうにもこうにも嫌だと思って、なにも答えない。

「……そうか、これほど冷淡なお心だとは思ってもみなかった。これはまた、なんとひどくお憎みになったものよな」

源氏はため息をつきながら、

「ゆめゆめ、人に覚られぬことだよ」

と、それを念押しして、立ち去っていった。

玉鬘の懊悩

女君は、もう二十二歳といい歳になっている。しかし、男と女の仲らいというものを具体的にはなにも知らない。そればかりか、いままでの暮らしぶりからして、すこしそういう方面に物慣れた女房などがどういうことをしているのか、ということすらさっぱり見聞きする機会がなかったので、男女が睦みあうというのが、じっさいどういうことであるのか、添い臥しする以上に親しくすることがあろうとも思い寄らぬ。それで、玉鬘は、思いもかけず身を汚されてしまったと、深刻に思い込んでいる。今はただ嘆かわしいばかりで、気分もひどく悪い。これを見て女房たちは、

「姫さまのお加減が、良くないように拝見いたしますが……」

など言って、どうしたものか弱り果てている。

なにもしらぬ乳母子の兵部の君などは、

「源氏さまのなされようは、なにからなにまで、ほんとうに細やかにお心配りくださって、かたじけないことでございますね。ほんとうの親御さまとて、これほどなにからなにまで、痒い所に手が届くように、お考えくださるなんてこと、ございませんもの」

などと、玉鬘の耳元で囁いたりするにつけて、まったく思いもかけなかった、あのいやらしい源氏の心ざまが、疎ましいかぎりに思われて、玉鬘は、女としての我が身がつくづくいやになるのであった。

次の朝、さっそく源氏から文が届く。

玉鬘は気分が優れないからといって臥していたが、女房たちは、硯などを持ってきては、

「さあさ、すぐにお返事をあそばしませ」

とせっつく。玉鬘は、しぶしぶ、その文を披いてみた。

すると、殺風景な白い紙で、一見するとどうということもない真面目な手紙らしく見えるように、それはそれは見事な筆跡で書いてある。

「夜さりの、たぐいない非情なお仕打ちは、ほんとうに辛いことでしたが、いやその、辛さゆえにまた忘れ難くて……。お側の人々は、わたくしが早々に立ち戻ったことなど、どんなふうにご覧になったことでしょうか。

うちとけて寝も見ぬものを若草の
ことあり顔にむすぼほるらむ

うちとけて寝（ね）ることもしなかったものを、若草のようなそなたは、いかにも訳あり顔をして鬱結しておられるのでしょう。まるで草の根（ね）が結びあってとけぬように……

まことに、子供めいたなされかたでしたね」

あんなことをしておきながら、料紙といい文体といい、なおも親ぶったところを見せている、そのくせ中身はいやらしい、そのことを玉鬘は憎らしく思って、返事など書きたくもないが、といって、全然書かなければ周りの女房たちに不審がられるにちがいない。しかたなく、玉鬘は、まるでなにかの公文書にでも使うようなばさばさと分厚い陸奥紙に、ただ一言、

「お手紙拝承いたしました。ただいま気分が優れませぬにつき、お返事失礼させていただきます」

と書いたばかりで、返歌もせぬ。

これを受け取った源氏は、

〈ふむ……この返事のよこし方など、しかし、まことにきっぱりとしたものだな〉と、微笑んで、〈これほどの物堅さなれば、かえって恋の怨みごとなど申し甲斐もあろうというものだ〉などと思っている。まことにますます呆れた心がけである。

こうしてはっきりと態度に顕わしてしまった以上は、かの「恋ひわびぬ太田の松の大方

は色に出でてや逢はむと言はまし（恋しくてどうにもならぬ。あの太田（おおた）の松ではないけれど、おおかたのところ、はっきりと口にだして逢おうと言ったものだろうか、どうだろうか……）」という古歌のようにぐずぐずと躊躇う必要もなく、源氏は、しょっちゅうあれやこれやとうるさく口説きかけてくる。これには玉鬘も身の置き所のない思いがして、またそれゆえに置き所のない物思いに纏われて、まことの病にでもなりそうな気がする。

かくて、ことの真実を知っている人は稀で、親疎の別なく、源氏をこの上なく良い父親のように思い込んでいる状況のなかで……、玉鬘は独り思い悩む。

〈もしこんなありさまがよそに漏れ聞こえてしまったら、ひどい物笑いの種にもなるし、厭わしい噂が立ってしまうだろうな……父内大臣などが、自分の消息をいずれは尋ね知ることがあるかもしれないけれど、そしたらいったいどうなるだろう。……もともと父君は、私のことはそんなに真剣に思ってくださるようなお心ではないのだけれど……それでも、万一こんな噂をお聞きになったら、他人が感じる以上に、なんという軽薄な娘だと、きっとそんなふうにお思いになるに決まっている……〉

そう思うと、万事が心配なことばかり、心は乱れるばかりであった。

兵部卿の宮たちのその後

兵部卿の宮も、近衛の右大将も、この求婚については、源氏としてもまったく駄目だとも思っていないらしいというふうに、関わりのある女房などを通じて聞いているので、ますますその気になって口説きかかってくる。

また、かの「岩漏る水に……」と歌いかけてきた中将も、源氏の大臣が、自分を「浮ついたところのない人だ」として内々にお許し下さっているということを、女の童のみるこあたりから、ほそぼそと伝え聞いて、姉弟だというほんとうのことを知らないから、ただもう嬉しいばかり、すっかりその気になって恋の怨みを訴えては、玉鬘の周囲をうろうろ歩き回っているようであった。

【第四巻】 訳者のひとこと

背後にあるもの

林 望

この『謹訳 源氏物語』を読んでこられた方々は、原文の背後に込められた先行文学からの引き事が、かなりたくさんあることに気付かれたことと思う。思うに、この物語が作られ享受された時代の人々は、和歌の引き事などは、おそらくちょっとした断片からだけでも、その背後の典拠までさかのぼり得て、その意味を理解し、その感情を感得したであろう。そこで、現代の読者にも、彼らのレベルと同じところまで理解鑑賞していただきたいと思って、本来なら注釈として添えるべき典拠までも、なんとかして訳文のなかにこれを溶解せしめて、すらすら読めるように工夫してきたところである。しかるに、そういう典拠の一々を、すべて訳出することが、場合によってはあまりにも煩雑で、かえって興味を殺ぐ恐れもなしとしない。

そこで、じつは、その典拠の訳出にも、適宜取捨を加えてある。たとえば、胡蝶の巻、四二〇頁に、源氏が白楽天の詩句を朗唱するところがある。原文では、

「御前の若楓、柏木などの、青やかに茂りあひたるが、何となくここちよげなる空を見いだしたまひて、『和してまた清し』とうち誦じたまうて……」

とある。この詩句は、『白氏文集』巻十九に出る、「七言十二句、駕部呉郎中七兄ニ贈ル」という詩の冒頭の一句「四月の天気、和して且た清し」の一部分である。おそらくは「和してまた清し」だけを謳ったのではなくて、その一句を朗唱したのであろうと推量して、謹訳では、一句全体を訳文に込めた。

しかるに、同じ巻のすこし先のところに、

「雨はやみて、風の竹に鳴るほど、はなやかにさし出でたる月影、をかしき夜のさまもしめやかなるに」

という行文がある。じつは、この文章の背後には、上記の白詩の、第七・八句の「風竹

に生る夜は窓の閒に臥し、月松を照らす時に台の上りに行く」というところが引かれているだろうというのが定説になっている。

このところ、実は『謹訳』でも、草稿の段階では、こちらの部分も白詩を引いて訳出しておいたのであったが、しかし、そうするとあまりにも文飾が過多繁雑になり、現代文の流れとしてはどうしても読み泥むところが出てきてしまう。かたがたまた、必ずしもその詩句を知らなくとも、このところの描写は十分に味わい得るところで、もしかすると、作者は白詩を引いて奥行きを出したつもりであったかもしれないが、「和してまた清し」とはだいぶ離れたところに置かれているので、あるいは読者（聴聞者）には、そこまでの連想は働かなかった可能性もある。

源氏物語のなかには、しばしば、白楽天の詩句が引用されるのであるが、なかでも、『新楽府』『秦中吟』『長恨歌』等については、その原詩のドラマティックな表現の故もあって、当時から大いに人口に膾炙していたと見てよい。紫式部は、藤原為時の娘で、漢詩文の教養は兄惟規よりも優れていたらしいことは、『紫式部日記』に見え、むろん白詩も熟知していたであろう。そこで式部は、この詩の冒頭の句を源氏に朗唱させたときに、その先の気持の良い詩表現をこういう形でひそかに文章のなかに織り成さずにはいられなかったのかもしれない。

ただし、この詩の、この部分については、『和漢朗詠集』巻上、夏夜、に引かれているので、たしかに良く知られた詩句であったろうと思われる。

そこで、ここを多少読みにくくても忠実に原詩を引いて訳すか、それとも、現代文としての調べを重んじて、典拠への遡及はあきらめるか、いろいろに訳文を工夫しながら考えた。その結果、この原文のもつ和文としての清やかな描写の妙を殺したくない、とそう思って、最終的に、典拠には語り及ばず、読みやすさと和文としての調べを優先することにしたのである。その上で、しかし訳文を「雨がやんで、風がさやさやと竹の葉を鳴らして吹きすぎる頃、きらびやかにさし出てきた月影……、まことに詩情豊かな夜の景色に……」というふうにして、ただこの描写の背後には「詩」が隠されているのですよ、と、ほんのりと暗示するにとどめたのである。

本書の主な登場人物関係図（薄雲～胡蝶）

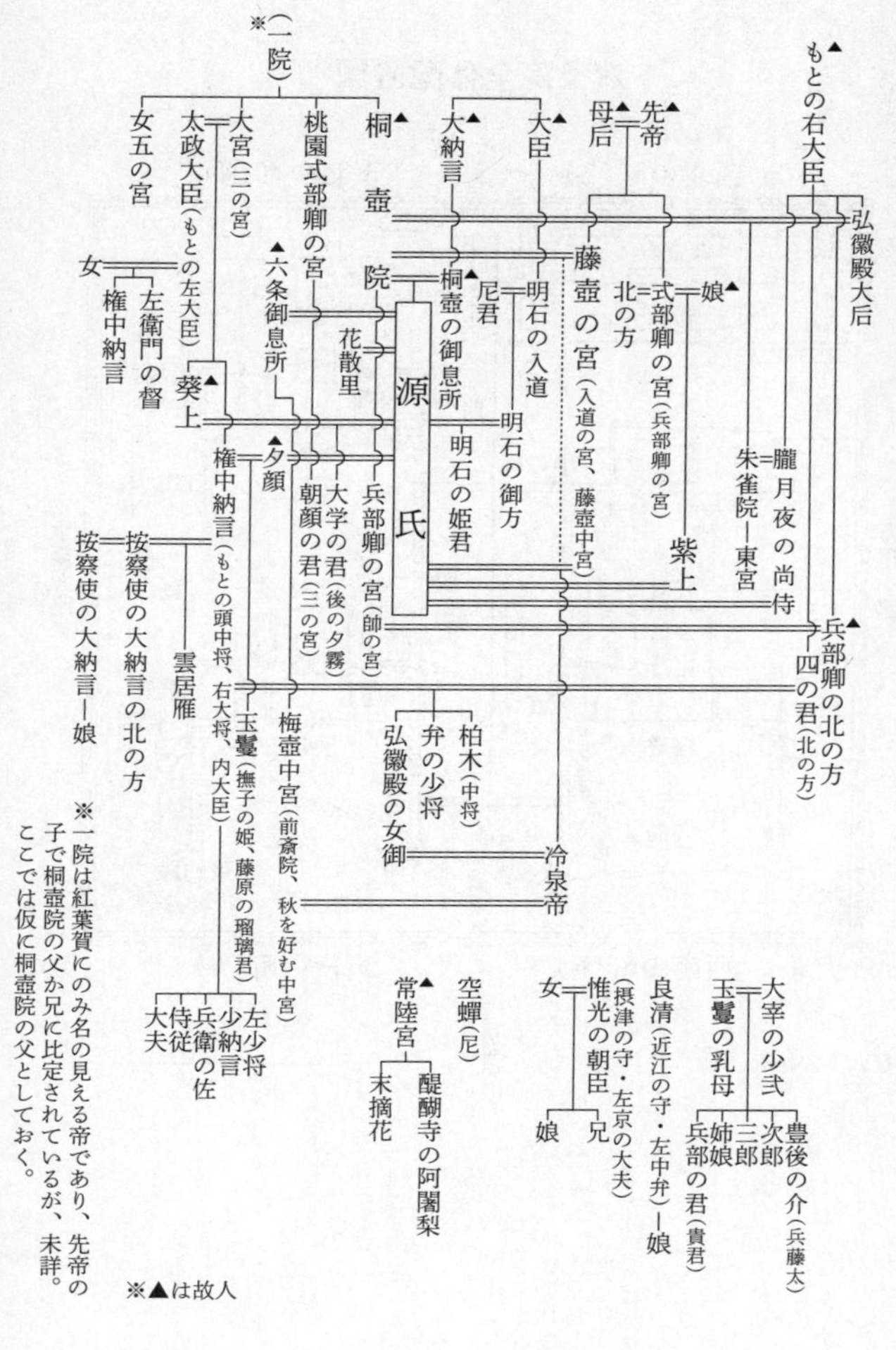

六条院全体配置図

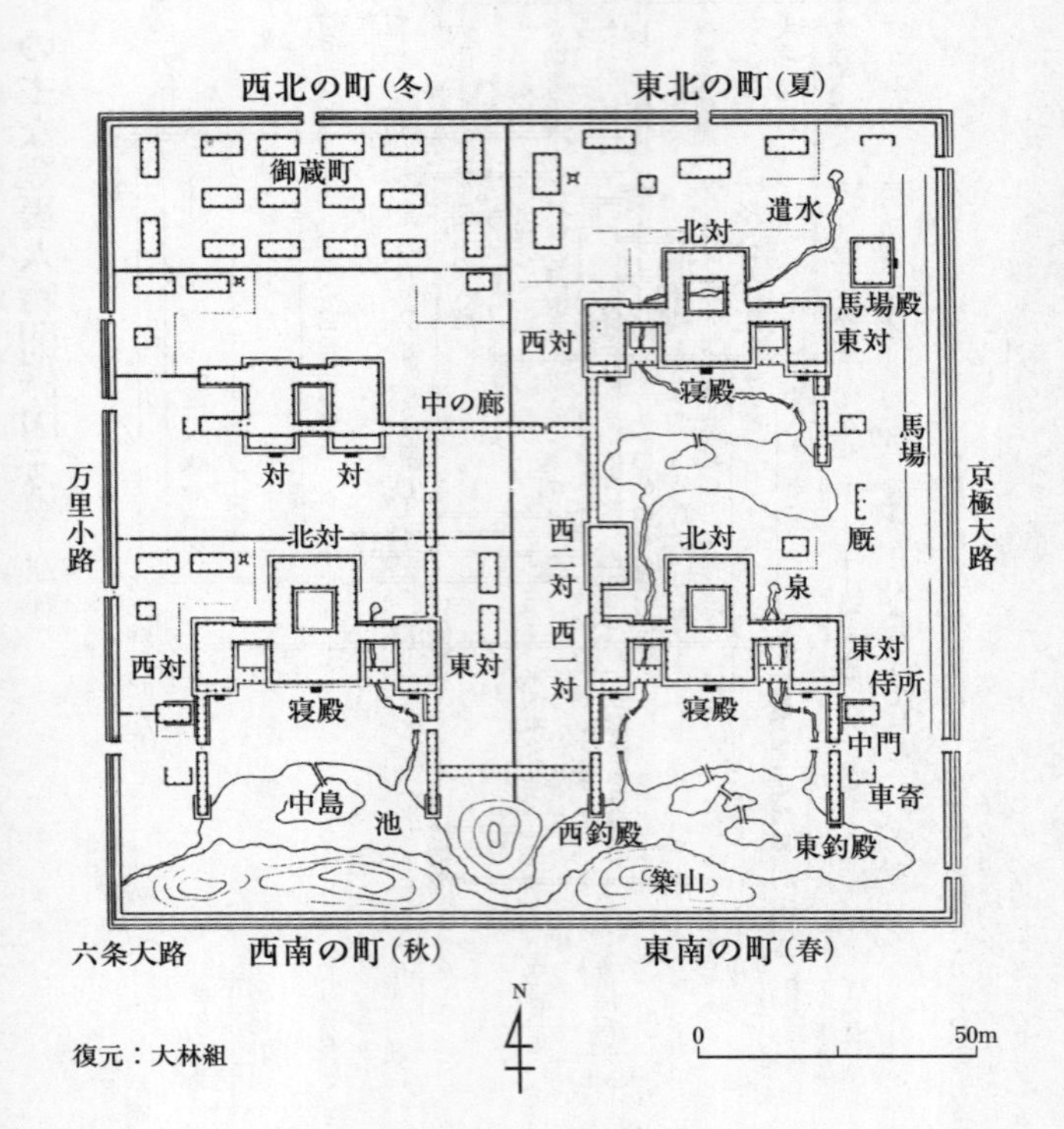

復元：大林組

単行本　平成二十二年十一月　祥伝社刊『謹訳 源氏物語 四』に、
増補修訂をほどこし、書名に副題（改訂新修）をつけた。
なお、本書は、新潮日本古典集成『源氏物語』（新潮社）を
一応の底本としたが、諸本校合の上、適宜取捨校訂して解釈した。
「訳者のひとこと」初出　単行本付月報

祥伝社文庫

きんやく げんじものがたり よん
謹訳 源氏物語 四
改訂新修

平成29年12月20日　初版第1刷発行
令和6年5月15日　第2刷発行

著者　林望（はやしのぞむ）

発行者　辻浩明

発行所　祥伝社（しょうでんしゃ）
東京都千代田区神田神保町3-3　〒101-8701
電話　03（3265）2081（販売部）
電話　03（3265）2080（編集部）
電話　03（3265）3622（業務部）
www.shodensha.co.jp

印刷所　図書印刷
製本所　ナショナル製本

Printed in Japan ©2017, Nozomu Hayashi ISBN978-4-396-31726-3 C0193